Le stress au travail:
mesures et prévention

par

ANDRÉ SAVOIE D.Ps.
Psychologie industrielle et organisationnelle
Département de Psychologie
Université de Montréal

avec la collaboration de
Alain Forget, M.Ps.

2e édition 1984

AGENCE D'ARC INC. (les éditions)
6872, rue Jarry est, Montréal, Québec H1P 3C1
Tél.: (514) 321-0241

Le fonds F.C.A.C. pour l'aide et le soutien à la recherche a accordé une aide financière pour la rédaction et l'édition de cet ouvrage, dans le cadre de sa politique visant à favoriser la publication en langue française de manuels et de traités à l'usage des étudiants de niveau universitaire.

Préface

Les sciences humaines, telles que la psychologie et la sociologie, en sont encore à leurs premiers pas. Les découvertes qu'on y fait portent facilement à des généralisations qui rendent difficile à l'intelligence l'effort de pousser plus loin la compréhension de la réalité. On se complait souvent dans des voies d'évitement qui satisfont des intérêts particuliers, mais qui ne mènent nulle part quant à la capacité accrue de l'homme de mieux s'intégrer à son milieu.

Le stress est justement un de ces concepts qui a été galvaudé à toutes les sauces depuis quelques années. On s'en est servi tant pour décrier les vicissitudes de la vie moderne, pour assurer le marketing de la multitude des techniques de relaxation, que pour alimenter ses oppositions idéologiques à notre système politique et économique en décriant le stress débilitant dont certains travailleurs seraient victimes dans leur emploi.

Une véritable approche scientifique de la problématique exige évidemment beaucoup plus de patience et de pondération. C'est le mérite de Savoie et Forget d'avoir évité les trappes de déclarations intempestives et de s'être consacrés à décortiquer un grand nombre d'études touchant le stress de près ou de loin. Et le lecteur s'aperçoit à la lecture de ce document que les ramifications de ce phénomène sont multiples. Un livre qui s'avérera fort utile pour ceux qui sont préoccupés de mieux comprendre ce sujet.

La définition que les auteurs retiennent du stress est celle d'un rapport entre les forces de tension interne de la personne et celles du milieu environnant, le déséquilibre dans ce rapport étant source de stress. Mais quand y a-t-il stress utile? Qu'est-ce qui différencie le stress fonctionnel du stress dysfonctionnel? Comment obtient-on l'un et évite-t-on l'autre? Les recherches recensées sont plus avares sur le sujet. La science n'en est pas là encore.

Et pourtant la réalité quotidienne fait de chacun de nous des témoins du jeu continuel que se livrent la croissance et le vieillissement dans nos vies. Pas de croissance sans vieillissement ; et la croissance ne choisit pas toujours les sentiers les plus aisés. Des événements terribles, source de grand stress, nous confrontent à l'improviste, et nous en sortons grandis. À côté de cela, un assujettissement à une routine facile, bête parfois, nous minera de façon inexorable.

Il en va de même sur le plan de l'entreprise. Les bons managers, les grands leaders dérangent. La poursuite de l'excellence organisationnelle est exigeante. Mais, il faut éviter le stress dysfonctionnel, car ce dernier est associé à des conséquences néfastes tant pour la personne que pour l'organisation. Ce point est amplement démontré dans le volume.

Chose certaine, c'est que plusieurs bonnes vieilles recettes de gestion sont encore de mise : choix d'employés compétents, respect et recours à l'intelligence des subordonnés, définition de rôles clairs, formulation d'objectifs précis, difficiles à atteindre mais réalisables.

Le sujet du stress est vaste et complexe. Il y a encore beaucoup à apprendre. Savoie et Forget nous amènent dans la bonne direction.

JEAN PIERRE LAROCHE
Vice-Président
Ressources Humaines
VIA Rail Canada inc.

En hommage au professeur Claude Parant,
père de la psychologie industrielle et organisationnelle
au Canada français.

Table des matières

Première partie □ *Le stress au travail et les mesures de tension*

CHAPITRE I

CHAPITRE II

CHAPITRE III

Deuxième partie □ *La prévention du stress au travail*
□ *La prévention du stress du subordonné et du supérieur*

CHAPITRE IV

□ *La prévention du stress des subordonnés*

CHAPITRE V

CHAPITRE VI

CHAPITRE VII

CHAPITRE VIII

LISTE DES FIGURES ET TABLEAUX

LISTE DES FIGURES

LISTE DES TABLEAUX

Le travail de graphisme (tableaux et figures) de ce livre a été réalisé par le Centre Audio-Visuel de l'Université de Montréal.

Introduction
au concept global de stress

Le stress au travail, presque tout le monde en parle, beaucoup en souffrent, peu le connaissent et quasi personne ne peut l'appréhender en toute certitude. Derrière la popularité du concept de stress occupationnel se cache un sujet de recherche et d'intervention éminemment complexe. L'étude du stress au travail passe par celle des causes qui l'activent, des processus qui l'animent, des conséquences qui s'ensuivent.

Il est question de stress lorsque la demande de l'environnement diffère des capacités d'adaptation de l'individu et aussi lorsque ce dernier accorde de l'importance au fait de rencontrer ou non les exigences de son milieu. En d'autres termes, il s'agit d'un problème significatif d'équilibre entre l'offre et la demande; c'est l'offre de l'individu en termes de rendement, d'adaptation qui est confrontée à la demande de son environnement. Tant que l'équilibre se maintient, les choses vont bien mais lorsque la demande dépasse l'offre ou vice-versa, il est alors question de stress ou, si l'on préfère la terminologie de Selye (4), de détresse. En effet, certains chercheurs réservent l'appellation de stress à l'activation, à la stimulation normale de l'organisme tandis qu'ils qualifient de détresse le déséquilibre notable entre l'offre et la demande, lequel entraîne des perturbations dans le fonctionnement de l'individu. Dans cette optique, le stress est un phénomène normal, voire même nécessaire à l'entretien de la vie. C'est cette stimulation qui nous fait lever le matin, qui nous donne le goût de vivre et de se surpasser. D'autre part, la détresse risque de déboucher sur des conséquences beaucoup moins désirables. À titre d'exemples, il suffit de penser aux problèmes de santé physique comme les ulcères, les maladies coronariennes ou aux problèmes de santé mentale telles la dépression, l'anxiété, la tension ou à des perturbations comportementales du type consommation abusive d'alcool, de drogue, perte ou stimulation excessive de l'appétit, perturbation du sommeil. Dans le présent ouvrage, le terme STRESS aura la connotation péjorative de DÉTRESSE.

Le concept de stress est très global puisqu'il touche finalement aux multiples intéractions qui ont lieu entre l'individu et l'environnement dans lequel il évolue; cet environnement englobe des sphères d'activités comme la vie de quartier, la vie de loisirs, la vie familiale et la vie occupationnelle. Il convient d'insister sur le fait que chacune de ces sphères peut être source de stress, dans le sens de détresse. Enfin, puisque c'est la même personne qui évolue dans chacune de ces sphères, le stress originant d'une sphère (v.g., vie occupationnelle), si il atteint une intensité suffisante, risque d'entraîner à son tour de la turbulence dans les autres sphères d'activités (v.g., vie familiale). Ainsi, la détresse originant d'une sphère de vie peut se répercuter sur d'autres sphères d'activités dans un genre de réaction en chaîne, ce qui augmente lourdement le fardeau de la personne aux prises avec ce stress de forte intensité.

Une des premières choses qui frappe celui ou celle qui s'intéresse au phénomène du stress au travail, c'est l'ambiguité qui entoure ce concept. Les auteurs ne s'entendent guère sur la définition du concept plus global de stress, ce qui augmente d'autant la difficulté de définir le stress au travail qui est l'objet de cet ouvrage. Pour certain, le stress c'est le symptôme, la dysfonction, le mal à abattre. Pour d'autres, il s'agit d'un ensemble de sources pathogènes originant de l'environnement dans lequel évolue l'individu. Enfin, d'aucuns voient dans le phénomène du stress, un ensemble de réactions tant physiologiques que psychologiques qui affectent l'organisme soumis à certains stimuli stressants. Ainsi, on conçoit le stress comme une cause externe à l'individu (le stresseur), comme un processus interne à l'individu ou bien comme une résultante (la tension) qui peut être individuelle ou organisationnelle.

La conception psychosociale du stress réfère à un phénomène indésirable et nocif pour l'être humain. Par exemple, McGrath (1,2) voit dans le stress "la perception d'un déséquilibre substantiel entre les exigences d'une situation et la capacité de répondre de l'organisme, dans des conditions où les conséquences anticipées d'un échec seraient importantes".

À cette idée générale de déséquilibre significatif se greffent les

différences individuelles. Les individus diffèrent entre eux quant à leurs réactions aux stresseurs, certains semblent plus immunisés que d'autres. Par contre, une même situation anxiogène ne suscite pas toujours la même réaction chez le même individu. Par exemple, l'apprentissage de nouvelles habiletés, la condition physique ou la modification de la philosophie de la vie peuvent améliorer la capacité d'adaptation de la personne. Tout comme la fatigue, les changements de vie majeurs (chômage, perte d'un être cher, etc.) peuvent rendre la même personne plus vulnérable au stress.

Dans les modèles de stress et de stress au travail, la **perception** de l'individu tient un rôle de premier ordre. La perception réfère à la fonction par laquelle l'esprit se représente les objets... il s'agit en quelque sorte de l'interprétation que se fait l'esprit d'une stimulation quelconque. Dès le premier siècle après J.-C., Epictète affirmait que les hommes ne sont pas tant perturbés par les choses que par la signification qu'ils leur donnent. Par conséquent, ce qui peut constituer une source de stress notable pour un individu peut signifier un défi pour un autre individu.

L'expérience prise au sens large, si elle est positive et constructive, peut augmenter les capacités d'adaptation de l'être humain au stress. Certaines approches thérapeutiques d'usage courant en psychologie visent justement à augmenter la résistance des clients au stress en les exposant graduellement à des situations stressantes et contrôlées. Ce principe prévaut également dans certains programmes de formation du personnel. Toutefois, une expérience négative, qu'il s'agisse d'un échec ou à plus forte raison d'un traumatisme, peut réduire les capacités d'adaptation de la personne à d'autres situations stressantes du même genre.

D'autre part, si on regarde le stress dans la perspective des facteurs causals, il semblerait que la présence simultanée de plusieurs stresseurs mineurs ou leur accumulation dans le temps puisse avoir des effets plus graves que la seule présence d'un stresseur de plus forte intensité (Mathieu, 3). Cette hypothèse nous amène donc à considérer la possibilité de l'effet cumulatif des éléments stressants. En vue de clarifier cette problématique des agents causals, McGrath (1) propose une taxonomie des stresseurs selon quatre grandes catégories:

1) la crainte réelle ou anticipée d'une blessure physique, de la douleur ou de la mort.

2) la crainte réelle ou anticipée d'un traumatisme psychologique : la crainte de l'échec professionnel chez le cadre ou du scandale chez le politicien, par exemple, s'inscrivent dans cette catégorie de stress.

3) la crainte réelle ou anticipée d'une rupture dans ses relations sociales : l'isolement ou la perte d'un être cher, le départ du cadet de la maison peuvent s'avérer stressogènes pour certaines personnes.

4) le fait de vivre dans un environnement appauvri, inhospitalier ou contraignant. Ce type de milieu brime la satisfaction des besoins physiques et/ou psychologiques de l'individu, d'où son aspect stressant.

Lorsque les demandes de l'environnement s'alignent sur les capacités de l'individu, l'effet serait alors bénéfique. Il y a donc un point en deçà et au delà duquel l'activation, la stimulation de l'organisme par le milieu dans lequel il vit, auraient des effets nocifs sur la santé. Cette représentation s'illustre par la **courbe en "U" inversé.** C'est pourquoi il est question de stress lorsque les stimulations que reçoit l'individu sont soit excessives, soit insuffisantes. En d'autres termes, le stress survient quand l'environnement exerce des demandes sur l'individu qui ne cadrent pas avec ce que ce dernier peut offrir. Le cas des demandes excessives s'illustre clairement à l'aide de la surcharge de travail, quelle soit qualitative ou quantitative. La sous-stimulation de l'environnement peut aussi conduire à des problèmes de stress. L'exemple du diplômé universitaire qui, en raison de la conjoncture économique, est réduit à un travail de commis-junior, illustre assez bien le phénomène. Il y a aussi le cas du cadre "tablette" ou celui du chômeur désireux de travailler. Ici, l'individu peut offrir beaucoup plus que l'environnement ne lui en demande, d'où le déséquilibre inducteur de stress.

Les **relations avec les autres** (collègues, subalternes, supérieurs, amis, conjoint...) et la communication jouent un rôle déterminant dans l'adaptation de la personne au stress. Les relations interpersonnelles harmonieuses peuvent jouer un rôle de support susceptible de faciliter l'adaptation au stress. Inversement, les relations humaines appauvries, assorties d'une communication difficile sinon inexistante viennent exacerber l'effet des stresseurs lorsqu'elles ne font pas partie prenante des sources de stress.

FIGURE I-1

Modèle psychosocial provisoire du stress individuel

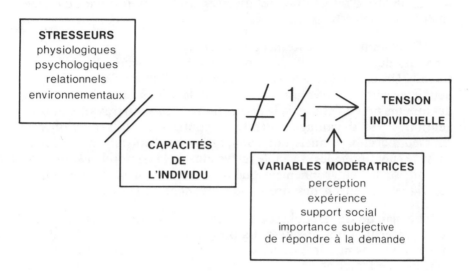

Une mise en rapport des données énumérées dans cette introduction fournit une première modélisation du phénomène du stress individuel sous son aspect psychosocial.

Si le rapport entre les stresseurs et les capacités de l'individu est différent de 1/1, il y a possibilité de tension individuelle compte tenu de l'effet modérateur de la perception, de l'expérience, du support social et aussi de l'importance que l'individu accorde à répondre ou non aux demandes.

Il est difficile d'étudier le stress. Par exemple, le stress et surtout les tensions individuelles ou organisationnelles qui en résultent prennent des connotations fort différentes selon qu'on les aborde sous l'angle de la gestion, des relations de travail, de la psychologie, de la médecine. D'autre part, les objectifs poursuivis dans les recherches sont très variés : dans plusieurs cas on tente de faire avancer la science, dans d'autres, on se préoccupe surtout du bien-être des travailleurs et/ou des organisations; il arrive même que la recherche serve de levier dans la poursuite d'intérêts partisans. Dans un tel contexte, la mesure et les instruments de mesure revêtent donc une importance cardinale puisqu'ils constituent l'une des assises fondamentales de la recherche. D'ailleurs, le choix des instruments de mesure a non seulement des retombées sur la qualité de la recherche, mais également sur les possibilités d'intégration des diverses études qui traitent du même sujet.

Ceci étant dit, on ne peut ignorer la nécessité pressante d'intervenir, de corriger, de contenir les effets néfastes du stress au travail. Un effort particulier en ce sens est mis de l'avant dans la deuxième partie de ce volume. À cet égard, la principale préoccupation des auteurs prend l'allure de la prévention du stress au travail. Par prévention, il est davantage entendu le contrôle ou la réduction des stresseurs occupationnels que l'adaptation ou l'ajustement aux tensions occupationnelles. La cible relève plus de la compréhension et de la maîtrise de l'environnement que du développement d'un blindage individuel à l'endroit des stresseurs provenant de l'environnement.

Le plan de travail qui est à l'origine de ce volume reflète bien les deux préoccupations précitées. La première partie s'intitule "le stress au travail et les mesures de tension" dans laquelle il est question des concepts de stress et de stress au travail (chapitre 1); les deuxième et troisième chapitres traitent des instruments qui mesurent respectivement les conséquences individuelles pour les travailleurs et les conséquences organisationnelles pour l'entreprise.

Le second volet du présent ouvrage est articulé autour de "la prévention du stress au travail". C'est ainsi que le chapitre 4 vise à prévenir le stress au travail du travailleur, cadre ou exécutant, de par le contrôle des rôles vécus au travail. Prenant les exécutants comme bénéficiaires de la prévention du stress au travail, les chapitres 5 et 6 proposent, d'une part, des moyens de favoriser la satisfaction au travail et, d'autre part, des moyens de faciliter la participation en milieu de travail, deux facteurs que l'on sait être reliés au stress au travail. En contrepartie, les chapitres 7 et 8 font du cadre le principal bénéficiaire de l'intervention préventive par la mise en oeuvre d'un système de gestion de la performance et par la proposition d'un système de gestion des conflits.

Telles sont les deux perspectives, mesure et intervention, qui marquent cet ouvrage sur le stress au travail.

Bibliographie et références

(1) McGrath, J.E. (Ed.) (1970) *Social and psychological factors in stress.* New-York: Holt, Rinehart and Winston.

(2) McGrath, J.E. (1976). Stress and behavior in organizations *in* Dunnette, M.D. (Ed.). *Handbook of industrial and organizational psychology.* Chicago: Rand McNally.

(3) Mathieu, R. (1979). Étude du stress professionnel des chauffeurs d'autobus: relations entre la perception du travail, le stress et la santé psychologique. Thèse de doctorat inédite (1er dépôt). Université de Montréal.

(4) Selye, H. (1975). Confusion and controversy in the stress field. *Journal of Human Stress, 1,* No. 2, 37-44.

PREMIÈRE PARTIE

Le stress au travail et les mesures de tension

Les auteurs de Work in America[1] définissent ainsi le travail: «une activité dont le produit (bien, service) a de la valeur pour autrui». Cette définition réfère implicitement au processus d'évaluation sociale et personnelle dont le travail est l'objet. C'est pourquoi le statut social d'un individu de même que celui de sa famille est étroitement associé au genre de travail qu'il exerce. Dans le milieu même du travail, le degré de maîtrise dont un individu fait preuve au travail est relié à l'estime que ses collègues lui portent ainsi que celui qu'il a de lui-même. Le fait d'être sans travail signifie souvent que le produit que l'on offre n'est pas désiré par autrui et/ou que l'on n'a pas les compétences pour offrir un produit désirable. On peut difficilement surévaluer le rôle du travail à l'endroit de l'estime de soi, de l'estime en provenance d'autrui, du sens de son identité personnelle et sociale, du sentiment de maîtrise sur sa destinée... et de sa survie et croissance économique. C'est dans ce contexte hautement significatif, personnellement et socialement, que s'inscrit le stress au travail.

Les effets du stress sont nombreux et variés. Certains sont positifs, tels une motivation accrue, le goût de travailler plus fort, le désir de vivre une vie plus remplie, plus saine. Par contre, plusieurs effets sont perturbateurs et potentiellement dangereux. La recherche a surtout

---

1. WORK IN AMERICA. Report of a special task force to the secretary of Health, Education and Welfare. Cambridge, Mass.: The MIT Press.

mis en évidence ces derniers effets qui se regroupent en cinq catégories de conséquences nocives:

> *Les effets émotionnels:* anxiété, agressivité, apathie, ennui, dépression, fatigue, frustration, irascibilité, faible estime de soi, nervosité, sentiment de solitude.

> *Les effets comportementaux:* abus de drogues, propension aux accidents, comportements impulsifs, rire nerveux, explosion émotive, consommation excessive de nourriture, d'alcool, de cigarettes.

> *Les effets cognitifs:* incapacité de prendre de bonnes décisions, faible concentration, courte durée d'attention, hypersensibilité aux critiques, blocage mental.

> *Les effets physiologiques:* hausse du taux de glucose, accroissement du rythme cardiaque et de la pression sanguine, sécheresse de la bouche, transpiration, dilatation des pupilles, poussée de chaleur et de froid.

> *Les effets organisationnels:* absentéisme, faible productivité, aliénation du groupe d'appartenance, non-satisfaction au travail, baisse de loyauté et d'engagement envers l'organisation.

Ces diverses conséquences ne sont ni exhaustives, ni continuellement reliées au stress. Elles sont cependant assez représentatives des divers symptômes que l'on a souvent associés au stress sans pour autant déterminer avec précision leurs relations avec ce dernier.

L'objectif de cette première section qui comporte trois chapitres est de préciser la notion de stress au travail et de dresser l'inventaire critique des mesures des tensions. Ainsi le chapitre premier développe lentement, et par étapes, le concept de stress pour en arriver à une description la plus complète possible des multiples éléments appartenant à chacune des facettes du stress au travail. Le chapitre deux est entièrement consacré à l'inventaire et à l'analyse des qualités métrologiques et pratiques des instruments qui ont été utilisés dans la mesure des conséquences personnelles du stress au travail. Au chapitre trois, on retrouve la même démarche mais pour les conséquences organisationnelles cette fois. Ces deux chapitres mettent à la disposition du lecteur un arsenal d'instruments utilisés dans la mesure scientifique du stress. Les meilleurs instruments de chaque catégorie ont particulièrement retenu l'attention des auteurs.

CHAPITRE I

Le stress au travail

Il y a quelques années, un chef de pompier venait tout juste de recevoir une promotion. Ses nouvelles fonctions exigeaient qu'il joue davantage le rôle de gestionnaire, ce qui forcément l'éloignait de l'extinction d'incendies. Or, le chef avait accepté de remplir ses nouvelles fonctions administratives à la condition qu'il puisse se rendre sur les lieux d'un incendie requérant trois alarmes ou plus. Vu de l'extérieur, la charge administrative pouvait paraître moins "stressante" que la direction opérationnelle sur les lieux d'une conflagration et pourtant le chef refusait de rompre avec cette facette de son travail. Dans sa vie occupationnelle de sapeur-pompier, ce n'était pas tant l'extinction des incendies qui induisait un sentiment de détresse mais plutôt les tâches d'entretien à la caserne. Et dans sa nouvelle situation, ses charges administratives avec tout ce qu'elles pouvaient comporter de conflit et d'ambiguïté de rôle, lui pesaient plus lourd que la direction opérationnelle des troupes à l'extinction. Dans le même ordre d'idées, un vétéran du service d'incendie, un ex-capitaine, expliqua sans ambage "qu'à l'époque plus c'était rouge, plus on aimait ça!" Ce vétéran raconta que lui et ses camarades étaient conscients du danger, qu'ils avaient même perdu des leurs lors d'incendies majeurs en plus de frôler la mort de près lui-même. En dépit ou à cause de tout cela, il aimait son métier de sapeur et il s'y était bien adapté. À l'inverse, on peut imaginer la détresse ressentie par nombre d'entre nous à la seule idée de risquer notre vie lors de l'extinction d'un incendie majeur. Ainsi donc, ce n'est pas tant l'environnement de travail comme tel qui conduit au déséquilibre offre-demande mais plutôt l'intéraction entre le travailleur et son milieu de travail. Plusieurs vendeurs professionnels supportent bien la pression inhérente à leur travail tandis qu'ils s'astreindraient difficilement au travail des comptables. Inversement, certains comptables qui s'adaptent facilement à la charge mentale de leur tâche, risqueraient de ne pouvoir supporter l'insécurité propre au travail de vendeur. En somme, les stresseurs des uns ne sont pas forcément les stresseurs des autres.

1.1 L'approche interactionniste

La perspective systémique permet de cerner de façon plus complète la problématique du stress au travail et des difficultés qui peuvent en découler. Dans cette optique, il convient de présenter le modèle interactionniste tripartite de McLean (11) qui, outre les stresseurs occupationnels, tient compte de la vulnérabilité de l'individu et du contexte dans lequel le sujet évolue (voir figure 1-1).

FIGURE 1-1

Le modèle interactionniste tripartite de McLean

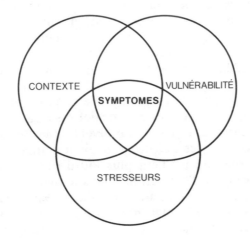

Source: McLean, A. (1974). Concepts of occupational stress: A review
in McLean, A. (Ed.). *Occupational stress.* Springfield: Thomas.

1.1.1 **Le contexte**

Dans le modèle de McLean, le contexte réfère à l'environnement
social, physique, économique ou politique. L'influence du contexte
peut se situer à plusieurs niveaux: familial, social, national ou international. Par exemple, de graves problèmes matrimoniaux risquent fort
d'augmenter l'impact des stresseurs organisationnels sur l'employé.
Ou encore, le climat politique qui prévaut au Québec a pu modifier la
perception de certains stresseurs auxquels sont soumis des cadres anglophones. De même, les turbulences économiques présentes exercent
vraisemblablement des pressions substantielles sur la majorité des
citoyens.

Certains environnements de travail présentent une telle demande
d'adaptation, un tel caractère stressant que bien peu d'individus sinon
aucun peuvent s'y faire. Il suffit de penser au Vietnam, à cet environnement de travail infernal pour les soldats, dont le travail consistait justement à y survivre et à s'y battre. Les névroses de guerre, les problèmes
d'alcool et surtout de drogues, l'exécution des officiers par leurs pro-

pres hommes, constituaient autant de conséquences possibles de stress occupationnel. Plus près de nous, la surveillance des détenus dans les institutions pénitencières, et particulièrement dans certains centres à sécurité maximale, revêt certes un caractère stressant. Il suffit de penser, par exemple, aux rapports détenus-agents correctionnels au lendemain d'une émeute.

Dans le monde des affaires, le fait d'être dirigeant d'une PME en pleine période de récession économique revêt dans nombre de secteurs un caractère indéniablement stressant. Là encore, certains s'y adaptent mieux que d'autres, mais les chances d'être stressés sont fortes lorsque l'économie menace la survie de l'entreprise. Ainsi donc, le contexte par les demandes qu'il suscite ou même impose aux individus peut être une source généralisée de tension quoique, ultimement, c'est l'interaction individu-environnement de travail qui débouche sur l'adaptation ou la mésadaptation. Cependant, dans des conditions de travail peu conformes aux capacités des individus, une majorité, sinon tous les travailleurs, risquent d'éprouver de la tension.

1.1.2 La vulnérabilité

À l'inverse, certaines personnes qui présentent des caractéristiques particulières risquent fort d'éprouver de la tension dans pratiquement tous les environnements de travail, alors que d'autres sont généralement plus résistants. Cette variabilité dans la résistance individuelle peut aussi être très spécifique. Par exemple, certains individus généralement résistants à la tension supportent mal les moments de rencontres sociales ou l'inactivité.

Dans un contexte identique et face aux mêmes stresseurs, les travailleurs n'offrent pas tous la même résistance. C'est la sphère de la vulnérabilité. Par exemple, au niveau des réactions physiologiques, d'aucuns présentent une certaine faiblesse de l'appareil cardio-vasculaire, ce qui augmente d'autant leur risque de maladies cardiaques. Par ailleurs, il en est d'autres qui, en dépit d'une forte constitution, présentent des risques éventuels élevés en raison de l'hyper-réactivité de leur système cardio-vasculaire. En d'autres termes, dans les mêmes conditions de stress, certains sujets réagissent davantage avec le système cardio-vasculaire. D'autres réagissent davantage au niveau de la tension musculaire et risquent éventuellement d'être victimes de ces variations. Il s'agit là de patterns personnels de réactions physiologiques. En rapport étroit avec la dimension précitée, il existe des facteurs biologiques de risques (taux de cholestérol sanguin, pression, âge, etc.). Enfin, les patterns comportementaux et les variables de la personnalité viennent compléter la sphère de la vulnérabilité. Il est bon de rappeler qu'un travailleur stressé dans une occupation précise pourra très bien s'adapter à un environnement de travail différent. Par ailleurs, un individu adapté à un certain travail pourra souffrir d'inadaptation et partant, pourra manifester des symptômes de stress dans un milieu de travail différent du sien.

1.1.3 Les stresseurs

Les stresseurs, qu'ils soient de nature physiologique, psychologique, relationnelle ou environnementale, constituent les éléments spécifiques qui aiguillonnent le processus conduisant à la tension individuelle. De la grande quantité de stresseurs potentiels en milieu de travail, bien peu nombreux sont ceux qui ont fait l'objet de recherche scientifique. Étant donné la multiplicité des stresseurs occupationnels, et l'importance de les identifier, la dernière partie de ce chapitre est consacrée à cette explicitation.

Telle qu'illustrée à la figure 1-1, l'émergence des symptômes se situe au carrefour du contexte, de la vulnérabilité et des stresseurs. Par exemple, des symptômes de troubles coronariens ne se manifesteront que si le contexte est opportun, si le travailleur présente une vulnérabilité et si des stresseurs intenses se maintiennent assez longtemps dans son environnement de travail. Par contre, si le contexte soutient bien l'individu, la conjonction vulnérabilité-stresseurs a peu de chances de conduire à l'émergence des symptômes. Il en est de même si le contexte se combine avec la vulnérabilité du travailleur sans que ce dernier n'affronte de stresseurs. Enfin, rappelons les interactions possibles entre facteurs occupationnels et variables externes à l'emploi. À cet effet, Cooper & Marshall (6) réfèrent à une boucle de rétroaction entre l'environnement de travail et l'environnement externe ou contexte. Si des problèmes externes, comme une crise matrimoniale ou des troubles financiers, affectent l'employé, il est plus susceptible d'éprouver des tensions au travail (exemple: affrontement avec un contremaître ou un client), ce qui à son tour risque fort d'exacerber les problèmes externes.

D'ores et déjà, l'optique interactionniste tripartite recommande une grande prudence dans l'étude du stress au travail et des troubles susceptibles d'en découler. Il serait risqué, par exemple, d'imputer au climat de travail ou à la nature de la tâche l'entière responsabilité des maladies cardiaques affectant certains travailleurs. De même, on ne saurait attribuer l'entière responsabilité du stress au travail à l'individu ou encore au milieu de travail. En somme, c'est le fait que telle personne soit placée dans un environnement donné de travail qui conduit au déséquilibre offre-demande, lequel peut se traduire par différents symptômes d'inadaptation. Prenons l'exemple de Monsieur X qui travaille comme chauffeur d'autobus et qui a en horreur le public. Il n'y a donc rien d'étonnant à ce qu'il éprouve certaines difficultés d'adaptation au travail, particulièrement s'il est placé sur une ligne achalandée. Tendu par ce public qui envahit l'autobus, il est porté à être brusque avec les usagers, ce qui lui attire évidemment des prises de bec avec certains d'entre eux. Son aversion du public est alors renforcée et ses chances d'avoir un accident risquent d'augmenter. Pourtant, Monsieur Y, un collègue de Monsieur X, aime bien le public, parle à tout le monde, donne volontiers un renseignement, sourit et fait des blagues avec les habitués. Par voie de conséquence, les usagers le saluent, échangent quelques mots, bref ils répondent à l'affabilité du chauffeur par leur politesse. Pour Monsieur Y, la journée paraît bien moins longue et le flot de circulation urbaine paraît du même coup atténué.

Par contre, dans un autre contexte relié à la conduite de véhicules lourds, les rôles pourraient bien être inversés. Prenons l'exemple du routier solitaire qui effectue régulièrement le trajet Montréal/New York, aller-retour. Monsieur X, qui n'apprécie guère le contact avec le public souffrirait moins de la solitude que Monsieur Y qui semble rechercher la présence des gens.

1.2 Le concept de stress au travail

Le concept de stress au travail découle du concept plus global de stress. Certaines facettes du milieu de travail comme les stresseurs physiques, chimiques (chaleur, bruit, produits toxiques...) appellent plutôt la conception physiologique du stress. D'autre part, les aspects du travail que nous privilégions en psychologie industrielle et organisationnelle, s'inscrivent plutôt dans l'optique psychosociale du stress (charge de travail, problèmes reliés au rôle, à la tâche et au contexte organisationnel).

L'ambiguïté qui frappe la notion de stress atteint, par voie de conséquence, celle du stress au travail. Il serait d'ailleurs utopique de prétendre clarifier la situation une fois pour toutes en présentant **la** définition du stress au travail. Toutefois, avec un certain recul, il devient possible de clarifier ce concept de manière à s'y retrouver dans la myriade d'études qui en traitent et, partant, d'entrevoir l'intervention en matière de stress au travail.

L'étude du stress au travail se propose, comme son nom l'indique, de situer le travail sur l'échiquier des grands stresseurs de la vie. Elle permet en outre d'identifier des causes précises de stress qui originent de l'environnement de travail. Enfin, elle tente d'identifier les conséquences du stress au travail, tant au plan individuel qu'organisationnel.

Le concept du stress au travail renvoit à l'intéraction personne-environnement de travail. L'organisme humain a besoin d'une certaine dose de stimulation pour vivre et s'actualiser. Toutefois, la dose et la durée optimale de stimulation varient d'une personne à l'autre, d'un groupe de travailleurs à l'autre, d'une culture à l'autre, d'une époque à l'autre. Qui plus est, chez la même personne, dose et durée optimales d'exposition peuvent varier tout au long de sa vie. Cette relativité du stress au travail n'est d'ailleurs pas sans compliquer la tâche des chercheurs et des intervenants en la matière.

1.2.1 Les déséquilibres offre-demande

Le déséquilibre entre l'offre d'adaptation de la personne et la demande de son environnement de travail peut aller dans les deux sens: l'offre excède la demande ou la demande excède l'offre. En effet, on pense généralement au stress occupationnel en termes de surcharge de travail, de conflits de rôle, bref lorsque la demande du milieu de travail taxe exagérément la capacité d'adaptation de l'individu. Cependant, le déséquilibre peut également aller dans l'autre sens, lorsque l'offre dépasse la demande. C'est notamment le cas des cadres-tablettes ou des travailleurs surqualifiés pour répondre aux maigres demandes de leur environnement de travail.

A) LA SOUS-STIMULATION

Quelques études américaines et canadiennes ont démontré à quel point la sous-stimulation de l'environnement peut s'avérer stressante. Dans des conditions extrêmes, des gens placés dans une chambre insonorisée, coupés de toutes sensations tactiles, visuelles, proprioceptives (le corps étant immobilisé sur une couchette spéciale) ne peuvent supporter l'expérience plus de quelques heures tant elle est anxiogène. Certains rapportent même avoir eu des hallucinations. Et si une condition de sous-stimulation aussi extrême risque peu de se retrouver dans le monde du travail, il faut se rappeler que la sous-stimulation comme la sur-stimulation de l'environnement peuvent engendrer de la tension chez l'individu. Même si certains disent envier ceux qui ne font rien en retour d'un gras salaire, ce cliché n'est sûrement pas aussi séduisant qu'on pourrait le croire de prime abord. Évidemment, il y a toujours des individus qui peuvent bien s'adapter à ce genre de situation, à fortiori s'ils compensent leur carence occupationnelle en puisant dans les autres sphères de vie: loisirs, famille, couple. D'autre part, on ne parlerait pas tant du problème de la retraite, si le passage brusque du travail à la pension n'était pas susceptible de susciter autant de tensions. Le fait de rompre subitement l'équilibre offre de l'employé/demande de l'environnement de travail, lorsqu'il repose sur des années de service, risque d'entraîner de sérieuses difficultés d'adaptation si de nouveaux liens ne sont pas établis entre le potentiel de l'individu et les demandes para-occupationnelles (passe-temps, travail à temps partiel, sport...).

B) LA SUR-STIMULATION

La surcharge originant du milieu de travail est mieux connue à titre de cause de stress au travail. Toutefois l'intensité optimale du stress est difficile à établir pour un travailleur donné car de nombreuses variables entrent en ligne de compte. Qui plus est, certaines variables ont des effets qui s'annulent. Par exemple, on pourrait être porté à croire qu'avec l'âge, les travailleurs résistent moins au stress. Or dans certaines occupations, c'est le contraire. Par exemple, chez les contrôleurs aériens américains, chez les policiers et chez les chauffeurs d'autobus, ce sont souvent les jeunes qui présentent le plus de troubles d'adaptation. En effet, l'expérience des aînés viendrait compenser la fougue et la résistance physique des cadets.

Le phénomène du stress au travail est bien méconnu des gestionnaires et autres praticiens oeuvrant dans les organisations. Certains semblent s'imaginer que si le rendement va, tout va. Oui, tout va le temps que se maintient le rendement, mais à quel prix dans certains cas! Comme nous le verrons plus loin lors de l'explication du modèle de Beehr et Newman (1), les conséquences du stress au travail peuvent revêtir de nombreux visages, affectant du même coup l'individu (v.g., santé physique et/ou mentale, habitudes de vie) et/ou l'organisation (v.g., absentéisme, roulement, conflits de travail...).

1.3 Un modèle du stress au travail

Le concept de stress au travail (job stress, occupational stress) souffle certes de la confusion qui frappe le concept plus global de stress. Néanmoins, les définitions qui s'y rattachent semblent plus orientées vers l'idée de l'intéraction employé-environnement de travail. C'est d'ailleurs dans cette optique que Margolis et Kroes (9) définissent le stress au travail comme étant la condition dans laquelle un ou plusieurs facteurs liés à l'emploi intéragissent avec le travailleur de façon à briser son homéostasie psychologique et/ou physiologique. Les facteurs reliés à l'emploi sont appelés stresseurs et l'homéostasie brisée se mérite souvent l'appellation de "tension reliée à l'emploi" ou "tension occupationnelle". Beehr et Newman (1), se référant à Caplan *et al.*, distinguent les tensions psychologiques (v.g., insatisfaction au travail, anxiété, faible estime de soi), les tensions physiologiques (v.g., pression sanguine élevée, taux élevé de cholestérol) et les symptômes comportementaux de tension comme le tabagisme et les consultations médicales.

Beehr et Newman (1) proposent une définition du stress au travail qui reprend l'idée de l'intéraction travailleur-travail:

Le stress au travail réfère à une situation où des facteurs reliés à l'emploi intéragissent avec les travailleurs de façon à modifier (en augmentant ou en diminuant) la condition psychologique et/ou physiologique tel que la personne est forcée de dévier du fonctionnement normal (p. 669).

L'expression "condition psychologique et/ou physiologique" réfère au concept de santé physique et mentale de l'employé. Il s'agit de la santé au sens large du terme en la plaçant sur un continuum allant de la santé parfaite à la mort de l'individu. En outre, ils ne rejettent pas l'effet bénéfique du stress au travail sur la santé. Enfin, même si leur définition se centre sur la santé du travailleur, ils précisent que le stress au travail peut également avoir des retombées sur la santé organisationnelle.

Pour mieux cerner toutes les dimensions du stress au travail, Beehr et Newman proposent une analyse à facette (facet analysis). L'expression "facette" signifie à une dimension conceptuelle qui soustend un ensemble de variables. Les auteurs présentent les facettes environnementale, personnelle, des processus (v.g., psychologiques et physiologiques), des conséquences humaines (v.g., psychologiques, physiologiques, comportementales), des conséquences organisation-

10

nelles, des réponses adaptatives et du temps. L'articulation des facettes, telle qu'illustrée dans la figure 1-2 représente la façon dont Beehr et Newman conceptualisent les relations des diverses dimensions du stress au travail. Une brève description de chacune de ces facettes, de même qu'une illustration de ce en quoi elle consiste s'imposent pour saisir l'ampleur des composantes vraisemblablement impliquées dans le stress au travail.

FIGURE 1-2

Un modèle global du stress au travail

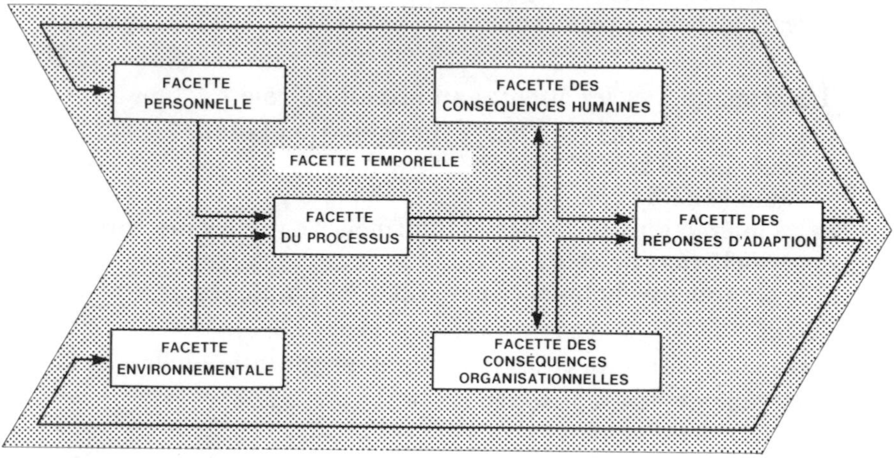

Source: Beehr, T.A., Newman, J.E. (1978). Job stress, employee health, and organizational effectiveness: A facet analysis, model and literature review. *Personnel Psychology, 31,* 665 à 699, p. 676.

1.3.1 La facette de l'environnement

Cette facette inclut tout aspect de l'environnement (objectif) de travail qui est perçu comme source de tension par l'employé ou qui est physiologiquement source de tension (ex. le bruit) sans que l'employé s'en aperçoive nécessairement. Il est à remarquer que la majorité des études ont porté sur les aspects psychosociologiques et organisationnels de l'environnement plutôt que sur ses aspects physiques de l'environnement. C'est pourquoi la facette "environnement de travail" réfère au premier chef à **l'environnement immédiat** dans lequel évolue le **travailleur**, à savoir ce qu'il fait et comment il le fait en regard de ce que la situation de travail exige ou de ce que l'entourage humain attend de

11

ce travailleur. Cette facette inclut aussi des variables composant l'environnement interne et externe de l'**organisation.** Voici donc une liste indicative de ces variables telle qu'établie par Beehr et Newman (1).

a) Les demandes de l'emploi et les caractéristiques de la tâche
- l'horaire de travail
- la sur ou la sous-stimulation des habiletés
- les variations de la charge de travail
- le rythme de travail
- les responsabilités (des gens ou des choses)
- les déplacements reliés au travail
- les dimensions primordiales de l'emploi

b) Les demandes et les attentes au niveau du rôle
- la charge de rôle (surcharge ou sous-stimulation)
- le conflit de rôle
- l'ambiguité de rôle
- les intéractions formelles et informelles entre les membres de la constellation de rôle
- le contrat psychologique perçu par les employés

c) Les caractéristiques et les conditions organisationnelles
- la taille de l'entreprise
- la sécurité d'emploi
- les heures ouvrées
- la durée des tâches
- les changements socio-techniques
- la structure organisationnelle (et la localisation du poste à l'intérieur de la hiérarchie)
- le système de communication (et la localisation du poste à l'intérieur du système)
- les rapports entre sous-systèmes
- les politiques et les procédures relatives au personnel
- le style de gestion aux plans philosophique et opérationnel
- les systèmes d'évaluation, de contrôle et de récompense
- les programmes de perfectionnement et de formation
- le climat organisationnel
- les chances d'avancement
- la relocalisation
- les contraintes syndicales locales

d) Les conditions et les demandes externes à l'organisation
- l'aller-retour au travail
- le nombre et le type de clients ou de consommateurs
- les syndicats nationaux ou internationaux
- les lois et règlements gouvernementaux
- les fournisseurs
- la température (météo)
- les développements technologiques et scientifiques
- les mouvements de consommateurs
- le site de l'organisation

De ce grand nombre de stresseurs en provenance de l'environnement, certains ont reçu plus d'attention que d'autres. Il serait cependant hasardeux de croire que ces stresseurs qui ont bénéficié de l'attention des chercheurs ont nécessairement une plus grande incidence sur le stress au travail que les autres: telle est la réalité que certains facteurs semblent bénéficier plus facilement de l'engouement des chercheurs. Ainsi, parmi la liste précédente, on retrouve cinq stresseurs identifiés par Cooper et Marshall (6) comme des sources organisationnelles de stress. Il s'agit de stresseurs qui sont intrinsèques à l'emploi, qui découlent du rôle dans l'organisation, qui sont issus du développement de la carrière, qui dépendent des relations avec autrui ou enfin, qui existent de par la structure et le climat mêmes de l'organisation.

A) UN STRESSEUR INTRINSÈQUE À L'EMPLOI: LA SURCHARGE

Le concept de surcharge se différencie au plan quantitatif et qualitatif. Surcharge quantitative, comme le terme l'indique, signifie avoir trop à faire alors que surcharge qualitative se situe plus au niveau de la difficulté et de la complexité de la tâche. Toute surcharge qui est maintenue entraînerait un affaissement d'un système quel qu'il soit. En 1970, French et Caplan (7) ont trouvé un lien entre la surcharge quantitative d'une tâche et la consommation excessive de cigarettes. Déjà, en 1960, Breslow et Buell (2) avaient trouvé une relation entre le risque d'une maladie cardiaque et un surplus d'heures de travail. Cependant, dans les études de Margolis *et al.* (10), les coefficients de corrélation, tout en étant significatifs, n'expliquent qu'entre 1 et 5% de la variance. Donc, même si la surcharge quantitative peut être une variable explicative, elle est loin d'être la seule cause contribuant à la maladie cardiaque.

En regard de la surcharge qualitative, il semblerait, selon les études de Brooks et Mueller (4), que plus la demande de qualité pour une tâche augmente, plus des symptômes de stress apparaissent (entre autre une augmentation du taux de cholestérol).

Enfin, French et Caplan (7) suggèrent que la surcharge qualitative au même titre que la surcharge quantitative, produit des symptômes identifiables comme l'insatisfaction au travail, la tension, l'augmentation du cholestérol... Cependant, ils prennent la précaution de mentionner l'influence des différences individuelles. En ce sens, une tâche peut paraître surchargée pour un individu alors que pour un autre, ce n'est pas le cas.

Il est à remarquer que Cooper et Marshall (6), comme plusieurs autres, passent outre la sous-stimulation comme stresseur intrinsèque à l'emploi.

B) LE RÔLE DANS L'ORGANISATION

Pour ce facteur, la recherche s'est surtout penchée sur l'ambiguité du rôle et les conflits de rôle. L'ambiguité existe quand un individu possède une information parcellaire sur son rôle au travail : les objectifs de son poste, les relations avec ses collègues et ses responsabilités sont mal définis. Les études de Kahn *et al.* (8) suggèrent que ceux qui éprouvent une ambiguité de rôle présentent une plus grande insatisfaction au travail et une plus grande tension. Ils ont aussi trouvé une relation entre l'ambiguité et l'augmentation de la pression sanguine. En ce qui concerne les conflits de rôle définis comme étant la différence entre le rôle réel et le rôle perçu par l'individu, ces auteurs ont trouvé le même type de relation. Une étude récente faite par Shirom *et al.* (12) présente des résultats similaires. De plus, ces derniers ont constaté que plus on monte dans l'échelle occupationnelle, plus le rôle devient difficile à établir, d'où une plus grande ambiguité du rôle et un plus grand risque de maladies cardiaques. Cependant, ils pondèrent cette constatation en indiquant que moins une occupation requiert d'exercice physique, plus la propension à un accident cardiaque est élevée.

D'autres études montrent qu'il existe des différences entre les travailleurs qui sont responsables d'objets (ex.: inventaire) et ceux qui ont des personnes sous leur responsabilité. Ainsi, Wardwell (13) affirme que la responsabilité des gens entraînerait un plus grand risque de maladies cardiaques.

C) L'ÉVOLUTION DE LA CARRIÈRE

Ce type de stresseurs réfère à l'impact de la sur-promotion, de la sous-promotion, de l'incongruence dans le statut, du manque de sécurité d'emploi. Brook (3) montre que différents troubles de comportement apparaissent chez des gens sur-promus (c'est-à-dire, quand un individu a atteint un niveau maximal de statut dans l'organisation sans possibilité d'atteindre un niveau plus élevé et à qui on impose des responsabilités qui excède ses capacités) ou chez des individus sous-promus (un individu n'ayant pas les responsabilités allant avec ses habiletés).

D) LES RELATIONS AVEC AUTRUI

Une autre source de stress au travail est le type de relation entretenu avec ses pairs, ses subordonnés ou ses patrons. Il semblerait que de bonnes relations entre les membres d'un groupe soient un facteur central pour la santé, tant celle de l'individu que celle de l'organisation (Cooper et Marshall, 6). Il apparaît à la lumière des travaux de Kahn *et al.* (8) et de French et Caplan (7) que la méfiance mutuelle est positivement reliée à un haut degré d'ambiguïté des rôles, entraînant ainsi une communication inadéquate entre les gens. Buck (5) en arrive à conclure que les travailleurs qui perçoivent peu de considération de la part de leur patron ressentent plus de pression en provenance de ces patrons.

E) LE CLIMAT ORGANISATIONNEL

Finalement, une cinquième source environnementale de stress au travail réside dans le fait même d'appartenir à une organisation. Ainsi des aspects du climat organisationnel, tels le taux de participation, le degré de consultation, les politiques générales, etc. peuvent contribuer à ce que la vie au travail soit aisée ou stressante. L'aspect le plus étudié est sans nul doute le phénomène de la participation de l'employé dans son milieu de travail. French et Caplan (7) ont tenté de cerner les effets de la participation. Les résultats de leur recherche sont des plus éloquents. Ainsi, les personnes qui ont un haut niveau de participation au sein de l'organisation montrent un haut degré de satisfaction, peu d'ambiguïté dans les perceptions de leur rôle, plus de responsabilités, de bonnes relations de travail, des attitudes positives envers leur travail et une production accrue. Toutefois, des faiblesses méthodologiques suggèrent une prudence de bon aloi dans l'interprétation de ces résultats.

Toute la seconde partie de ce volume va reprendre en détails ces thèmes des rôles, de la participation, des rapports supérieurs-subordonnés, des conflits. En psychologie industrielle et organisationnelle, la prévention du stress au travail est avant tout conçue dans la perspective de la modification de l'environnement de travail.

1.3.2 La facette personnelle

La facette "personnelle" met en relief les nombreuses caractéristiques individuelles susceptibles d'affecter la vulnérabilité au stress, l'expérience même du stress et la réaction au stress. Il est opportun d'attirer l'attention sur l'expression "susceptibles d'affecter" parce que les études recensées ne permettent pas encore de tirer de conclusions sûres et certaines étant donné le nombre relativement restreint de ces études, l'inconsistance de certains résultats, la prédominance pour ne pas dire l'exclusivité de répondants masculins, la nature corrélationnelle des études (ce qui exclut toute inférence de type causal). Néanmoins, voici une liste suggestive d'éléments appartenant à la facette personnelle qui auraient avantage à être considérés dans une situation stressante (Beehr et Newman, 1).

a) La condition psychologique (traits de personnalité et caractéristiques comportementales)
   - type A de comportement
   - besoins du moi
   - besoin de clarté/intolérance à l'ambiguïté
   - introversion ou extraversion
   - lieu de contrôle interne ou externe
   - recherche de l'approbation
   - impatience
   - conflits intrapersonnels
   - estime de soi
   - motivations/buts/aspirations (de carrière, de vie)
   - trait d'anxiété
   - style perceptuel
   - valeurs, normes personnelles de travail
   - besoin de perfection
   - intelligence
   - habiletés (spécialement celles reliées à l'accompagnement de la tâche et à l'adaptation de l'individu)

- expérience antérieure de stress
- satisfaction vis-à-vis du travail et d'autres aspects du travail

b) La condition physique
- "forme" physique/santé
- habitudes de consommation, diète
- aménagement temporel de l'exercice, du travail, du sommeil et de la détente

c) Les caractéristiques des étapes de vie
- étapes de développement humain
- étapes de la vie familiale
- étapes du développement de la carrière

d) Les caractéristiques démographiques
- âge
- éducation (le niveau et le type)
- sexe
- race
- statut socio-économique
- occupation

Comme il est dit précédemment, c'est l'intéraction entre l'individu et son environnement de travail qui entraîne des phénomènes de stress au travail. Cependant, dans des cas particuliers, l'individu peut être à toute fin utile sa principale cause de stress. Qu'il s'agisse de traits de personnalité (v.g., anxiété chronique), de pattern comportemental (type A), de changements de vie stressants et excessifs. Dans de pareils cas, l'individu risque fort d'éprouver du stress au travail peu importe l'emploi qu'il occupe. C'est pourquoi, parmi les stresseurs précités de la facette personnelle, ces dernières variables ont fait davantage l'objet de recherche et d'écrits.

Dans le cas du **trait d'anxiété,** la personne est prédisposée à percevoir des situations comme étant stressantes et d'y réagir par une anxiété notable. L'anxiété réfère ici aux "impressions" de tension et d'appréhension qui s'accompagnent des réactions du système neuro-végétatif (v.g., sudation excessive, sécrétion d'adrénaline, de noradréline, des corticoïdes, hyperacidité gastrique, augmentation de la pression sanguine et du rythme cardiaque...).

Quant au **pattern comportemental A,** comme son nom l'indique, il regroupe un ensemble de comportements, de conduites facilement observables: lutte continuelle contre le temps, recherche de la compétition, agressivité, être un bourreau de travail, ambition... Les gens qui manifestent la plupart de ces conduites non seulement au travail mais dans tout ce qu'ils touchent, y compris les loisirs et les sports, ont plus de chances que les gens décontractés d'avoir des maladies cardiaques.

Or, plusieurs gestionnaires manifestent ces comportements et le succès professionnel qu'il leur procure vient renforcer cet ensemble de conduites à risque élevé.

Les mariages, divorces, séparations, déménagements, pertes d'un être cher, changements d'emploi etc. constituent autant de **changements de vie** qui taxent à des degrés divers les capacités d'adaptation de l'individu. Si plusieurs de ces changements importants surviennent dans un laps de temps plutôt restreint, la demande d'adaptation risque de dépasser ce que l'individu peut offrir, d'où le risque de stress. Donc, si le travailleur est aux prises avec des problèmes personnels occasionnés par des changements de vie majeurs, il devient alors plus vulnérable au stress occupationnel. Les problèmes originant de la sphère familiale ou de loisirs risquent d'interagir avec la vie occupationnelle de façon à prédisposer le travailleur au stress au travail.

1.3.3   La facette des processus

La facette "processus" se reporte aux événements qui, dans l'organisme humain (tant au plan psychologique que physiologique), transforment les intrants en provenance des facettes "environnement" et "personne" en extrants se manifestant dans les facettes "conséquences humaines, organisationnelles et réponses d'adaptation". En regard du travail, il faut reconnaître que les recherches se sont surtout attardées à l'étude des processus psychologiques de transformation, notamment des processus perceptuels au détriment des processus évaluatifs et des processus décisionnels qui, selon la majorité des auteurs, interviennent tous les trois et de la manière séquentielle suivante: l'individu perçoit une situation stressante, il l'évalue, choisit d'adopter telle réponse et constate les effets de cette réponse sur la situation stressante. En dépit de la pauvreté des informations scientifiques, Beehr et Newman (1) suggèrent quelques catégories de variables qui, interviennent vraisemblablement dans la facette processus.

a) Les processus psychologiques
   - perception (des situations passées, présentes et futures)
   - évaluation de la situation
   - sélection de la réponse
   - exécution de la réponse

b) Les processus physiques
   - physiologiques, biologiques
   - neurologiques
   - chimiques et biochimiques

La facette des processus psychologiques prendra toute son importance dans le second volet de ce volume "la prévention du stress au travail". Les mécanismes préventifs de types organisationnel et occupationnel reposent sur une modification des stresseurs et/ou un contrôle du processus interne à l'individu.

1.3.4 La facette des conséquences humaines

La facette "conséquences humaines" réfère à des conditions reliées à la santé et qui sont plus directement importantes pour l'individu que pour l'organisation. Les conséquences humaines comportent trois volets principaux: les effets sur la santé physique, sur la santé mentale et les conséquences comportementales. Il est à noter que l'on a davantage étudié les conséquences psychologiques que les conséquences comportementales ou physiologiques du stress au travail. De plus, comme le facteur temps intervient dans l'apparition des symptômes, il se peut que des conséquences humaines d'allure positive à court terme se transforment, à moyen et long termes, en mésadaptation et même en conséquences quelquefois fatales. Voyons les symptômes que proposent Beehr et Newman (1) dans la facette des conséquences humaines.

A) Les conséquences sur la santé psychologique:
- anxiété, tension
- dépression
- insatisfaction, ennui
- plaintes somatiques
- fatigue psychologique
- sentiments de futilité, d'inadéquation, faible estime de soi
- sentiments d'aliénation

- psychose
- colère
- répression, suppression des sentiments et des idées
- perte de concentration

L'étude des conséquences psychologiques du stress au travail a produit une masse substantielle de données issues d'une kyrielle d'instruments de mesure. Une première catégorie d'informations concerne les symptômes psychophysiologiques et psychologiques non spécifiques qui, de par leur association à la santé/maladie mentale, sont inclus dans les conséquences psychologiques en dépit de leur localisation quelque peu à l'interface des conséquences physiques et psychologiques. Une autre catégorie d'informations, à teneur plus exclusivement psychologique/psychiatrique, provient d'instruments de mesure de type batterie. Finalement, la recherche scientifique met à notre disposition un nombre relativement élevé de thèmes précis d'évaluation qui se rattachent aux conséquences psychologiques du stress occupationnel telles la satisfaction au travail, l'anxiété, la tension reliée au travail, la frustration, la dépression, le bonheur, l'estime de soi, l'image de soi, le ressentiment, l'humeur, la fatigue et les problèmes de sommeil. Pour le moment qu'il suffise de dire que les études se suivent mais ne se ressemblent pas toujours, ce qui se reflète également dans le choix des instruments de mesure.

B) Les conséquences sur la santé physique
- maladie cardio-vasculaire
- désordres gastro-intestinaux
- problèmes respiratoires
- cancer
- arthrite
- maux de tête
- blessures
- problèmes cutanés
- fatigue, tension physique/physiologique
- mort

Dans la sphère des conséquences physiques, différentes variables de santé font l'objet de mesures. Par exemple, les troubles cardio-vasculaires ont retenu le plus d'attention. Toutefois, la plupart des recherches sur le stress au travail portent surtout sur les facteurs de risque. Il s'agit notamment de variables qui augmentent les chances d'occurrence de maladies cardio-vasculaires. À titre d'exemples, la pression sanguine, le niveau de cholestérol, la sécrétion des cathécholamines et le rythme cardiaque constituent autant de facteurs de risque. Les façons de mesurer de telles variables sont, dans l'ensemble, assez standardisées et touchent davantage à la biométrie qu'à la psychométrie. Du reste, la majorité des variables précitées s'inscrivent dans la facette du processus, laquelle dépasse la portée du présent ouvrage.

Les instruments utilisés dans la mesure des conséquences physiques se polarisent autour de deux types principaux : les questionnaires d'auto-observation de la maladie et des symptômes qui l'accompagnent et les mesures de critère tels, par exemple, le nombre de visites au dispensaire. Il est en outre intéressant de voir que certaines approches d'évaluation de la santé présentent un caractère multidimensionnel puisqu'elles embrassent à la fois la symptomatologie et les conséquences sociales de la maladie (v.g., l'incapacité, la perte d'autonomie).

C) Les conséquences comportementales
- visites à la clinique médicale (dispensaire)
- usage et abus de drogues (incluant l'alcool, la caféine, la nicotine)
- sous ou sur-stimulation
- gestuelle nerveuse
- conduites à risque élevé (le "gambling", la conduite automobile dangereuse,...)
- agression
- vandalisme
- vol
- mauvaises relations interpersonnelles (avec les amis, la famille, les collègues)
- suicide ou tentative de suicide

Jusqu'à date, les conséquences comportementales étudiées en recherche et susceptibles de découler du stress au travail se polarisent essentiellement autour des thèmes suivants : les habitudes de consommation (v.g., tabac, alcool et médicaments) et les relations interpersonnelles. Les accidents occupent une place un peu à part.

La consommation de tabac est généralement mesurée à l'aide d'une seule question qui invite le répondant à se situer par rapport à diverses intensités de consommation alors que la mesure de la consommation d'alcool débouche sur deux approches fondamentales : l'index fréquence-quantité-variabilité (F.Q.V.) de la consommation et les causes sous-jacentes à la consommation. L'usage de médicaments retient peu l'attention des chercheurs.

Les relations interpersonnelles regroupent différents sous-thèmes d'évaluation : les attitudes envers les transmetteurs de rôle (v.g., patrons, pairs, subalternes, clients), le comportement du supérieur envers ses employés, la cohésion du groupe de travail, les relations conjugales, le sentiment d'abandon ou de solitude.

L'étude détaillée des instruments développés pour la mesure de la facette "conséquences humaines" constitue l'essentiel du chapitre deux.

1.3.5 La facette des conséquences organisationnelles

Plusieurs aspects de l'efficacité organisationnelle qui peuvent être affectés, en positif ou en négatif, par le stress au travail sont regroupés, par Beehr et Newman (1), sous la facette "conséquences organisationnelles":

- changements dans le rendement au travail (qualité, quantité)
- baisse ou augmentation des comportements de retrait (absentéisme, roulement, retraite prématurée)
- changements dans les profits, les ventes, les gains
- changements dans l'habileté à recruter et à garder les employés de qualité
- changements dans l'approvisionnement en matières premières
- baisse ou augmentation du contrôle sur l'environnement
- changements dans la qualité de vie au travail
- changements dans l'innovation et la créativité
- augmentation ou réduction du nombre de grèves
- changements du degré d'influence des superviseurs
- griefs

Les instruments utilisés dans la mesure des conséquences organisationnelles se regroupent autour de grands thèmes comme le rendement au travail, la motivation au travail, l'effort déployé à la tâche, l'implication dans le travail et les comportements de retrait.

La mesure du rendement au travail peut revêtir différentes formes : l'item d'auto-évaluation, l'évaluation par les supérieurs, par un jury ou par la clientèle ; les critères d'évaluation "objectifs". Il est un

22

aspect du rendement qui mérite d'être traité à part, il s'agit de l'abattement ou de l'usure prématurée des travailleurs (burnout).

Pour sa part, la motivation au travail débouche sur trois sous-thèmes de mesure: la motivation intrinsèque, l'orientation focale de la motivation et la motivation à travailler, qui touche surtout à l'énergie investie dans le travail. L'effort déployé à la tâche se rapproche certes du concept de motivation à travailler. Les instruments utilisés dans sa mesure peuvent même distinguer l'effort orienté vers la quantité de l'effort orienté vers la qualité. L'implication dans le travail est mesurée à l'aide d'instruments pour la plupart inspirés d'une même échelle quoique les cinq études qui s'y intéressent utilisent des versions différentes de cette échelle.

Sous la bannière des comportements de retrait figurent le roulement du personnel, la tendance à quitter l'organisation et l'absentéisme, lesquels débouchent sur des mesures de critère.

Le chapitre trois présente en détails les principaux instruments utilisés dans la mesure des conséquences organisationnelles du stress au travail.

1.3.6 La facette des réponses d'adaptation

La facette "réponse d'adaptation" comprend diverses techniques, technologies ou stratégies qui cherchent à éliminer ou amoindrir les effets indésirables du stress au travail dans une perspective, à longue portée, d'une meilleure santé de l'individu et de l'organisation. La liste qui suit illustre différents mécanismes d'adaptation qui sont accessibles soit à l'individu, soit à l'organisation, soit à une tierce partie.

a) les réponses émises par l'individu (le travailleur)
   - méditation
   - contrôle des désirs, ambitions
   - meilleure compréhension de soi
   - réduction du stress de façon vicariante (spectateur de sports, de films...)
   - techniques de relaxation
   - acceptation de moins que la perfection
   - maîtrise de l'environnement (incluant les stresseurs)
   - recherche de la sympathie des autres, d'un support social

- relâchement de la tension (rire, pleurer, attaquer...)
- retrait de la situation stressante (temporairement, en permanence)
- ajustement des activités occupationnelles aux rythmes biologiques
- recherche de l'aide médicale, psychologique ou autre
- efforts de modification du style de comportement
- planification, organisation quotidienne des activités
- usage des techniques de rétroaction biologique
- réduction de l'importance psychologique du travail
- augmentation de l'activité religieuse
- abandon de l'usage de drogues
- recherche d'un emploi plus approprié
- formulation de buts plus réalistes
- activité physique
- diète
- repos suffisant

b) les réponses émises par l'organisation
- réorganisation des emplois (élargissement, enrichissement)
- modification de la structure organisationnelle
- changements dans les systèmes d'évaluation et de récompense
- changements dans les horaires de travail
- une meilleure information ("feedback") aux employés de façon à clarifier leur rôle
- raffinement des procédures de sélection et de placement; inclusion du stress occupationnel comme critère de validation
- formation adéquate en matière de relations humaines
- clarification des plans de carrière et des critères de promotion
- amélioration de la communication
- services de santé

c) les réponses émises par les tierces parties
- orientation professionnelle en milieu scolaire
- programmes de désintoxication (drogue, alcool)
- législation concernant la qualité de vie au travail, les soins médicaux
- support social apporté par la famille et les amis

1.3.7 **La facette temporelle**

- le temps comme variable dans lc développement du stress

- le temps comme variable dans la réponse au stress
- le temps comme variable dans les interrelations entre les facettes 1 à 6
- les réactions séquentielles (en chaîne et cycliques)

Le temps selon Beehr et Newman, serait le facteur crucial à considérer dans toute étude du stress au travail, ce qui implique donc d'accorder la priorité aux recherches longitudinales.

1.4 Conclusion

Il est légitime de conclure cette introduction par les propos du début, à savoir que l'ambiguité et la confution sémantiques imprégnant les concepts de stress et de stress au travail constituent une pierre d'achoppement majeure. Nombre de fois, on confond stresseurs, processus, tensions et stress. Combien fréquentes sont les utilisations du même terme pour désigner des réalités tout à fait différentes, du moins si l'on en juge par les instruments ou les définitions employés pour le mesurer ou l'appréhender. L'unanimité est loin d'être faite dans ce vaste champ de bataille que constitue l'étude du stress au travail.

D'ailleurs, la complexité et l'aspect dynamique des phénomènes de stress, qui prennent tous leurs sens dans une perspective longitudinale, ne sont sûrement pas étrangers à la confusion qui frappe le concept de stress au travail. Par exemple, certains stresseurs (v.g. insécurité d'emploi) peuvent être reliés à des conséquences individuelles (v.g. conflits interpersonnels) qui, à leur tour, risquent de déboucher sur des conséquences organisationnelles (v.g. hausse de l'absentéisme, diminution de la rentabilité de l'entreprise), lesquelles rendraient encore plus tangible la menace initiale (v.g. insécurité d'emploi) ou bien déboucheraient sur de nouvelles sources de stress (v.g. surcharge de travail).

C'est dans cette perspective de clarifier et les concepts et l'instrumentation appliqués à l'étude du stress au travail qu'ont été conçus les chapitres deux et trois du présent volume. Il nous apparaissait peu utile de continuer à palabrer autour du stress au travail à moins, qu'au préalable, une identification précise de la nature des mesures disponibles et une évaluation de leurs qualités métrologiques n'aient été entreprises.

Bibliographie et références

(1) Beehr, T.A., Newman, J.E. (1978). Job stress, employee health, and organizational effectiveness: A facet analysis, model, and literature review. *Personnel Psychology, 31,* 665-699..

(2) Breslow, L., Buell, P. (1960). Mortality from coronary heart disease and physical activity of work in California. *Journal of Chronic Disease, 11,* 615-626.

(3) Brook, A. (1973). mental stress at work. *The Practitioner, 210,* 500-506.

(4) Brooks, G.W., Mueller, E.F. (1966). Serum urate concentrations among university professors. *Journal of American Medical Association, 195,* 415-418.

(5) Buck, V. (1972). *Working under pressure.* London: Staples.

(6) Cooper, C.L., Marshall, J. (1976). Occupational sources of stress: A review of the literature relating to coronary heart disease and mental health. *Journal of Occupational Psychology, 49,* 11-28.

(7) French, J.R.P., Caplan, R.D. (1973). Organizational stress and individual strain *in* Marrow, A.J. (Ed.). *The Failure of Success.* New-York: Amacom, 30-66.

(8) Kahn, R.L., Wolfe, D.M., Quinn, R.P., Snoek, J.D. (1964). *Organizational stress: Studies in role conflict and ambiguity.* New-York: John-Wiley.

(9) Margolis, B.K., Kroes, W.H. (1974). Occupational stress and strain *in* McLean, A. (Ed.) *Occupational stress.* Springfield: Thomas.

(10) Margolis, B.L., Kroes, W.H., Quinn, R.P. (1974). Job stress: An unlisted occupational hazard. *Journal of Occupational Medecine, 10,* 659-661.

(11) McLean, A. (1974). Concepts of occupational stress: A review *in* McLean, A. (Ed.). *Occupational stress.* Springfield: Thomas.

(12) Shirom, A., Eden, D., Silberwasser, S., Kellerman, J.J. (1973). Job stresses and risk factors in coronary heart disease. *Social Science and Medecine, 7,* 875-892.

(13) Wardwell, W.I., Hyman, M.M., Bahnson, C.B. (1964). Stress and coronary disease in three field studies. *Journal of Chronical Disease, 24,* 453-468.

CHAPITRE II

La mesure des tensions individuelles

Devant l'avalanche de mesures concernant les tensions individuelles, il y a lieu de s'interroger sur la valeur de ces divers instruments.
L'essentiel de ce chapitre provient d'une recherche effectuée par
Forget (1982) en vue d'inventorier et d'évaluer l'instrumentation en
usage dans la mesure des conséquences individuelles du stress au
travail.

Pour les fins de ce livre, force nous fut de sélectionner et de condenser la matière comprise dans l'ouvrage de Forget sans pour autant
pénaliser le lecteur d'informations utilisables. D'où l'adoption de la démarche suivante: chaque type de tension est subdivisé selon les
grandes catégories d'instruments utilisés pour sa mesure. Pour chaque
catégorie d'instruments, la liste complète des instruments est incluse,
mais **seuls** les instruments les mieux connus et les mieux documentés
sont présentés avec leurs qualités et défauts métrologiques.

Selon le modèle de Beehr et Newman, les tensions individuelles
réfèrent à l'état de santé du travailleur et consistent en trois volets
principaux: la santé physique, la santé psychologique et les comportements. Le chapitre II sera conséquemment divisé selon ces trois
thèmes.

2.1 Les tensions d'ordre physique

Les instruments utilisés dans la mesure des conséquences physiques du stress au travail se regroupent en deux grandes catégories: les questionnaires d'auto-observation de la maladie et des symptômes qui l'accompagnent, et les mesures du genre "critère", par
exemple, le nombre de visites au dispensaire.

2.1.1 Les questionnaires d'auto-observation

Notre recension des recherches sur le stress au travail a mis
en évidence cinq questionnaires d'auto-observation et quatre mesures
de type "critère". En voici la liste:

Les questionnaires d'auto-observation:
- Cornell Medical Index Health Questionnaire (Brodman *et al.*,
  1949)
- Le questionnaire de Gore (1978)
- Le questionnaire de santé physique de Belloc *et al.* (1971)
- Monthly Health Review (Rose *et al.*, 1978b)
- Headache Questionnaire (Rose *et al.*, 1978b)

Les mesures de type "critère":
- L'item d'auto-évaluation globale de la santé de Coburn (1975)
- L'item d'auto-évaluation de la santé de Jacobson (1972)
- L'index d'incapacité de rôle (Coburn, 1975)
- Le nombre de visites à la clinique de santé (La Rocco et Jones, 1978)

A) *Le Monthly Health Review (M.H.R.)*

Parmi les questionnaires d'auto-observation, celui qui se distingue le plus dans l'étude des conséquences physiques du stress au travail, c'est le Monthly Health Review (M.H.R.) de Rose *et al.* (49).

Rose et ses collaborateurs ont effectué auprès de plus de 400 contrôleurs aériens une recherche longitudinale d'une durée de trois ans en effectuant nombre de mesures de stresseurs et de tensions.

Le M.H.R. consiste en une liste de 30 symptômes de dysfonctions affectant les trois systèmes physiologiques les plus souvent frappés par la maladie: les systèmes respiratoire, gastrointestinal et musculosquelettique. Le répondant indique, dans le cas d'une affection, si ces symptômes s'inscrivent dans un épisode de maladie, s'ils sont isolés et occasionnels, ou s'ils sont chroniques. En outre, le participant doit signaler si les malaises ont été portés à la connaissance d'un médecin de même que la durée (en jours) de l'inconfort et de restriction d'activité physique. Le M.H.R. comporte également une section allouée aux accidents dont la structure permet d'identifier la nature du traumatisme et sa sévérité. Cet instrument reflète bien la conception qu'ont Rose *et al.* (49) du changement de santé: d'après eux, le changement de santé doit réunir une ou plusieurs des caractéristiques suivantes: a) douleur ou inconfort sans équivoque chez le patient; b) perte d'habileté à poursuivre les activités habituelles et ce, pour une journée ou plus; c) suite à un examen médical, confirmation de danger pour le bien-être ultérieur et le fonctionnement normal du sujet. Les changements de santé sont codifiés, conformément aux caractéristiques précitées en quatre niveaux croissants de sévérité.

a) *La validité*

En ce qui a trait à la validité de contenu, il n'y a aucun doute que l'instrument touche aux symptômes les plus couramment observés dans la population. En outre, pour les maladies susceptibles d'être identifiées par des regroupements de symptômes, des experts ont été consultés tant au niveau de l'élaboration que de l'arrangement des items à des fins d'interprétation.

Quant à la validité de diagnostic, des entrevues téléphoniques réalisées par un médecin permettent de confirmer le diagnostic tiré du M.H.R. dans 33 cas sur 48. Pour les 15 autres cas, le M.H.R. établit à 13 reprises le même groupe de maladies que ne le fait le médecin. Ces résultats viennent donc appuyer la validité de concomitance du M.H.R.

Diverses données suggèrent la validité conceptuelle du M.H.R. Ainsi, l'étude des symptômes recueillis au M.H.R. reproduit les variations saisonnières déjà connues de certaines maladies comme l'infection des voies respiratoires supérieures (U.R.I.). De même, au plan de la chronicité, certains symptômes classifiés au M.H.R. dans la catégorie "épisode de maladie" ou "événement isolé" figurent majoritairement dans leur catégorie respective. Ces différents indices ont d'autant plus d'impact qu'ils concourent à l'établissement de la preuve de la validité convergente et conceptuelle du M.H.R.

b) *Les rapports avec le stress au travail*

Selon les données recueillies par Rose *et al.* (49), les résultats au M.H.R. seraient liés à la présence de stress au travail. Ainsi, les contrôleurs aériens dont la feuille de route est la plus chargée au M.H.R. ont tendance à investir beaucoup dans leur travail, mais ils sentent qu'il leur en coûte beaucoup. Ils sont moins satisfaits de la direction et décrivent leurs superviseurs comme faisant preuve d'une considération moins qu'adéquate envers autrui. Ils ont aussi un moral de groupe (group morale) plus bas que les autres contrôleurs. En outre, les contrôleurs les plus malades ont tendance à présenter le type A de personnalité (v.g., compétitif, bourreau de travail, lutte contre le temps...) tandis que ceux qui ont le plus bas taux de maladie sont plutôt du type B. Ils sont aussi moins souvent nommés par leurs collègues comme étant les plus aimables ou comme membres d'une équipe idéale de travail même s'ils ne se distinguent pas des autres quant à l'évaluation de leur compétence technique par leurs pairs. Enfin, l'un des meilleurs prédicteur du taux de maladies bénignes et modérées au M.H.R. a trait aux changements de vie stressants qui survinrent durant la période qui a précédé la cueillette des données de santé physique.

Somme toute, les résultats de Rose *et al.* (49), permettent d'asseoir un peu plus la validité du M.H.R. dans le champs d'application des conséquences du stress au travail. Il s'avère toutefois risqué de conclure au lien de causalité entre stress au travail et changements de santé étant donné le caractère exploratoire de l'étude de Rose *et al.* L'applicabilité du questionnaire d'auto-observation ne passe sûrement pas inaperçue aux yeux des futurs usagers : il est facile à remplir et le temps de passation est de quelques minutes. En contrepartie, il ouvre la voie à certains biais comme la rétention sélective, la sur ou la sous-observation de la symptomatologie ou encore le mensonge pur et simple. Néanmoins, les travaux suggèrent de bonnes garanties de validité conceptuelle et de concomitance pour le M.H.R. Cette mesure est d'autant plus précise lorsqu'elle est administrée fréquemment (v.g., tous les mois), comme en témoigne l'étude de Rose *et al.* (49). Il est même possible de programmer sur ordinateur les diagnostics ainsi que la codification qui s'y rattache. Cela augmente donc son applicabilité dans les études à grand déploiement. Par ailleurs, l'application du système de codification élaboré par l'équipe de Rose *et al.* augmenterait fort probablement les coûts d'utilisation, comparativement à ceux d'un questionnaire où la simple sommation des symptômes donne la cote de santé. Il va sans dire que la procédure de codification qui accompagne le M.H.R. débouche sur une mesure de santé éminemment plus subtile que celle de la sommation d'une liste de symptômes. C'est donc en fonction des objectifs qu'il poursuit et des ressources dont il dispose que le chercheur aura à choisir le procédé qui lui convient.

Pour tout dire, c'est le M.H.R. qui présente les meilleures garanties de validité dans l'étude du stress au travail, à la lumière de l'information disponible.

2.1.2 Les mesures de critère

Les mesures à un seul item d'auto-évaluation de la santé, que ce soit celle de Jacobson (29) ou celle de Coburn (17) présentent souvent des lacunes au plan métrologique : on ne sait pas jusqu'à quel point un item unique renseigne bien sur l'état actuel de la santé physique d'un sujet ou sur son état psychologique. En effet, un item de ce genre demande simplement au répondant de coter l'état actuel de sa santé sur un continuum allant d'excellent à pauvre. On ne peut ignorer la subjectivité qui risque d'entourer une mesure d'auto-évaluation de la santé physique. Cependant, la grande applicabilité d'une telle mesure la rend séduisante aux yeux de plusieurs et c'est probablement ce qui explique son utilisation malgré les limites qu'elle comporte.

2.2 Les tensions d'ordre psychologique

Comme il est dit dans le premier chapitre, la recherche sur les conséquences psychologiques du stress au travail a donné naissance à un grand nombre d'instruments de mesure. Aussi, de façon à rendre leur présentation intelligible, il sera d'abord question des échelles de symptômes non spécifiques, ensuite des instruments de type batterie et enfin de la kyrielle d'instruments spécifiques.

2.2.1 Les échelles de symptômes psychophysiologiques et psychologiques non spécifiques

L'index aux vingt-deux items de Langner (1962)

Health Opinion Survey (MacMillan, 1957)

L'échelle de Gurin *et al.* (1960)

L'échelle de Kyriacou et Sutcliffe (1978)

L'échelle de Howard *et al.* (1976)

L'échelle de Zaleznik *et al.* (1977)

Rappelons que les échelles de symptômes psychophysiologiques et psychologiques non spécifiques se situent en quelque sorte à l'interface des conséquences physiques et psychologiques. Elles portent sur des symptômes divers associés à la perturbation ou à la détresse psychologique. Elles débouchent généralement sur une cote globale dite de santé mentale et c'est précisément ce qui justifie leur présence dans le présent chapitre plutôt que dans celui des conséquences physiques. L'**Index aux vingt-deux items de Langner** (38) et le **Health Opinion Survey** (H.O.S.) de MacMillan (41) sont les échelles de symptômes non spécifiques les mieux connues et les mieux documentées.

A) *L'Index aux vingt-deux items de Langner (1962)*

Les 22 items qui constituent l'index sont tirés principalement du **Minnesota Multiphasic Personality Inventory (M.M.P.I.) et du Neuropsychiatric Screening Adjunct** (N.S.A.). L'instrument de Langner en est un d'auto-évaluation qui porte essentiellement sur la symptomatologie psychologique et psychophysiologique. Il semble que l'échelle mesure davantage un état transitoire que permanent et que cet état résulte principalement d'une exposition à des événements stressants.

a) *La validité*

Dohrenwend et Dohrenwend (19) démontrent que les échelles de symptômes de Langner, ainsi que celles de MacMillan que l'on verra plus loin, sont dénuées de validité de contenu. Ils signifient par là que les items constituant l'instrument n'ont pas été confirmés comme représentatifs de l'univers auquel ils appartiennent. En effet, avec 2 items, l'échelle de Langner ne peut prétendre mesurer l'ensemble de la santé mentale. Au plan du contenu, cet index semble privilégier la petite pathologie si l'on en croit le fait que les névrotiques ont des résultats plus élevés que les psychotiques.

Selon les données de trois études destinées à vérifier la validité de diagnostic, l'Index de Langner semble plus approprié dans la comparaison de groupes (qu'il arrive assez bien à discriminer) que dans le diagnostic individuel de perturbation mentale, entre autres, parce qu'il n'est pas certain que les résultats élevés à l'échelle de Langner traduisent une pathologie plus sérieuse.

Il existe des doutes quant à la validité conceptuelle de l'Index de Langner, particulièrement en regard des items psychophysiologiques qui, cependant, semblent jouer un rôle discriminatif de second plan de sorte qu'on ne saurait exagérer leur effet négatif (s'il en est) au sein de l'échelle. D'autre part, les liens qu'entretient l'Index de Langner avec des facteurs socio-culturels tels l'âge, le sexe, la classe sociale sont loin de contribuer à l'établissement de sa validité conceptuelle.

b) *Les rapports avec le stress au travail*

En dépit des lacunes mentionnées précédemment, l'Index aux 22 items de Langner entretient des liens intéressants avec d'autres mesures occupationnelles. Par exemple, selon les résultats de Roman et Trice (47) et de Coburn (17), satisfaction et perturbation mentales sont en rapport négatif. D'autre part, la perturbation mentale est liée positivement aux préoccupations occupationnelles, à l'ambiguïté du rôle, au conflit intrarôle, au sentiment de l'effort inadéquat, aux préoccupations occupationnelles à l'extérieur du travail et à l'incongruence occupationnelle définie comme un déséquilibre entre les possibilités du travailleur et les exigences de son travail. Cependant, étant donné que toutes ces mesures sont du genre auto-observation, il est possible que la variance imputable à la méthode (subjective) gonfle artificiellement les corrélations.

c) *La validité apparente et l'applicabilité*

Dans la mesure où l'Index de Langner est présumé couvrir la pathologie mentale lourde, on peut le taxer de manquer de validité apparente. Par ailleurs, dans la mesure où cet instrument est utilisé dans le but d'évaluer la détresse psychologique, il semble présenter de bonnes garanties de validité apparente. Cette validité apparente peut constituer un avantage ou un inconvénient, dépendamment du contexte. Par exemple, lorsque toutes les parties impliquées (v.g., syndicat, patronat et surtout les employés eux-mêmes) sont de bonne foi, la validité apparente de l'échelle en augmente l'applicabilité. Par contre, si les répondants croient avoir intérêt à amplifier ou à minimiser la symptomatologie, la validité apparente de l'Index facilite alors le biais volontaire et, de ce fait, risque d'invalider les résultats de l'étude. Quant aux coûts d'utilisation, ils devraient être très raisonnables du fait de la célérité de passation et de correction.

B) *Le Health Opinon Survey de MacMillan (1957)*

Le Health Opinion Survey (H.O.S.) est une échelle d'auto-observation qui, initialement, servait d'indicateur de la maladie mentale à l'intérieur d'une entrevue psychiatrique et aussi au dépistage de problèmes psychologiques. La version originale du H.O.S. (MacMillan, 41) comporte 20 items tandis que d'autres emploient des versions à 18 items et même à 15 items.

a) *La fidélité*

Tousignant *et al.* (61) s'intéressent aux qualités métrologiques du H.O.S. dans le contexte québécois, ce qui confère à leur étude un intérêt particulier. La région du grand Sherbrooke est représentée par un échantillon de 1 158 sujets adultes dont la plupart (n = 1 006) sont canadiens-français. Les contextes rural, semi-rural et urbain sont également représentés. Dans cette étude, 387 sujets répondent à nouveau au H.O.S. après dix mois d'intervalle: le coefficient de stabilité temporelle moyen atteint 0,73 (variation de 0,63 à 0,84 selon les items). Compte tenu de la durée de l'intervalle, cette valeur paraît appréciable.

Tousignant et son groupe utilisent la corrélation bissériale pour évaluer la consistance interne, en corrélant chaque item pris séparément avec la cote totale. En fait, cette technique s'inscrit davantage dans l'analyse d'items que dans l'évaluation de la consistance interne à proprement parler. Néanmoins, il est intéressant de remarquer que toutes les corrélations sont jugées significatives au seuil de .01. Ainsi donc, les items seraient tous relativement reliés à la cote totale. Butler et Jones (13), avec une version de 18 items, obtiennent des coefficients de consistance interne de 0,84 et 0,85 auprès de deux groupes de marins de l'armée américaine, jugés équivalents en rapport à l'âge, au niveau d'éducation, à la durée du service et à la paie. Les données de ces deux études plaident en faveur d'une consistance interne appréciable pour l'échelle H.O.S.

b) *La validité*

En vue de vérifier la validité de diagnostic de l'instrument, Spiro *et al.* (56) comparent les résultats obtenus à une version en 15 items du H.O.S., par une population générale (n = 888 membres de la United Auto Worker) à ceux d'un groupe de patients psychiatriques (n = 30) tiré de cette même population. Les résultats démontrent que 13 des 15 items discriminent très bien entre les deux groupes. Tousignant *et al.* (61) vérifient également la validité de concomitance du H.O.S. à l'aide de groupes contrastants: 80 patients psychiatriques sont comparés à 88 répondants tirés de l'échantillon sherbrookois général selon une procédure d'appariement fondé sur l'âge, le niveau d'éducation, le sexe, le statut civil et la langue parlée. Les 18 items de l'index discriminent au seuil de .001 entre les deux groupes de répondants.

Selon les postulats de l'analyse discriminante, si le H.O.S. était parfait, il permettrait de classifier tous les groupes — normal et pathologique — dans leur catégorie respective sur la seule base de leur résultat à l'échelle de symptômes. Dans son application de cette technique d'analyse, Spiro *et al.* (56) réussissent à relocaliser 88% des non-patients dans leur catégorie d'origine contre seulement 64% pour les patients psychiatriques, ce qui suggère que sa version du H.O.S. sous-évalue la fréquence de la perturbation mentale au sein de la population et altère d'autant la validité de l'instrument au plan diagnostic.

En ce qui concerne la validité conceptuelle du H.O.S., une analyse factorielle effectuée par Spiro *et al.* (56) révèle la présence de deux facteurs indépendants dans les réponses des non-patients. Le premier facteur touche au dysfonctionnement occupationnel et social et à certaines manifestations psychophysiologiques comme la tachycardie, le "souffle court", les douleurs diffuses dans les membres. Le second facteur focalise plutôt sur l'anxiété générale, avec les troubles d'estomac, la sudation excessive, la nervosité et la sensation d'être au bord de la dépression nerveuse. Ces deux facteurs expliquent 40% de la variance totale dans la matrice de corrélation. Dans l'étude de Butler et Jones (13), qui, rappelons-le, disposent de deux échantillons équivalents, les analyses factorielles débouchent sur quatre facteurs qui expliquent respectivement 49,54% et 51,14% de la variance dans chaque échantillon, lesquelles variances sont jugées équivalentes (coefficient de congruence de Tucker = 0,83 à 0,97). Cette équivalence donne donc beaucoup de poids aux résultats de Butler et Jones qui révèlent la polarisation de la majorité des items autour de deux facteurs. Le premier semble regrouper surtout les symptômes physiques (10 items; alpha: 0,81) tandis que le second réunit plutôt les symptômes de détresse psychologique (6 items; alpha: 0,75). Deux autres facteurs ne comptent que deux items chacun et demeurent très spécifiques, soit le bien-être global (2 items; alpha: 0,62) et le tabagisme (2 items; alpha: 0,31). La faible consistance interne des deux derniers facteurs s'explique du fait de leur nombre restreint d'items et de leur hétérogénéité. Relativement à d'autres mesures de santé mentale, Tousignant et al. (61) rapportent que, dans l'ensemble, les résultats au H.O.S. sont significativement plus élevés pour ceux qui présentent soit des problèmes psychophysiologiques en rapport à la consommation de médicaments, soit des problèmes psychologiques, soit des perturbations comportementales reliées elles aussi à la consommation de médicaments.

Somme toute, les résultats précités semblent appuyer la validité conceptuelle de l'Index de MacMillan.

c) *Rapports avec le milieu occupationnel*

Selon l'étude de Siassi et al. (52), un plus faible pourcentage d'ex-patients et de gens classés "perturbés" à l'Index H.O.S. que de gens "bien" (77%) occupaient leur emploi au moment de l'étude. Comparativement aux gens "bien", une plus forte proportion d'ex-patients et de "perturbés" signalent qu'une partie de leur travail est particulièrement harassante ou perturbante. Quant aux items de satisfaction dans la vie, de solitude ou de dépression, règle générale, les ex-patients, les patients actuels et les "perturbés" donnent significativement plus de réponses symptomatiques que les "bien".

En regard du stress au travail, Butler et Jones (13) observent que l'ambiguité de rôle (r = 0,26), le conflit de rôle (r = 0,33), la tension familiale (r = 0,42) et même le nombre de visite au dispensaire (r = 0,13) corrèlent positivement et significativement avec la cote globale au H.O.S., alors que la relation est négative en regard de la satisfaction au travail (r = -0,34). Ces données renforcent l'à-propos d'utiliser le H.O.S. en situation de travail d'autant plus que ce profil de corrélation se retrouve à peu près intégralement au niveau des quatre facteurs identifiés par l'analyse factorielle de Butler et Jones.

d) *Les sources de biais*

La recherche de Tousignant *et al.* (61) a mis en évidence quatre catégories de biais qui risquent de porter ombrage à la validité du H.O.S. L'auto-évaluation de l'état de santé physique pèse lourdement dans l'attribution du qualificatif normal ou pathologique. Ainsi 80% des sujets qui s'évaluent en mauvaise condition physique sont classés dans la catégorie pathologique contre 10% de ceux qui se décrivent en bonne santé physique. En outre, ce sont les items à contenu physiologique qui discriminent le mieux l'état de santé physique.

Tousignant *et al.* (61) identifient une autre source de biais non moins importante : la désirabilité sociale. En utilisant une forme abrégée de l'échelle de mensonge du M.M.P.I., les trois auteurs observent que plus la cote est élevée au H.O.S., moins le répondant cherche à masquer les aspects négatifs de leur image alors que c'est l'inverse pour ceux qui ont les résultats les plus faibles au H.O.S.

D'autre part, Tousignant *et al.* observent l'incidence de facteurs culturel et sexuel sur les cotes obtenues au H.O.S. Ainsi, il y a deux fois plus de sujets francophones qui dépassent le point de coupure que de sujets anglophones. Cette différence ne peut s'expliquer par la désirabilité sociale puisque les anglophones semblent avoir un peu moins tendance à présenter une image de soi positive. De même, les femmes présentent une cote plus élevée que celles des hommes au H.O.S. tout en semblant moins sujettes au biais de la désirabilité sociale que les hommes.

Somme toute, l'interprétation du résultat à l'Index de MacMillan pose le même problème qu'à l'Index de Langner. Ainsi, Tousignant *et al.* (61), voient dans un résultat élevé au H.O.S. trois interprétations possibles: la pathologie mentale sérieuse et chronique, la réponse symptomatologique à une situation de stress transitoire et l'expression d'une faible santé physique. L'interaction entre la santé physique et la perturbation mentale rend encore plus difficile l'interprétation de la cote élevée au H.O.S.

La critique déjà formulée à l'endroit de l'Index de Langner s'applique d'emblée au H.O.S., en ce qui a trait à la validité apparente et à l'applicabilité de l'instrument. Il y a lieu de noter cependant que la pathologie lourde est probablement sous-évaluée par l'Index de MacMillan.

C) *Conclusion relative aux échelles*
   de symptômes non spécifiques

Les échelles de symptômes non spécifiques semblent pouvoir rendre des services dans une perspective de dépistage de la détresse psychologique ou si l'on préfère, de la petite pathologie mentale. Celles dont le nombre d'items n'excède pas 22 items paraissent très applicables dans le cadre d'études épidémiologiques ou organisationnelles, par exemple. Et dans l'ensemble, il appert que les échelles de symptômes non spécifiques entretiennent des liens avec des variables associées au stress au travail, d'où leur place dans l'étude de ses conséquences psychologiques.

Les échelles de symptômes de Langner (38) et de MacMillan (41) entretiennent des liens avec divers facteurs socio-culturels (v.g., sexe, âge, éducation). Or, ces liens stigmatisent le problème majeur qui frappe les échelles de symptômes non spécifiques: l'interprétation du résultat. Là-dessus, plusieurs questions demeurent sans réponse, d'où le besoin d'une recherche renouvelée.

En terminant, rappelons que le H.O.S. de MacMillan a déjà été utilisé au Québec et que des données relatives à ses qualités métrologiques proviennent de cette expérience. Il serait donc très intéressant de poursuivre le processus de validation entrepris par Tousignant *et al* (61). Ce n'est pas que l'**Index aux 22 items de Langner** soit dénué d'intérêt, loin de là. Mais plutôt que de recueillir une information fragmentaire sur différents instruments de mesure, il semble préférable de concentrer temporairement nos efforts sur une échelle déjà introduite en milieu francophone. Quant aux autres échelles de symptômes moins bien documentées, souvent conçues pour les besoins d'une seule étude, elle présentent un intérêt limité.

2.2.2 Les instruments de type batterie

Avant de passer en revue les instruments utilisés dans la mesure d'un thème spécifique, il faut maintenant considérer les instruments de type batterie qui renseignent sur plusieurs facettes de la santé mentale ou de la personnalité à la fois. Ces outils d'évaluation peuvent toujours servir en partie puisqu'ils comportent différentes sous-échelles qui renseignent sur autant de variables. Mais leur caractéristique première tient justement à leur polyvalence. Aussi, plutôt que de reprendre leur analyse à chacun des nombreux thèmes qu'ils mesurent, il a semblé préférable d'en traiter une fois pour toutes, ici. Le **SCL-90** sera vu le premier, suivi du **Multiple Affect Adjective Checklist,** puis du **Psychiatric Status Schedule,** auquel une attention particulière sera apportée.

A) LE SCL-90 (DEROGATIS *et al.* 1973)

Le **SCL-90** est une échelle d'auto-évaluation orientée vers les symptômes physiologiques, psychologiques et comportementaux des patients psychiatriques externes. L'instrument comprend 90 items dont 83 se regroupent autour de neuf dimensions symptomatiques: somatisation, obsession-compulsion, sensibilité interpersonnelle, dépression, anxiété, hostilité, anxiété phobique, idéation paranoïde, psychose. Des items restants, deux portent sur l'appétit, trois sur les troubles du sommeil, un sur les pensées reliées à la mort et un dernier touche aux sentiments de culpabilité.

a) *La validité*

Dans leur rapport préliminaire sur le **SCL-90,** Derogatis *et al.* (18) précisent que les cinq premières dimensions de l'instrument auraient été validées dans différentes études. Quant aux quatre autres dimensions, elles sont venues se greffer à l'échelle ultérieurement de sorte que leurs qualités métrologiques demeurent en partie méconnues. Si les quelques données éparses présentées semblent témoigner de la validité diagnostique du **SCL-90,** disons qu'il demeure difficile d'en apprécier la fidélité et la validité, faute d'informations articulées. Même avec l'étude de Singleton et Teahan (53), la validité du **SCL-90** demeure encore ambiguë. Ainsi, il est donc possible que le **SCL-90** puisse rendre d'intéressants services dans l'étude du stress au travail mais l'absence de données intégrées sur ses qualités métrologiques rend son usage risqué et exploratoire.

B) LE MULTIPLE AFFECT ADJECTIVE CHECK LIST (M.A.A.C.L.)

Cet instrument psychométrique a été conçu pour mesurer rapidement trois affects négatifs: l'anxiété, la dépression et l'hostilité. Lorsque la consigne demande aux répondants de cocher les adjectifs qui traduisent comment ils se sentent généralement, l'instrument débouche sur des mesures de traits. Par contre, il est possible d'obtenir des mesures d'affects transitoires en demandant aux sujets de cocher les adjectifs qui traduisent comment ils se sentent aujourd'hui ou sur une période très courte, une semaine par exemple.

a) *La fidélité*

En comparant les items pairs aux items impairs (Zuckerman et Lubin, 63), les coefficients de consistance interne des formes générale et quotidienne, estimés par la bissection, sont de 0,79, 0,92 et 0,90 respectivement pour les échelles d'anxiété, dépression et hostilité, cependant, ces résultats s'avèrent beaucoup moins encourageants quand on appose les items de formulation positive à ceux de formulation négative.

Les coefficients de stabilité temporelle sont modérés pour les échelles d'anxiété (r = 0,70), de dépression (r = 0,65) et d'hostilité (r = 0,54) de la forme générale (Kelly, 33; Megargee, 43). Comme il se doit, la forme quotidienne présente des coefficients test-retest plus faibles, qui varient de 0,00 à 0,40.

b) *La validité*

Un grand nombre d'études utilisent la forme quotidienne du M.A.A.C.L. auprès de sujets soumis à différentes conditions inductrices d'affects négatifs: par exemple, des étudiants avant et après les examens, des soldats à l'entraînement de base, des acteurs avant leur entrée en scène. En outre, certains états affectifs sont induits expérimentalement par le biais de l'hypnose, de la relaxation, de la médication ou par d'autres moyens et le M.A.A.C.L. sert à en mesurer les effets. Grosso modo, il semble que les résultats de ces études témoignent en faveur de la validité conceptuelle de l'échelle d'anxiété. Par ailleurs, les résultats relatifs à l'échelle de dépression seraient moins encourageants. Quant à l'échelle d'hostilité qui a été moins étudiée que les deux autres, les études démontrent que les cotes à cette échelle augmentent avec la frustration des sujets, ce qui tend à confirmer que l'échelle d'hostilité porte sur un affect transitoire, la colère (Megargee, 43). Il est toutefois regrettable que plusieurs de ces études n'aient pas de groupe contrôle ou encore qu'elles n'utilisent pas les deux formes du M.A.A.C.L. Finalement, chose étonnante, les intercorrélations entre les trois échelles du M.A.A.C.L. sont aussi élevées que leurs coefficients de fidélité même si chaque adjectif ne figure que sur une seule échelle. Il est difficile de déterminer si les intercorrélations entre les échelles sont dues au manque de validité discriminante du M.A.A.C.L. ou bien si elles traduisent un lien véritable entre l'anxiété, la dépression et l'hostilité (Kelly, 33).

c) *Les biais*

À l'instar des instruments d'auto-évaluation, le M.A.A.C.L. est sujet au biais du répondant. Ainsi, l'échelle d'anxiété est en relation (de 0,05 à 0,48) avec différentes mesures d'acquiescement. De même, on rapporte des corrélations variant de -0,33 à -0,67 entre l'échelle d'anxiété et l'échelle de désirabilité sociale de Edwards. La même échelle d'anxiété de la forme générale corrèle substantiellement avec les échelles F ($r = 0,37$) et K ($r = 0,50$) du M.M.P.I. qui servent principalement à détecter différents biais dans les réponses du sujet. Par contre, les trois échelles de la forme quotidienne du M.A.A.C.L. corrèlent peu et négativement avec l'échelle K du M.M.P.I. Ces résultats amènent Kelly (33) à croire que les répondants seraient plus disposés à révéler des sentiments socialement indésirables à titre d'états transitoires plutôt qu'à titre de dispositions stables de la personnalité.

Un autre problème, potentiellement plus sérieux que le précédent, a trait au nombre d'adjectifs cochés qui peut varier en fonction de certaines conditions. Face à ce problème, deux solutions sont envisagées : un rajout à la consigne qui demanderait au répondant de cocher un nombre déterminé d'adjectifs ou bien le recours à des techniques statistiques comme l'analyse de la covariance ou la corrélation partielle (Kelly, 33) qui permettraient de neutraliser l'effet de la corrélation entre le nombre d'items cochés et la cote au M.A.A.C.L.

d) *L'applicabilité*

Le M.A.A.C.L. demeure un instrument psychométrique assez frustre, à l'instar des autres listes d'adjectifs. Rappelons enfin la vulnérabilité du M.A.A.C.L. au biais volontaire. D'un autre côté, il semble que différentes sources de stress occupationnel se reflètent dans les trois échelles du M.A.A.C.L. Mais il va sans dire que de plus amples informations seraient bienvenues sur cet instrument psychométrique et que l'usager éventuel devrait nourrir une certaine prudence à l'endroit du M.A.A.C.L. Pour ceux que cela peut intéresser, des données normatives tirées de deux échantillons "normaux" et de cinq échantillons cliniques sont disponibles (Zuckerman et Lubin, 63).

En résumé, le M.A.A.C.L. demeure économique à l'usage; d'administration et de correction rapides, il ne requiert pas de personnel qualifié pour l'administrer. Par ailleurs, son manque relatif de validité apparente et le caractère un peu singulier de la liste d'adjectifs pourraient réduire son applicabilité, surtout auprès de populations de travailleurs peu scolarisés. De même, il faudrait s'assurer que le niveau de langage soit de portée populaire.

C) LE **PSYCHIATRIC STATUS SCHEDULE** (P.S.S.)

Le **Psychiatric Status Schedule** (P.S.S.) est une entrevue clinique structurée, conduite par du personnel entraîné. Rose *et al.* (48, 49) semblent être les seuls à y recourir dans le contexte du stress au travail lors de leur étude longitudinale de trois ans auprès de plus de 400 contrôleurs aériens.

Le P.S.S. contient des questions de base propres à faire jaillir l'information concernant les symptômes, ainsi que des questions d'approfondissement auxquelles l'interviewer recourt lorsque les premières réponses du sujet ne lui permettent pas de vérifier la présence ou l'absence de symptômes. Les questions sont regroupées de façon à couvrir les symptômes dans différentes sphères: plaintes somatiques, humeurs, peurs, relations interpersonnelles, cognitions, processus cognitifs, tendances suicidaires, consommation de drogue ou d'alcool, illusions, comportements durant l'entrevue, fonctionnement dans les rôles de soutien familial, de personne de charge ou de ménagère, d'étudiant, de conjoint, de parent, de patient (déni de la maladie), selon les individus.

Les items du P.S.S. consistent en des descriptions brèves et non techniques de petites unités comportementales observées ou rapportées. Ils ont donc l'avantage d'être à la fois spécifiques et facilement compréhensibles pour l'interviewé. En outre, les items sont précodifiés de façon à standardiser la correction et l'interprétation des réponses du sujet. Le P.S.S. inventorie le fonctionnement et les symptômes survenus la semaine précédente, à l'exception des parties qui traitent du fonctionnement de rôle et de la consommation de drogues ou d'alcool, où la période couverte est d'un mois. Toutes les données sont obtenues, jugées puis enregistrées durant l'entrevue de telle sorte que l'évaluation se termine en même temps que l'entrevue. La passation varie entre 30 et 50 minutes selon le niveau de psychopathologie du répondant, le nombre de rôles applicables à ce dernier, son débit verbal et sa coopération. Point n'est besoin d'être un clinicien accompli pour utiliser adéquatement le P.S.S. Cependant, l'usager doit avoir des connaissances de base sur le comportement humain et doit recevoir un entraînement spécial. À cette fin, des bandes enregistrées, un manuel d'enseignement et des procédures suggérées sont disponibles (Spitzer *et al.*, 57). Comme il est dit antérieurement, l'évaluateur doit porter un jugement dichotomique à chacun des items du P.S.S., ce qui devrait conduire à l'augmentation de la fidélité des scores. Le fait que chaque item appelle un jugement de portée limitée sur des comportements précis ajoute un caractère spécifique et opérationnel de l'évaluation. C'est là un des avantages marqués de ce genre d'instrument sur les échelles globales. Par ailleurs, la passation d'instruments comme le P.S.S. requiert généralement plus de temps que celle des échelles globales.

C'est la seconde édition du P.S.S. que Rose *et al.* (49) utilisent. Le système de cotation donne des résultats à deux niveaux de généralité : les 17 échelles de symptômes de premier ordre fournissent autant de cotes pour chaque répondant. La cote des échelles globales de symptômes consiste en la somme des cotes brutes des échelles constituantes.

a) *La fidélité*

À partir des résultats de 770 sujets, les quatre échelles symptomatiques globales s'avèrent consistantes avec des coefficients variant entre 0,80 et 0,89. L'échelle globale de rôle, quant à elle, ne peut être soumise au calcul de la consistance interne puisqu'elle n'est pas calculée à partir de la sommation des cotes constituantes (Spitzer *et al.*, 57). Les coefficients de consistance interne de 17 échelles symptomatiques varient entre 0,43 pour agitation-excitation et 0,93 pour l'abus d'alcool. La valeur de la médiane est de 0,74. Quant aux échelles de rôle, leurs coefficients se situent entre 0,65 pour le rôle de parent et 0,80 pour le rôle d'étudiant. Ces résultats semblent très appréciables. Rappelons que les coefficients de consistance interne doivent être relativement élevés sans toutefois l'être trop puisqu'alors les items semblent mesurer exactement la même chose et l'on peut douter de la pertinence de les utiliser tous.

Rose *et al.* (49) entreprennent une série de démarches afin d'éprouver les qualités métrologiques du P.S.S. dans le cadre de leur étude sur les contrôleurs aériens. Pour les besoins de leur recherche, ils nc retiennent que cinq échelles : détresse subjective, perturbation du contrôle de l'impulsivité, rôle occupationnel, rôle de conjoint et abus d'alcool. Chez les contrôleurs aériens, les plus hauts coefficients de consistance interne vont aux échelles qui mesurent les pathologies de moindre gravité et les plus répandues : détresse subjective (0,82), abus d'alcool, et rôle de conjoint (0,72). Somme toute, si les coefficients de fidélité interjuge semblent très élevés dans l'ensemble des échelles, ils accusent toutefois une certaine faiblesse aux échelles désorientation-problème mnémonique (0,57) et rôle parental (0,66). Rose *et al.* (49), reprennent l'évaluation de la consistance interjuge dans le cadre de leur étude sur les contrôleurs aériens. Quatre interviewers regroupés en dyades évaluent au moins 20 sujets chacun. Dans l'ensemble, les interviewers démontrent un niveau d'accord élevé avec des coefficients variant entre 0,83 et 1,00. Toutefois, trois échelles présentent des coefficients plus bas : perturbation comportementale, désorganisation du discours et isolement social. Du reste, même pour les échelles à faible fidélité interjuge, les auteurs rapportent des coefficients au moins équivalents à ceux de Spitzer *et al.* (57).

b) *La validité*

Que ce soit par la méthode des groupes contrastants, par l'évolution de la pathologie ou par la comparaison avec d'autres instruments de mesure de santé mentale, il ne fait aucun doute que le P.S.S. possède une bonne validité de diagnostic en regard de la pathologie lourde. Mais qu'en est-il d'une population dite normale ? À cet effet, Rose *et al.* (49) portent leur investigation auprès de trois groupes — contrôleurs aériens, membres d'une communauté urbaine, patients psychiatriques — sur les quatre échelles globales, l'échelle abus d'alcool et trois échelles de rôle (v.g., soutien de famille, conjoint, parent). Comme on pouvait s'y attendre, l'échantillon de patients psychiatriques remporte la palme sur toutes les échelles étudiées. Quant aux contrôleurs et aux résidents urbains, leur profil est relativement similaire. Cependant, les contrôleurs cotent significativement plus haut que les citoyens urbains sur les échelles "perturbation du contrôle de l'impulsivité" et "soutien familial", mais plus bas à l'échelle du "rôle parental". Concernant les deux derniers résultats, il faut mentionner que l'échantillon urbain est composé à 58% de femmes alors que les contrôleurs sont exclusivement de sexe masculin, ce qui peut avoir une incidence sur le profil de chacun des deux groupes.

L'examen des intercorrélations d'échelles recueillies par Spitzer *et al.* (57), qu'il serait trop long de détailler ici, semble plaider en faveur de la validité conceptuelle du P.S.S. De même, lors de l'analyse factorielle des intercorrélations entre les 17 échelles concernées, ces auteurs signalent que la rotation des quatre facteurs débouche sur un résultat très satisfaisant d'un point de vue clinique.

La validation du P.S.S. dans le contexte des conséquences du stress au travail présente à l'heure actuelle un caractère encore exploratoire. De façon générale, les contrôleurs qui ont développé des problèmes psychiatriques se sont avérés significativement moins satisfaits de leur travail, de leurs collègues et moins capables de décharger leur tension après le travail. En outre, ces hommes disent investir beaucoup dans leur travail et ils signalent d'ailleurs des coûts subjectifs élevés en rapport avec le travail. Ils présentent également une tendance marquée à s'adapter au stress au travail en buvant après le travail. Par ailleurs, ils semblent moins enclins que les autres à choisir d'autres modes d'adaptation au stress comme, par exemple, l'exercice physique. Sur le plan des dispositions de la personnalité, on retrouve plus de type A de comportement (v.g., compétitif, lutte contre le temps, bourreau de travail) chez les contrôleurs aux problèmes psychiatriques. De même, dans les mois qui ont précédé l'émergence des problèmes, les contrôleurs ont subi plus de changements de vie que leurs collègues non perturbés (Rose *et al.*, 49).

Il se dégage de l'étude de Rose *et al.* que l'environnement de travail semble davantage impliqué dans l'étiologie des problèmes mentaux que la tâche comme telle. Les contrôleurs qui ont développé ce genre de problèmes n'ont travaillé ni plus ni moins que les autres; ils n'ont passé ni plus ni moins de temps en poste et n'ont contrôlé ni plus ni moins d'avions que leurs collègues. Il faut aussi préciser que leurs pairs ne les ont jugés ni plus ni moins compétents sur le plan technique. Par contre, ils ont été nommés moins souvent par leurs pairs pour leur amabilité et pour la composition d'une équipe de travail idéale.

Somme toute, les conclusions de l'étude longitudinale de Rose *et al.* semblent plaider en faveur de la validité conceptuelle du P.S.S. Évidemment, il faut considérer le caractère exploratoire de leur démarche. Mais sans avoir l'assurance que le P.S.S. traduise bel et bien les conséquences du stress au travail, les garanties de validité qu'il semble offrir encouragent son usage ultérieur dans l'étude du stress.

c) *L'applicabilité*

Le P.S.S. présente une applicabilité restreinte du fait des coûts directs (v.g., formation des interviewers, temps de passation et de correction). Pour les usagers francophones, il y a toute la question de la traduction et de l'adaptation du P.S.S., puis de sa validation auprès de la population québécoise, ce qui restreint d'autant plus l'applicabilité.

Globalement, à titre d'entrevue structurée, le P.S.S. comporte des avantages et des inconvénients. Le pricipal avantage tient à la quantité et à la qualité de l'information recueillie. En outre, il permet à l'interviewer d'établir un climat de confiance et dans certains cas, de calmer le répondant qui ne saurait fournir une information valable en d'autres circonstances. L'interviewer expérimenté peut même vérifier si le répondant comprend bien les questions ou encore s'il tend à falsifier ou à cacher de l'information et, advenant le cas, peut inciter l'interviewé à fournir adéquatement l'information requise. Par ailleurs, les coûts élevés de la formation des interviewers et le risque possible de leur biais constituent les principaux désavantages de l'approche par entrevue structurée. Le problème du biais frappe également d'autres types de mesures; dans les échelles d'auto-évaluation c'est le répondant qui risque de biaiser ses propres réponses tandis que dans les formules où l'informateur fournit les renseignements, ce dernier peut également présenter des biais potentiels. Mais si l'aspect structuré du P.S.S. ne suffit à l'immuniser contre le biais de l'évaluateur, il contribue toutefois à en réduire considérablement l'effet: les garanties de validité du P.S.S. se trouvent renforcées par la nature des items qui commande un jugement dichotomique sur un énoncé comportemental. Ici le concept de comportement doit être évidemment pris dans son sens le plus large, incluant les comportements manifestes et les comportements cachés (v.g., cognition).

Un point demeure toutefois obscur et il a trait à l'usage du P.S.S. avec des populations dites normales, qui paraissent sous-représentées dans l'ensemble des sujets considérés jusqu'à présent dans l'étude du P.S.S. Par conséquent, il serait fort intéressant de disposer de données normatives tirées de la population "normale" et de différents groupes de travailleurs.

Ainsi, pour ceux qui en ont les moyens, le P.S.S. constitue un instrument psychométrique éprouvé et solide. Il est d'ailleurs possible et même souhaitable de le combiner avec des mesures d'auto-observation, à l'instar de Rose *et al.* (49). Mais pour les usagers francophones, il y a encore loin de la coupe aux lèvres; le P.S.S. devra d'abord être traduit et adapté...

2.2.3 La mesure de l'anxiété

Dans le contexte des conséquences psychologiques du stress au travail, l'anxiété retient l'attention d'un bon nombre de chercheurs, lesquels utilisent différents instruments d'auto-observation.

L'échelle de Cobb (1970: voir Caplan et Jones, 1975)

L'échelle de Rizzo *et al* (1970)

   révisée par Brief et Aldag (1976)

   révisée par Miles et Perreault (1976)

Le Self-Rating Anxiety Scale (Zung, 1971a, 1971b)

Le State-Traint Anxiety Inventory (Spielberger *et al.,* 1970)

Questionnaire d'anxiété situationnelle et de trait d'anxiété (Bergeron, 1980)

Le Taylor Manifest Anxiety Scale (Taylor, 1953)

L'échelle de Tosi et Tosi (1970)

A) LE SELF-RATING ANXIETY SCALE (S.A.S.) DE ZUNG (1971a, 1971b)

Il s'agit d'une échelle de 20 items qui se remplit facilement et en quelques minutes. De correction simple, cet instrument psycho-métrique s'avère donc d'une grande applicabilité. À chaque symptôme rapporté par le sujet correspondent quatre indices de sévérité qui s'appuient soit sur l'intensité, la durée et / ou la fréquence des symp-tômes. Chacun de ces indices se mérite une pondération particulière qui augmente au fur et à mesure que la sévérité du symptôme s'accentue.

a) *La fidélité*

En utilisant la technique de la bissection, les items pairs étant corrélés aux items impairs, le S.A.S. obtient un coefficient de 0,71. Il est difficile de préciser avec exactitude les corrélations entre chaque item et le résultat total au S.A.S. puisque Zung (65) a omis une valeur. Mais si on se base sur les 19 valeurs présentes, elles varient entre 0,27 et 0,69, pour une moyenne de 0,51. Ces corrélations semblent donc témoigner d'une homogénéité un peu faible.

b) *La validité*

En recourant à la technique des groupes contrastants pour évaluer la validité de diagnostic de son échelle d'anxiété, Zung (65) compare les résultats moyens de cinq groupes de patients psychiatriques aux prises avec différents problèmes. L'analyse de variance révèle que la cote moyenne des sujets atteints d'un désordre d'anxiété est significativement plus élevée (p ,05) que celle des autres catégories de bénéficiaires. De plus, comparativement à un groupe contrôle de 100 sujets "normaux", la cote moyenne des cinq groupes de patients psychiatriques est significativement plus haute.

En s'appuyant sur un échantillon de 225 patients psychiatriques, Zung (65) rapporte un coefficient de corrélation de 0,66 entre le Anxiety Status Inventory, instrument dont la cotation est effectuée par un observateur, et le S.A.S. Le coefficient monte à 0,74 lorsque le calcul s'appuie uniquement sur les gens atteints d'un désordre d'anxiété. Enfin, le **Taylor manifest Anxiety Scale** (T.M.A.S.) entretient des liens corrélationnels plutôt faibles avec le S.A.S. (r = 0,30) et le A.S.I. (r = 0,33). Mais puisque le T.M.A.S. semble offrir de faibles garanties de validité de diagnostic dans l'étude de Zung, il n'y a rien d'alarmant à ce qu'il corrèle peu avec le S.A.S.

Rose **et al.** (49) rapportent des données intéressantes relativement à la validité du S.A.S. Par exemple, des 17 contrôleurs jugés symptomatiques à l'échelle de détresse subjective du P.S.S., 14 ont déjà été classés parmi les perturbés au S.A.S. Par ailleurs, 68 des 82 sujets jugés perturbés au S.A.S. se retrouvent dans le groupe des asymptomatiques à l'échelle détresse subjective du P.S.S. Rose *et al.* (49) retiennent deux hypothèses dans l'explication de ce dernier résultat : l'observation excessive des symptômes bénins ou le caractère transitoire des symptômes rapportés par les contrôleurs aériens. À celles-là, rajoutons la possibilité que la petite pathologie soit sur-représentée au sein de l'échelle S.A.S. D'autre part, ces auteurs analysent les liens qu'entretient le S.A.S. avec la charge de travail, la réponse psychologique au travail et certains facteurs de santé mentale. Pour ce faire, ils regroupent les sujets (n = 332) autour de quatre catégories de classification fondées sur la fréquence des épisodes mensuels d'anxiété : les asymptomatiques, les cas aigus, les cas intermittents et les cas chroniques. Les anxieux chroniques perçoivent leur charge de travail plus forte qu'elle ne l'est en réalité alors que les cas aigus semblent sousestimer leur charge de travail tandis que les asymptomatiques l'évaluent à sa juste mesure. Les anxieux chroniques se distinguent également des autres groupes à certains facteurs du questionnaire conçu pour les contrôleurs aériens. Par exemple, ils obtiennent la plus haute cote moyenne aux facteurs suivants : réactions psychophysiologiques d'anxiété, coûts subjectifs du travail du contrôleur aérien (v.g., vie familiale, sociale, loisirs, etc.), adaptation-abattement (bounceback-burnout). En outre, le groupe des chroniques remporte également la palme au **Review of Recent Life Experiences** (R.O.L.E.), un inventaire qui renseigne sur la détresse engendrée par les changements de vie récents. Les cas intermittents semblent être les moins en mesure de décharger leur tension au travail durant les jours difficiles, suivis de près par les chroniques. De même, les intermittents disposeraient des plus faibles ressources d'adaptation conjugales et sociales, suivis de près par les chroniques.

Malgré la multitude de variables significativement différentes entre les groupes de morbidité, l'analyse discriminante multivariée n'en retient que trois qui expliqueraient toutes les différences entre les groupes. Il s'agit du facteur de réaction psychophysiologique à l'anxiété, de la décharge de la tension au travail et du R.O.L.E. Ainsi donc, malgré l'aspect singulier de la recherche de Rose *et al.* (49), les résultats qui en proviennent contribuent substantiellement à asseoir la validité conceptuelle du S.A.S. de Zung. Et malgré le fait qu'elle puisse favoriser la petite pathologie, elle n'en demeure pas moins applicable à l'étude des conséquences du stress au travail. En outre, le S.A.S. est un instrument économique à l'usage et facile à corriger.

B) LE STATE-TRAIT ANXIETY INVENTORY DE SPIELBERGER *et al.* (1970)

Le S.T.A.I. comporte deux échelles de 20 items chacune, dont l'une porte sur l'anxiété situationnelle, i.e., à un moment particulier dans le temps, tandis que l'autre touche au trait d'anxiété. Dans la partie consacrée à l'anxiété situationnelle, l'échelle de réponse est en termes d'intensité alors que pour le trait d'anxiété, c'est une échelle de fréquence temporelle. Le fait qu'il existe une adaptation française au S.T.A.I., l'A.S.T.A., ajoute évidemment beaucoup d'intérêt à cette échelle d'anxiété.

La symptomatologie exprimée dans le S.T.A.I. s'appuie sur les définitions de l'anxiété situationnelle et du trait d'anxiété formulées par Spielberger *et al.* (55):

> ... l'anxiété situationnelle peut se conceptualiser comme un état émotionnel transitoire ou comme une condition de l'organisme humain qui varie en intensité et fluctue dans le temps. Cette condition est caractérisée par des sentiments (feelings) subjectifs de tension et d'appréhension accompagnés par l'activation du système nerveux autonome (p. 29).

> ... le trait d'anxiété réfère à des différences individuelles relativement stables dans la prédisposition à l'anxiété, c'est-à-dire, à des différences dans la disposition à percevoir un vaste étendu de situations comme dangereuses ou menaçantes, et dans la tendance à répondre à ces menaces par des réactions d'anxiété situationnelles (p. 39).

a) *La fidélité*

Spielberger *et al.* (55), présentent d'intéressantes données sur la stabilité temporelle du S.T.A.I. Un groupe de 357 étudiants sousgradués a servi d'échantillon dont une partie fut soumise à des conditions expérimentales inductrices d'anxiété et l'autre, simplement à deux mesures répétées sans manipulation expérimentale. Pour l'échelle du trait d'anxiété, les coefficients de stabilité sont raisonnablement élevés en variant de 0,73 à 0,86. Par contre, comme prévu, ceux de l'échelle d'anxiété situationnelle sont plutôt faibles en variant de 0,16 à 0,54. Les résultats vont donc dans la direction prévue et, en plus de témoigner de la stabilité de l'échelle du trait d'anxiété, ils plaident en faveur de la validité conceptuelle du S.T.A.I.

La consistance interne est également l'objet de vérifications. Spielberger *et al.* (55) découvrent chez les trois groupes d'étudiants, où les garçons sont comparés aux filles, qu'il n'y a guère de différences entre les coefficients alpha du trait d'anxiété dont la variation oscille de 0,86 à 0.92. De même, l'anxiété situationnelle présente également de très bonnes garanties de consistance interne avec des coefficients alpha variant de 0,83 à 0,92. De son côté, Abdel-Halim (1) utilise le S.T.A.I. en demandant aux sujets de dire comment ils se sentent par rapport à leur emploi. L'auteur rapporte un coefficient de consistance interne de 0,90 en utilisant la formule Spearman-Brown, ce qui est très appréciable.

b) *La validité*

Tant chez des étudiants et des étudiantes de niveau collégial que chez des patients neuropsychiatriques, l'échelle "Trait d'Anxiété" (T.A.) du S.T.A.I. entretient des corrélations élevées (0,75 à 0,76) avec l'I.P.A.T. (Cattel et Scheier, 15) et des corrélations un peu plus fortes (0,79 à 0,83) avec le T.M.A.S. de Taylor (59). Par ailleurs, l'échelle T.A. entretient un lien plus faible avec le M.A.A.C.L. de Zuckerman, comme en témoignent les coefficients de 0,52 et 0,58 respectivement chez les étudiants et étudiantes. Incidemment, l'I.P.A.T. et le T.M.A.S. obtiennent des corrélations du même ordre avec le M.A.A.C.L. Ainsi donc, les données précitées témoignent des bonnes garanties de validité diagnostique que semble offrir l'échelle T.A. Les résultats à l'échelle d'anxiété situationnelle (S.A.) du S.T.A.I. sont beaucoup plus élevés lorsque les sujets y répondent comme s'ils étaient sur le point d'avoir un examen final dans un cours important que lorsqu'ils y répondent dans une condition normale de passation (Spielberger *et al.* (55). D'autres données plaident également en faveur de la validité conceptuelle de l'échelle S.A. Par exemple, dans une expérience à mesures répétées, 197 étudiants sous-gradués sont soumis successivement à quatre conditions expérimentales: normale, relaxation, examen et film stressant. Or, les plus basses cotes à l'échelle sont enregistrées dans la condition de relaxation tandis que les plus hautes cotes suivent le film stressant. Par ailleurs, les différences sont moins marquées entre les conditions normales et d'examen.

Les corrélations entre les échelles S.A. et T.A. témoignent également de leur validité respective. Par exemple, Spielberger *et al.* (55) rapportent des corrélations variant entre 0,44 et 0,55 entre les deux échelles du S.T.A.I., chez les sujets féminins et dans des conditions normales de passation. Chez les hommes, les corrélations sont typiquement plus élevées et varient de 0,51 à 0,67. Les auteurs précisent également que les corrélations entre les deux échelles du S.T.A.I. peuvent varier en fonction des conditions expérimentales. En général, les corrélations sont plus élevées sous la menace à l'estime de soi qu'en présence de dangers physiques.

c) *Les rapports avec le stress au travail*

Dans le contexte des conséquences du stress au travail, l'étude de Abdel-Halim (1) révèle des corrélations positives entre le S.T.A.I. et l'ambiguité de rôle ainsi que la surcharge de travail mais non pas avec le conflit de rôle. Cette étude démontre également l'effet modérateur de l'enrichissement des tâches dans la relation entre la surcharge de travail et l'anxiété. Lorsque la tâche est enrichie, l'augmentation de la charge de travail est associée à une plus faible anxiété que dans le cas d'une tâche peu enrichie.

C) L'A.S.T.A. DE BERGERON (1980)

L'adaptation française du S.T.A.I. est connue sous le nom de **Questionnaire d'anxiété situationnelle et de trait d'anxiété** (A.S.T.A.) (Bergeron). Il est intéressant de savoir que le processus de normalisation est amorcé auprès de la population québécoise depuis quelques années. Actuellement, des normes sont disponibles pour l'ensemble de la population étudiante de niveau collégial (17-19 ans).

L'équivalence de l'A.S.T.A. et du S.T.A.I. a retenu l'attention des concepteurs de l'A.S.T.A. La vérification empirique de l'équivalence des deux instruments psychométriques fut menée auprès de 91 sujets bilingues. Chaque répondant a rempli l'A.S.T.A. et le S.T.A.I. dans un ordre contrebalancé. Les coefficients de corrélation entre les deux instruments atteignirent 0,93 pour l'échelle d'anxiété situationnelle et 0,97 pour l'échelle du trait d'anxiété (Bergeron, 8).

D'autres travaux témoignent des bonnes garanties de fidélité et de validité conceptuelle qu'offre l'A.S.T.A. (Bergeron et Bélanger, 9 ; Bergeron et Landry, 10 ; Landry, 36, 37). En 1980, Bergeron annonce qu'une analyse factorielle vient d'être effectuée sur des données recueillies auprès d'étudiants de C.E.G.E.P. Enfin l'A.S.T.A. se prête à de multiples usages comme en témoignent les études signalées par Bergeron (8).

En plus d'offrir de très bonnes garanties de fidélité et de validité, l'A.S.T.A. et le S.T.A.I. s'avèrent d'une grande applicabilité. En effet, ils se remplissent en quelques minutes et se corrigent tout aussi rapidement. Par contre, comme la plupart des échelles d'auto-observation ou d'auto-évaluation, l'A.S.T.A. et le S.T.A.I. présentent une certaine vulnérabilité au biais du répondant. En outre, il faut se rappeler que ce type d'instrument de mesure repose sur ce qu'on appelle "la prémisse de l'inventaire", soit le postulat que les gens sont disposés et capables de décrire correctement leurs propres sentiments et leur comportement. Malgré tout, il serait très intéressant que les études à venir sur les conséquences du stress au travail retiennent l'un des rares instruments psychométriques validés sur une popupation francophone, l'A.S.T.A.

2.2.4. Les mesures de la tension reliée au travail

Il y a deux grandes approches dans la mesure de la tension reliée au travail. La première consiste à demander à l'employé s'il est ennuyé ou dérangé (bothered) par un certain nombre de **facteurs** reliés au travail. L'autre approche s'oriente vers la recherche de sentiments (feelings) et/ou d'autres **indices** de tension. Cette seconde approche s'apparente à celle des échelles de symptômes non spécifiques.

L'approche des facteurs de tension:

Job Related Tension à 15 items (Indik *et al.,* 1964)

Job Related Tension à 14 items (Kahn *et al.,* 1964)

Job Related Tension à 9 items (Brief et Aldag, 1976; Donnelly et Etzel, 1977; Lyons, 1971; Paul, 1974)

L'approche des indices de tension:

L'item d'auto-évaluation (Cherry, 1978)

Les deux items d'auto-évaluation (Beehr *et al.,* 1976)

A) LE **JOB RELATED TENSION** (J.R.T.)

Indik *et al.* (28) utilisent une version de 15 items dont 14 se retrouvent dans l'échelle utilisée par Kahn *et al.* (31). Ces items identifient des sources de tension originant de la structure organisationnelle, des processus et des relations interpersonnelles en milieu de travail. Indik *et al.* (28) précisent que le J.R.T. touche de façon égale trois sources de tension: l'incompatibilité entre les demandes de l'emploi et les ressources dont dispose l'individu pour y pallier, le conflit ou l'ambiguïté de rôle et enfin, la surcharge de travail.

54

a) *La validité conceptuelle*

Les diverses études qui utilisent le **Job Related Tension** dans ses versions à 14 ou 15 items, tout comme dans la version de 9 items, rapportent des résultats qui traduisent avec consistance la validité conceptuelle de cet instrument.

Ainsi Indik *et al.* (28) dans une étude menée auprès de 8 234 travailleurs obtiennent, en utilisant la version à 15 items du J.R.T., une corrélation de 0,31 avec un index de préoccupation économique et de 0,36 avec l'échelle de symptômes psychophysiologiques de Gurin *et al.* (26). Par contre, cet index entretient des liens avec l'âge, le sexe et le niveau d'éducation des travailleurs, ce qui suggère une certaine perméabilité du J.R.T. à des variables démographiques. De son côté, Keith (32) observe, chez des enseignants, un niveau de tension plus élevé chez le personnel temporaire que chez le personnel permanent, ce qui évidemment supporte la validité conceptuelle du J.R.T.

Kahn *et al.* (31), au cours d'une étude approfondie de 53 travailleurs provenant de six emplacements industriels, signalent que le score au J.R.T. s'est avéré significativement plus élevé chez les travailleurs soumis à un fort conflit de rôle que chez ceux exposés à un léger conflit de rôle. Des résultats similaires ont été trouvés avec cette fois des personnes en autorité (Snoek, 54). Ce dernier auteur rapporte que les relations entre le J.R.T. et le sexe, l'âge ou l'éducation sont substantiellement réduites lorsque la diversité des relations de rôle et les responsabilités de supervision sont prises en considération. Il semblerait donc que le J.R.T. n'est pas aussi vulnérable qu'on ait pu le croire à l'influence des variables démographiques.

La version du J.R.T. abrégée à 9 items obtient dans l'ensemble, des résultats aussi intéressants que ceux provenant des versions de 14 ou 15 items. En termes de fidélité, Lyons (40) rapporte une intercorrélation médiane de 0,59 entre chaque item et la cote globale au J.R.T., ce qui paraît appréciable. L'auteur signale aussi un coefficient de consistance interne de 0,70, tel qu'estimé par la méthode de la bissection. Cette valeur relativement basse s'expliquerait en partie par l'hétérogénéité des items du J.R.T. En outre, le nombre restreint d'items de la version abrégée n'est probablement pas étranger à cette valeur un peu basse du coefficient de consistance interne. Par ailleurs, Brief et Aldag (11) rapportent un coefficient de consistance interne un peu plus élevé (r = 0,77).

En ce qui concerne la validité, dans une étude menée auprès de 156 infirmières licenciées, la perception de la clarté de rôle corrèle significativement (r = -.0,59) avec le J.R.T. (Lyons, 40). De son côté, Paul (44) signale que le J.R.T. est significativement relié à la clarté de rôle chez les enseignants, indépendamment de leur sexe. Brief et Aldag (11) qui, rappelons-le, travaillent auprès d'auxiliaires en nursing obtiennent des corrélations substantielles entre le J.R.T. et une mesure de conflit de rôle (r = 0,30). Donnelly et Etzel (20), quant à eux, signalent que le personnel de vente qui travaille dans les magasins dont le volume d'affaires est faible, cotent significativement plus bas au J.R.T. que le personnel affecté aux magasins dont le volume d'affaires est élevé, toutes choses étant supposées égales par ailleurs.

Sur le plan de l'applicabilité, le J.R.T. présente des atouts intéressants : avec sa rapidité de passation comme de correction, le J.R.T. entraîne des coûts minimes. Par contre, comme la plupart des échelles d'auto-observation ou d'auto-évaluation, le J.R.T. prête le flanc au biais volontaire et au style de réponse du répondant.

b) *Conclusion relative aux mesures de la tension reliée à l'emploi*

En résumé, la première approche qui consiste à demander au sujet s'il est ennuyé par certains éléments de son travail semble beaucoup plus populaire que la seconde approche qui s'attache plutôt aux sentiments (feelings) de tension. D'ailleurs, cette seconde orientation débouche essentiellement sur les mesures d'un ou deux items et connaissant les problèmes inhérents à ce genre de mesure, il semble préférable de s'orienter vers la première approche. En outre, l'abondance de la documentation sur les échelles de différentes longueurs ajoute à l'intérêt de cette façon d'évaluer la tension reliée au travail. En plus d'être facilement applicables, les échelles tirées de cette approche semblent présenter de bonnes garanties de validité conceptuelle.

2.2.5 La mesure de la dépression

Dans la mesure de la dépression en contexte de stress au travail, la diversité est à l'honneur. Caplan et Jones (14) utilisent un instrument occulte, Gore (25) s'enquiert d'une échelle d'auto-évaluation à 26 items, d'autres reprennent l'échelle d'humeur dépressive de Quinn et Shepard (45). Par ailleurs, Siassi *et al.* (52) travaillent avec une mesure de quatre items tandis que Rose *et al.* (49) composent avec le Self-Rating Depression Scale de Zung (64). Enfin, un peu à l'antipode de la dépression, le bonheur subjectif retient l'attention de Coburn (17) qui le mesure à l'aide d'un seul item:

L'échelle de Gore (1978)

L'échelle d'humeur dépressive (Quinn et Shepard, 1974)

L'index de Siassi *et al.* (1974)

Self Rating Depression Scale (Zung, 1965)

L'item d'auto-évaluation du bonheur (Coburn, 1975)

A) L'ÉCHELLE D'HUMEUR DÉPRESSIVE DE QUINN ET SHEPARD (1974)

Cet instrument a été employé dans l'étude du stress au travail par au moins trois groupes de recherche. Il est constitué de 10 items d'auto-évaluation qui sont accompagnés de quatre possibilités de réponse.

a) *La fidélité*

Sur le plan de la consistance interne, Beehr (3) applique la formule de Spearman-Brown et obtient un coefficient de 0,71. Pour leur part, Quinn et Shepard (45) rapportent un coefficient de consistance interne un peu plus élevé (0,77) mais ils ne précisent pas la formule utilisée. Quoi qu'il en soit, la taille de leur échantillon pourrait expliquer la valeur plus élevée de leur coefficient de consistance, par rapport à celui de Beehr.

b) *La validité*

La validité conceptuelle de l'échelle d'humeur dépressive peut s'évaluer, du moins partiellement, par le biais d'abondantes données corrélationnelles. Dans l'étude de Margolis *et al.* (42) menée auprès de 1 496 travailleurs, l'échelle corrèle relativement peu avec six différentes sources de stress au travail: l'ambiguïté de rôle, la sous-utilisation de l'employé, la surcharge de travail, l'inadéquation des ressources, l'insécurité d'emploi et la non-participation de l'employé aux décisions qui affectent son travail. Par ailleurs, lorsque ces six sources de stress sont combinées pour donner un indice global de stress, les résultats à l'échelle de dépression varient significativement entre les trois intensités de stress. Ces derniers résultats plaident donc partiellement en faveur de la validité conceptuelle de l'échelle de Quinn et Shepard (45).

Dans l'étude de Beehr (3), qui est menée auprès de 587 travailleurs issus de cinq organisations, l'échelle d'humeur dépressive corrèle également peu (r = 0,19) avec l'ambiguité de rôle. Par contre, elle entretient de plus forts liens corrélationnels avec d'autres mesures de conséquences du stress occupationnel : l'estime de soi (r = 0,31), l'insatisfaction dans la vie (r = 0,39) et l'insatisfaction au travail (r = 0,43). Quinn et Shepard (45) présentent des corrélations intéressantes entre l'échelle d'humeur dépressive et la satisfaction dans la vie (r = 0,49), l'estime de soi (r = 0,44) et la satisfaction globale au travail (r = 0,43). L'échelle corrèle un peu moins avec la motivation au travail (r = 0,30), l'échappement par la consommation d'alcool (r = 0,27), un index de santé physique globale (r = 0,20) et l'absentéisme (r = 0,12).

Somme toute, les résultats des utilisateurs de l'échelle d'humeur dépressive plaident partiellement en faveur de sa validité conceptuelle. Et la convergence des résultats de Beehr (3) et de Quinn et Shepard (45) ajoute du poids à cette conclusion. Évidemment, certaines limites comme la variance de méthode et l'impossibilité de vérifier l'hypothèse causale à l'aide des devis de recherche utilisés doivent être mentionnées. Néanmoins, l'échelle d'humeur dépressive de Quinn et Shepard (45) apparaît recommandable sur la base des garanties de validité qu'elle offre et sur la base de son applicabilité.

B) LE SELF RATING DEPRESSION SCALE (S.D.S.) DE ZUNG (1965)

Rose *et al.* (49) retiennent le **Self Rating Depression Scale** (S.D.S.) de Zung (64) pour évaluer mensuellement la dépression chez les contrôleurs aériens. Cet instrument comporte 20 items qui touchent aux principales catégories de symptômes de la dépression : l'affect dominant de cafard et de tristesse de même que les concomitants physiologiques et psychologiques. En fait, l'échelle reprend les grands symptômes de la dépression identifiées dans la documentation. Afin d'éviter le biais de l'acquiescement, 10 items sont formulés positivement tandis que les 10 autres le sont négativement. À chaque question le répondant a le choix entre quatre indices de fréquence, lesquels se méritent une pondération variant de 1 à 4.

a) *La validité*

Il n'y a pas d'information disponible sur la fidélité de l'échelle de dépression. Par contre, plusieurs études témoignent en faveur de la validité de diagnostic du S.D.S. Par exemple, les résultats à l'échelle de dépression permettent de distinguer les dépressifs des autres types de patients psychiatriques. En outre, l'échelle permet de distinguer un groupe de patients hospitalisés et traités pour désordres dépressifs d'un autre groupe de patients hospitalisés pour désordres dépressifs mais traités pour d'autres problèmes et d'un groupe contrôle. D'ailleurs, après avoir reçu un traitement pour désordres dépressifs, le groupe dépressif voit sa cote moyenne baisser significativement, au point d'être comparable à celui du groupe contrôle (Zung, 64, 66). Les résultats au S.D.S. corrèlent significativement (v.g., de 0,43 à 0,65) avec les évaluations globales faites par des psychiatres de sept pays : les États-Unis, le Japon, l'Australie, la Tchécoslovaquie, l'Angleterre, l'Allemagne et la Suisse. De plus, dans ces différents pays, les patients souffrant de désordres dépressifs présentent des résultats comparables au S.D.S. Ces dernières données plaident donc en faveur de la portée internationale de cet instrument de mesure. Enfin, les coefficients de corrélation entre le S.D.S. et l'échelle dépression du M.M.P.I. sont relativement élevés, avec des valeurs variant de 0,59 à 0,75.

En termes de validité conceptuelle, il semble que les résultats à l'échelle de Zung soient indépendants du statut civil, du sexe, de l'intelligence et du revenu familial. Par ailleurs, le nombre d'années de scolarité entretient un lien digne de mention (r = -0,28) avec les résultats au S.D.S. Reste à savoir si cela traduit la distribution réelle des symptômes de dépression ou bien une réaction défensive chez les gens instruits. L'âge des répondants semble également entretenir un lien notable avec les scores à l'échelle de Zung. Par exemple, des adolescents présumés normaux auraient obtenu des résultats généralement associés à des populations cliniques (Goodstein, 24). On retient de plus en plus l'hypothèse que le S.D.S. focalise sur la petite pathologie.

b) *Les rapports avec le stress au travail*

Rose *et al.* (49) présentent des données intéressantes sur l'usage de l'échelle de Zung dans le contexte du travail. Rappelons que les auteurs classifient les contrôleurs aériens en fonction de leur fréquence d'épisodes dépressifs : les asymptomatiques, les cas aigus, les cas intermittents et les cas chroniques. Ainsi, ces groupes se distinguent sur la base de leur consommation de médicaments, dans les six mois qui ont précédé le début de l'étude. Par exemple, les cas identifiés comme chroniques au S.D.S. consomment beaucoup plus de tranquillisants que les autres groupes de sujets. Les groupes se distinguent également sur la base de la réponse psychologique au travail. Cette mesure renseigne sur l'écart qui existe entre l'évaluation subjective de la difficulté du travail et l'évaluation objective de cette difficulté. L'analyse révèle que les cas de dépression chronique selon le S.D.S. surestiment le plus la difficulté de leur travail, suivis d'assez près par les cas intermittents. Viennent ensuite les asymptomatiques qui semblent évaluer à sa juste mesure la difficulté de leur travail. Pour leur part, les cas de dépression aiguë sous-estiment la difficulté de leur tâche. Le taux annuel moyen d'accidents (de bénins à modérés) est significativement plus élevé chez les groupes intermittents et chroniques que chez les groupes aigus et asymptomatiques. Ces derniers ont le plus bas taux d'accidents tandis que les cas de dépression chronique présentent le plus haut taux.

Les cas de dépression chronique se distinguent des autres groupes. Notamment, ils obtiennent la plus basse cote moyenne au facteur adaptation-abattement, ce qui signifie une prédisposition à l'abattement (burnout). De même, les cas chroniques obtiennent la plus basse moyenne à un facteur qui traduit soit des attitudes ou des conduites caractéristiques d'un bon contrôleur aérien. D'autre part, les dépressifs chroniques présentent la plus haute cote moyenne aux facteurs de réaction psychophysiologique d'anxiété et des coûts subjectifs du travail (v.g., vie familiale, sociale, loisirs...). Enfin, les cotes moyennes à l'échelle de détresse engendrée par les changements de vie (R.O.L.E.) vont en s'accentuant des asymptomatiques jusqu'aux dépressifs chroniques.

Les différences entre les catégories de dépression se reflètent également dans les échelles de satisfaction au travail et de satisfaction envers les collègues du J.D.I. Les asymptomatiques semblent les plus satisfaits, suivis par les cas aigus, intermittents et chroniques, dans cet ordre. Un résultat analogue vaut pour l'échelle de satisfaction envers le groupe.

c) *L'applicabilité*

En terminant, rappelons qu'à l'instar de plusieurs échelles d'auto-évaluation ou d'auto-observation, le S.D.S. prête le flanc au biais volontaire. Néanmoins, il appert qu'il puisse rendre de grands services dans l'étude des conséquences du stress au travail. Du reste, en plus d'être pertinent à l'étude de la dépression, le S.D.S. présente une applicabilité certaine.

2.2.6 Les mesures de l'estime de soi

Dans le contexte du stress au travail, on a mesuré l'estime de soi à l'aide de quatre instruments. La Rocco et Jones (39) utilisent quatre items dont ils ne précisent pas la provenance. L'instrument de Quinn et Shepard (45) a été employé tel quel par Margolis *et al.* (42) et dans une version à trois items par Beehr (3) alors que Sales (50) s'enquiert de deux items dont il utilise la moyenne. Bref, seule l'échelle de Quinn et Shepard offre quelque intérêt.

L'index de La Rocco et Jones (1978)
L'échelle de Quinn et Shepard (1974)
La version à trois items (Beehr, 1976)
La mesure de Sales (1970)

A) L'ÉCHELLE DE QUINN ET SHEPARD (1974) À QUATRE ITEMS

Il s'agit d'une échelle de différenciation sémantique dont les axes sont: réussi-échoué, important-pas important, heureux-triste, faisant mon possible-ne faisant pas mon possible. Le répondant se situe en rapport à son travail sur chacun des axes mentionnés à partir d'une graduation en sept points.

Ces quatre axes forment un index dont le coefficient de consistance interne est de 0,70 (Quinn et Shepard, 45). En regard de la validité, Quinn et Shepard rapportent une série de corrélations appréciables et significatives entre leur index d'estime de soi et d'autres mesures reliées à la qualité de vie au travail: l'humeur dépressive (r = 0,44), la satisfaction dans la vie (r = 0,48), la satisfaction globale au travail (r = 0,50), la motivation au travail (r = 0,32). En outre, l'index d'estime de soi corrèle substantiellement avec une série d'échelles qui mesurent des aspects spécifiques de la satisfaction au travail, et un peu plus faiblement avec d'autres mesures tels l'intention de quitter l'emploi (r = 0,25), l'échappement par l'alcool (r = 0,12) et l'absentéisme (r = 0,11). De leur côté, Margolis *et al.* (42) observent que cet index de l'estime de soi varie significativement en fonction de trois intensités de stress global. Somme toute, les corrélations précitées semblent abonder dans la direction de la validité conceptuelle de l'index d'estime de soi. Mais, il reste encore beaucoup de travail à accomplir dans la pleine connaissance de cette mesure.

2.2.7 Les mesures de l'humeur, de la fatigue et des problèmes de sommeil

Il a semblé bon de regrouper ces trois thèmes dans la même catégorie vu leur parenté et le peu de documentation qui en traite:

Les mesures d'humeur et d'éveil de Johansson *et al.* (1978)
L'échelle de fatigue de Beehr *et al.* (1976)
L'échelle des problèmes de sommeil (Rose *et al.*, 1978b)

A) LES MESURES D'HUMEUR ET D'ÉVEIL DE JOHANSSON *et al.* (1978)

Johansson *et al.* (30), s'intéressent à l'auto-évaluation de certaines variables d'humeur et d'éveil: la somnolence, le sentiment de bien-être, la précipitation (rush), l'efficacité, l'irritation et le calme. La consigne demande d'abord au sujet d'associer le point maximal de l'échelle à la plus forte intensité qu'il a déjà vécue. Par la suite, il lui est demandé de coter l'intensité ressentie au cours d'une période de quelques heures ouvrées. La différence entre le point manimal de l'échelle et le point où le sujet se situe pour la période ouvrée constitue la mesure utilisée par les auteurs.

Les résultats de Johansson *et al.* (30), indiquent que dans l'ensemble, le groupe de travailleurs suédois soumis à un travail routinier et astreignant exprime une tension plus élevée ainsi qu'une humeur plus négative que le groupe contrôle, qui est soumis à des conditions de travail moins astreignantes. Il est regrettable que les auteurs ne précisent davantage les changements enregistrés dans chacune des mesures utilisées. Il manque donc beaucoup d'information sur elles qui, d'ailleurs, portent le stigma du critère à item unique.

B) L'ÉCHELLE DE FATIGUE DE BEEHR *et al.* (1976)

Beehr *et al.* (5) mesurent la fatigue ressentie par les travailleurs à l'aide de trois questions d'auto-évaluation. Le répondant exprime sa réponse sur une échelle de type Likert en sept points. Incidemment, les auteurs signalent que ces items proviennent d'un questionnaire de santé physique élaboré par Quinn et Shepard (45).

Dans leur étude menée auprès de 143 cols blancs syndiqués, Beehr *et al.* (5) obtiennent des corrélations relativement intéressantes entre leur échelle de fatigue et trois sources de stress: la surcharge de travail (r = 0,32), l'ambiguité de rôle (r = 0,20) et la non-participation (r = 0,23).

L'index de la fatigue corrèle également avec l'insatisfaction au travail (r = 0,25) et encore plus avec une mesure de tension (r = 0,44).

Dans l'ensemble et malgré leurs limites, les données corrélationnelles de Beehr et al. (5) plaident relativement en faveur de la validité conceptuelle de l'échelle de fatigue. Évidemment, de plus amples informations seraient bienvenues sur cet instrument de mesure. En terminant, disons qu'il prête le flanc au biais volontaire et cela peut en restreindre l'applicabilité dans certains contextes organisationnels. À titre d'exemple, il serait enfantin de biaiser les résultats à l'échelle de fatigue de façon à mousser tel ou tel projet (v.g., assouplissement de l'horaire, réduction de la charge de travail, augmentation du revenu...). Malgré cet handicap qui, soit dit en passant, guette plusieurs échelles d'auto-évaluation ou d'auto-observation, la mesure de fatigue pourrait être utilisée dans le cadre d'études exploratoires.

C) L'ÉCHELLE DES PROBLÈMES DE SOMMEIL DE ROSE et al. (1978b)

Rose et al. (49) s'intéressent aux problèmes de sommeil qu'ils mesurent à l'aide de 4 items d'auto-observation. Chaque item porte sur une facette particulière de la perturbation du sommeil. Le répondant doit indiquer leur fréquence d'apparition durant le dernier mois. Le premier item porte sur la difficulté à s'endormir. Le second touche à la difficulté à rester endormi comme, par exemple, le fait de se réveiller beaucoup trop tôt et de ne pouvoir se rendormir. Le troisième item a trait au sommeil ponctué de réveils. Enfin, le dernier item décrit la sensation d'épuisement au réveil en dépit du nombre habituel d'heures de sommeil. Chaque mois, le sujet indique la fréquence à laquelle chaque problème de sommeil s'est manifesté: pas du tout, 1-3 jours, 4-14 jours, 15 jours et plus. L'analyse statistique révèle une forte association entre les quatre types de problèmes de sommeil, comme en témoignent les chi-carrés et les statistiques gamma. Ces deux mesures d'association sont calculées à partir des six paires de problèmes de sommeil. Les chi-carrés varient entre 38 et 200 (9 degrés de liberté) et sont tous significatifs. Quant aux coefficients gamma, ils varient entre 0,38 et 0,77.

Rose et al. (49) s'intéressent également aux causes susceptibles d'expliquer les problèmes de sommeil. Dans leur étude sur les contrôleurs aériens, les auteurs suggèrent six causes possibles sur lesquelles les travailleurs doivent se prononcer. Une septième réponse est même prévue au cas où le répondant ignorerait la cause de ses problèmes de sommeil: pas d'idée au sujet de la cause. Il est intéressant de constater que les causes retenues par les auteurs peuvent s'appliquer à différents groupes de sujets: aliments ou breuvages consommés, usage répété de la salle de bain, trop d'idées qui me tournent dans la tête, préoccupations ou problèmes, changements d'horaire de travail, pas assez de temps pour dormir.

Les résultats viennent infirmer l'hypothèse suivant laquelle des différents types de problèmes de sommeil seraient associés à différentes causes. Les causes les plus communes sont: changements d'horaire de travail, trop d'idées qui me tournent dans la tête, préoccupations ou problèmes. Ainsi donc, malgré leur caractère exploratoire, ces données permettent de postuler la présence d'un lien entre le stress au travail et les problèmes de sommeil. Il faut évidemment indiquer que la variance d'erreur risque de gonfler artificiellement le lien entre les causes des problèmes de sommeil et les problèmes eux-mêmes. Il faut insister aussi sur l'aspect subjectif des causes incluses dans le questionnaire et, à ce titre, elles ne représentent pas nécessairement les vraies causes des problèmes de sommeil. Quoi qu'il en soit, le travail de Rose *et al.* (49) mérite une fois de plus d'être salué puisqu'il identifie une avenue très intéressante à explorer. En outre, ces auteurs semblent être les seuls à s'intéresser aux problèmes de sommeil dans le cadre du stress au travail. Enfin, leur mesure de sommeil présente une grande facilité d'application, ce qui ajoute à ses avantages.

2.3   Les conséquences comportementales

Les conséquences comportementales susceptibles de découler du stress au travail se regroupent essentiellement autour de deux grands pôles: les habitudes de consommation (v.g., tabac, alcool et médicaments) et les relations interpersonnelles au travail comme à la maison. Les accidents occupent une catégorie un peu à part. D'ailleurs, leur mesure ne pose généralement pas de problème puisqu'il s'agit de comptabiliser le nombre d'accidents qui surviennent sur la scène occupationnelle ou ailleurs.

2.3.1   Les habitudes de consommation

A) LA CONSOMMATION DE TABAC

Du côté des habitudes de consommation, le tabagisme demeure probablement l'effet le plus souvent étudié. La mesure de cette variable consiste généralement à demander au répondant de se situer par rapport à différentes catégories de consommation.

La mesure de critère de Schar *et al.* (1973b)

La mesure de critère de Caplan et Jones (1975)

La recherche de Schar *et al.* (51) fait état d'une mesure de critère où il est demandé au répondant de se situer par rapport à six intensités de consommation de tabac. Ce critère de tabagisme, dénué de l'idée de durée, ne corrèle à peu près pas avec la maladie cardio-vasculaire, l'hypertension et l'attaque cardiaque mais entretient une certaine relation avec l'efficience du système respiratoire. Pour leur part, Caplan et Jones (14) ne retiennent que quatre catégories de consommation incluant le taux d'abandon de la cigarette. Les auteurs rapportent des liens significatifs entre le taux d'abandon de la cigarette et l'allègement de la charge de travail ainsi que des responsabilités. Chez ceux qui disposent de peu de support social, seule la réduction de la charge de travail est liée à une augmentation du taux d'abandon. D'autre part, ceux qui cessent de fumer ont généralement une cote plus faible à la mesure de type A de comportement (le bourreau de travail).

En somme, les mesures reliées au tabac sont du type critère, avec une seule question suivie de quelques choix de réponse. Dans certains cas, le taux d'abandon de la cigarette est utilisé. Toutes ces mesures sont d'une grande simplicité et comportent les avantages comme les inconvénients du critère. Pour savoir si quelqu'un fume, il n'y a rien de plus direct et de plus à propos que de le lui demander. Tant que le répondant est en mesure de donner une réponse précise et honnête, la validité d'un tel critère ne semble guère menacée. Mais justement, comment s'assurer que le sujet dit bien la vérité? On ne peut tout de même pas le suivre pas à pas. Il reste donc l'approche indirecte comme la vérification d'hypothèses tirées de la théorie. Dans le cas des fumeurs, il est possible de vérifier si le tabagisme est relié aux maladies respiratoires, cardio-vasculaires, au stress au travail, à certaines facettes de la personnalité (v.g., type A), au support social. Quelques-unes des études passées en revue vérifient certaines de ces hypothèses. Dans l'ensemble, les conclusions qui s'en dégagent plaident relativement en faveur de la validité des mesures utilisées. Il est toutefois déplorable que les données relatives aux liens entre le tabac et les conséquences physiologiques soient aussi rares que décevantes.

B) LA CONSOMMATION D'ALCOOL

La mesure de la consommation d'alcool débouche sur deux approches fondamentales : l'**Index de fréquence-quantité-variabilité** (F.V.Q.) de la consommation d'alcool et les échelles d'échappement par l'alcool.

L'index F.Q.V. de Rose *et al.* (1978b)

L'échelle d'échappement de Quinn et Shepard (1974)

L'échelle d'ajustement de Rose *et al.* (1978b)

La première approche cherche à classifier le buveur d'après ses habitudes de consommation d'alcool, sans égard à la cause sous-jacente. L'index de fréquence-quantité-variabilité (F.Q.V.) constitue la mesure la plus utilisée. La fréquence est habituellement identifiée par rapport à huit catégories de consommation. Quant aux questions relatives à la quantité et à la variabilité, elles sont posées pour chaque type de breuvage alcoolisé (v.g., bière, vin, spiritueux). Étant donné le taux différent d'alcool dans ces breuvages, certains auteurs (Rose *et al.*, 49) adoptent une mesure uniforme en convertissant le tout en onces éthanol/semaine. En ce qui a trait à la variabilité, elle renseigne sur la **variance** dans la **quantité** d'alcool consommé. Les données relatives à la validité de l'index F.Q.V. dans le contexte du stress au travail sont rarissimes. Leur usage semble surtout prévu dans le cadre d'études épidémiologiques. Une exception cependant, l'étude de Rose *et al.* (49) selon laquelle 50% des contrôleurs aériens entrent dans la catégorie des gros buveurs, ce qui est quatre fois supérieur au taux enregistré à l'échelle nationale. Le moins que l'on puisse dire, c'est que les contrôleurs se distinguent singulièrement par leur habitude de consommation d'alcool. De plus, la consommation d'éthanol est significativement plus élevée chez ceux jugés anormaux à deux des trois tests des fonctions du foie, ce qui plaide en faveur de la validité du critère quantité d'alcool consommé. Une critique formulée à l'endroit de l'index F.Q.V. lui reproche de regrouper dans la même catégorie des types de buveurs très différents. Par exemple, un individu qui consomme un ou deux verres d'alcool chaque jour est classé dans la même catégorie que celui qui boit moins fréquemment et en plus grande quantité chaque fois (six ou sept verres). D'autre part, cet index est vulnérable au biais volontaire du répondant. Il peut être tentant pour celui qui a un problème d'alcool de ne pas l'avouer ouvertement, à plus forte raison s'il ne se l'avoue pas à lui-même. D'où la seconde approche dans la mesure des habitudes de consommation d'alcool.

Les échelles d'échappement par l'alcool, comme leur nom l'indique, visent justement à déceler la conduite d'échappement qui se cache derrière la consommation d'alcool, sans égard au volume consommé ni à la fréquence de consommation. L'échelle de Quinn et Shepard (45) comprend 15 énoncés qui représentent différentes raisons de boire de l'alcool : échappement (v.g., pour relaxer, pour oublier les problèmes reliés au travail), hédonisme (pour le goût de se sentir bien), sociabilité (pour être poli, pour suivre les autres). En termes de fidélité, les coefficients de consistance interne sont de $r = 0,87$ pour les 8 items d'échappements, de $r = 0,66$ pour les trois raisons sociales et de $r = 0,60$ pour les 4 items d'hédonisme. La validité conceptuelle de cette échelle reçoit un support notable du fait que la mesure d'échappement par l'alcool augmente significativement en fonction de l'intensité du stress global. Évidemment, de plus amples études de validation sont à souhaiter. C'est donc avec prudence que devrait être employée l'échelle d'échappement de Quinn et Shepard dans l'étude du stress au travail.

Quant à l'échelle d'ajustement de Rose *et al.* (49), elle semble viser le dépistage de la consommation d'alcool à des fins d'ajustement à la tension occupationnelle. À la suite de cinq administrations du questionnaire à neuf mois d'intervalle chacune, les coefficients de stabilité temporelle varient de 0,71 à 0,91 pour atteindre une moyenne de 0,79. Certaines indications, comme le lien entre problèmes psychiatriques et consommation d'alcool pour s'ajuster au stress au travail, abondent dans la direction d'une validité conceptuelle de l'échelle. Cependant, étant donné la rareté des données relatives à cette échelle, la circonspection est de mise.

2.3.2 Les relations interpersonnelles

Sous le couvert des relations interpersonnelles se retrouvent différents thèmes : les attitudes envers les transmetteurs de rôle ; le comportement du supérieur envers ses employés, qu'il s'agisse de la révision des salaires des employés, du style de gestion du personnel ou des objets de l'exercice d'autorité ; la cohésion du groupe de travail ; les relations conjugales ; le sentiment d'abandon/solitude.

Les attitudes envers les transmetteurs de rôle (Kahn *et al.,* 1964)
La révision des salaires des employés (Fodor, 1974)
Le style (autoritaire) de gestion du personnel (Fodor, 1976)
Les objets de l'exercice d'autorité (Goodstadt et Kipnis, 1970)
La cohésion du groupe de travail (Klein, 1971)

Les relations conjugales (Kroes *et al.*, 1974)
Le sentiment d'abandon/solitude (Siassi *et al.*, 1974)

A) LES ATTITUDES ENVERS LES TRANSMETTEURS DE RÔLE
(KAHN *et al.* 1964)

Kahn *et al.* (31) mesurent trois types d'attitudes — la confiance, le respect, l'affection (liking) — que la personne focale est susceptible de nourrir à l'endroit de ses transmetteurs de rôle (v.g., patrons, pairs, subalternes, clients). Chaque attitude est sondée par une seule question à laquelle répond le sujet sur une échelle d'intensité variant de cinq à huit points. Il appert, conformément aux prédictions des auteurs, que le respect, la confiance et l'affection envers les transmetteurs de rôle sont significativement plus élevés chez les travailleurs soumis à un faible degré de conflit de rôle que chez ceux qui affrontent un haut degré de conflit de rôle. D'autre part, même si les attitudes envers les transmetteurs de rôle varient de façon significative entre des groupes de sujets soumis à différents types de conflit de rôle, on peut difficilement prétendre à un rapport de cause à effet. Néanmoins, l'ensemble de ces données semblent plaider en faveur de la validité conceptuelle de ces mesures d'attitudes quoique ces mesures à item unique prêtent le flanc au biais volontaire, ce qui peut en restreindre l'applicabilité dans certains contextes organisationnels troublés. Par contre, leur validité apparente, leur simplicité, leur rapidité de passation et de correction militent en faveur de leur applicabilité. Toutefois, le peu d'information disponible invite à la prudence dans leur usage.

B) LE STYLE (AUTORITAIRE) DE GESTION DU PERSONNEL
(FODOR, 1976)

En considérant le comportement des subalternes en tant que stresseur occupationnel, Fodor (21) s'intéresse à son incidence sur le style — surtout autoritaire — de gestion du personnel chez le superviseur. En analysant les messages que le supérieur adresse à ses subalternes, il cherche à y découvrir trois composantes du style de gestion autoritaire : l'utilisation coercitive du pouvoir, la directivité et l'induction des sentiments de peur, d'insécurité et de frustration chez les subordonnés. Utilisant la technique de deux évaluateurs indépendants, il obtient une fidélité interjuge très encourageante de 0,92. Quant à la validité, elle est vérifiée à l'aide du Least Preferred Co-Worker (L.P.C.) de Fiedler qui serait une mesure d'orientation vers les relations humaines, d'où une corrélation négative ($r = -0,26$) comme prévu.

Le manque d'amplitude de cette corrélation peut être expliqué par la taille restreinte de d'échantillon et par la validité douteuse du L. P.C. avant de s'en prendre à la mesure d'autocratie de Fodor. D'autre part, le fait que les superviseurs soumis à des conditions stressantes se comportent de façon plus autoritaire que ceux soumis à des conditions normales joue en faveur de la validité conceptuelle de cette mesure.

C) LES OBJETS DE L'EXERCICE D'AUTORITÉ (GOODSTADT ET KIPNIS, 1970)

L'utilisation des pouvoirs que confère l'autorité chez les superviseurs retient l'attention de Goodstadt et Kipnis (23) qui l'étudient, en **simulation expérimentale,** en fonction de trois variables : le nombre de supervisés, le type de problème manifesté par le sujet et la confiance en soi du superviseur.

De façon générale, les superviseurs utilisent davantage leurs pourvoirs coercitifs dans la condition d'attitude négative que dans celle d'inaptitude du travailleur. Par pouvoirs coercitifs, on entend surtout la menace d'une diminution de salaire et le congédiement. Par ailleurs, dans la condition d'inaptitude, les superviseurs se rabattent surtout sur leur pouvoir d'expert. Par exemple, il y a plus de superviseurs qui donnent des instructions dans la condition d'inaptitude que dans la condition "attitude négative". Le type de problème rencontré a également une influence sur le comportement du superviseur à l'endroit des travailleurs coopératifs. Par exemple, lorsque le travailleur manifeste une attitude négative, ses coéquipiers reçoivent davantage d'augmentations de salaire que sous la condition d'inaptitude de ce travailleur.

L'effet du nombre d'ouvriers supervisés se fait surtout sentir du côté de l'attention que le superviseur porte à ses ouvriers. Notamment, le superviseur prend moins de temps pour parler au travailleur - problème dans l'équipe de huit que dans celle de trois. De même, la taille de l'équipe de travail influe sur le comportement du superviseur vis-à-vis les travailleurs coopératifs. Par exemple, ces derniers reçoivent significativement moins d'augmentations de salaire dans l'équipe de huit que dans celle de trois.

Enfin, les superviseurs qui ont moins confiance en leur habileté de leader s'en tiennent surtout aux interventions de pouvoir prescrites par l'expérimentateur. Par ailleurs, ceux qui se montrent plus confiants utilisent à la fois les intervention prescrites et leurs "approches personnelles de persuasion" pour redresser la performance du travailleur-problème.

Somme toute, les conclusions de l'expérience de Goodstadt et Kipnis (23) viennent confirmer des observations faites à partir d'études menées sur le terrain. Dans ce sens, leurs résultats semblent abonder dans la direction de la validité conceptuelle de leur mesure d'utilisation du pouvoir. Il est toutefois regrettable que les différences méthodologiques invalident les comparaisons entre cette étude et celle de Fodor (21) qui, rappelons-le, travaille avec une mesure de pouvoir qui s'apparente jusqu'à un certain point à celle de Goodstadt et Kipnis.

L'orservation du comportement du superviseur présente, sans contredit, une très bonne validité apparente. Si cette approche se prête assez bien à la simulation contrôlée en laboratoire, elle semble un peu moins applicable dans le quotidien organisationnel. Évidemment, dans la mesure où il est possible de diriger les superviseurs vers un centre d'évaluation, les formules de cotation de Fodor et de Goodstadt et Kipnis peuvent servir mais à un coût éminemment plus élevé que celui d'un questionnaire papier-crayon. Enfin, reste à savoir si la simulation peut reproduire la complexité systémique du contexte du travail.

D) LA COHÉSION DU GROUPE DE TRAVAIL (KLEIN, 1971)

L'influence de la pression occupationnelle sur la cohésion du groupe de travail est mesurée par un instrument de quatre items dont trois décrivent des comportements de cohésion tandis que l'autre traduit une conduite compétitive. Á chaque item, le répondant indique, selon cinq catégories, la proportion des membres de son département qui manifestent le comportement décrit. L'analyse d'item et l'analyse factorielle établissent l'homogénéité des items de solidarité et leur distinction de l'item de compétition de sorte que Klein (34) considère que seuls les trois items homogènes constituent la mesure de la cohésion du groupe de travail.

Bien que les résultats obtenus aillent à l'encontre de ses prédictions, à savoir les rapports positifs entre pression occupationnelle et cohésion de groupe, Klein ne met pas en doute la validité de son instrument de mesure mais s'en prend plutôt à la documentation qui traite de la cohésion du groupe de travail et va même jusqu'à concevoir un nouveau modèle conceptuel. Cette démarche, quoique légitime, ne dissipe pas pour autant tous les doutes relatifs aux qualités métrologiques de sa mesure de cohésion. Quant à l'applicabilité des trois items, leur rapidité de passation et de correction constituent certes un atout. Par contre, comme la validité apparente de cette mesure est saillante, il devient facile pour le répondant de biaiser ses réponses.

2.3.3 Les accidents

Seuls deux chercheurs se sont intéressés aux accidents dont sont victimes les travailleurs, à titre de conséquences possibles du stress au travail.

Les accidents (Rose *et al.*, 1978b)
les accidents de travail (Allodi et Montgomery, 1979)

Rose *et al.* (49) s'intéressent à tous les accidents possibles, qu'ils aient lieu au travail ou non. Pour ce fairee, ils font appel au M.H.R., décrit à la section 2.1 de ce chapitre, qui indexe les accidents par niveau de sévérité et à tous les rapports médicaux concernant les contrôleurs aériens provenant de centres hospitaliers. Incidemment, si les auteurs s'étaient bornés aux accidents de travail, ils n'auraient pas eu grand chose à dire puisque chez le contrôleurs aériens, ce phénomène est rarissime.

Allodi et Montgomery (2) définissent l'accident comme une blessure physique qui a lieu durant un quart de travail de huit heures et qui requiert une attention médicale de même qu'un rapport au "Worker's Compensation Board". Il s'agit donc d'une mesure de critère qui repose essentiellement sur les registres du travailleur. En appariant quant au sexe, à l'âge et au type d'emploi, 225 travailleurs victimes d'accidents de travail à 215 travailleurs sans accident, les auteurs découvrent un nombre significativement plus élevé d'opérations, de maladies chroniques et aiguës, de symptômes psychiatriques et d'accidents antérieurs chez les accidentés que chez les non-accidentés. Par ailleurs, tant la maladie mentale que l'insatisfaction au travail ne semblent reliées à l'occurrence de l'accident de travail. Toutefois, l'insatisfaction au travail pourrait être associée à une prolongation de la convalescence et au développement de complication névrotique suite à un accident de travail.

Les mesures d'accident se rapprochent beaucoup du concept de critère, principalement lorsque les blessures résultant de l'accident sont soumises à l'attention médicale. Il est possible d'inclure tous les accidents, sans égard à leur gravité ni à leur origine, comme dans le cas de Rose *et al.* (49). D'autre part, il est également possible de se borner aux accidents de travail dont la gravité requiert l'assistance médicale, comme dans l'étude de Allodi et Montgomery (2). Le fait de ne retenir que ceux qui requièrent l'attention médicale, offre une certaine garantie contre la simulation de blessures accidentelles. Enfin, les études passées en revue ne mettent pas en évidence le lien de causalité qui relierait le stress au travail aux accidents, même si elles considèrent ce lien fort probable.

Bibliographie et références

(1) Abdel-Halin, A. A. (1978) Employee Affective responses to organizational stress: Moderating effects of job characteristics. *Personnel Psychology, 31,* 561-579.

(2) Allodi, F., Montgomery, R. (1979). Psychological aspects of occupational injury, *Social Psychiatry, 14,* 25-29.

(3) Beehr, T.A. (1976). Perceived situational moderators of the relationship between subjective role ambiguity and role strain. *Journal of Applied Psychology, 61,* No. 1, 35-40.

(4) Beehr, T.A., Newman, J.E. (1978). Job stress, employee health, and organisational effectiveness: A facet analysis, model, and literature review. *Personnel Psychology, 31,* 665-669.

(5) Beehr, T.A., Walsh, J.T., Taber, T.D. (1976). Relationship of stress to individually and organizationally valued states: Higher order needs as a moderator. *Journal of Applied Psychology, 61,* No. 1, 41-47.

(6) Belloc, N.B., Breslow, L., Hochstim, J.R. (1971). Measurement of physical health in a general population survey. *American Journal of Epidemiology, 93,* 328-336.

(7) Bergeron, J. (sous presse). State-trait anxiety in french-english bilinguals: Cross-cultural considerations, in Spielberger, C.D., Diaz-Guerrero, R., (Eds.), *Cross-Cultural Anxiety,* Vol. 2, Washington: Hemisphere.

(8) Bergeron, J. (1980). Validation, études de normalisation et exemples d'utilisation du questionnaire d'anxiété ASTA. Rapport de recherche présenté au département de psychologie, Université de Montréal.

(9) Bergeron, J., Bélanger, D. (1976). Assessment of state-trait anxiety in french-english bilinguals. in Spielberger, C.D., (chair): Research on stress and anxiety. Symposium présenté au XVI interamerican congress of Psychology, Miami.

(10) Bergeron, J., Landry, M. (1974). Études de fidélité et de validité de l'adaptation française du questionnaire d'anxiété STAI. Communication présentée au 18e congrès international de psychologie appliquée. Montréal.

(11) Brief, A.P., Aldag, R.J. (1976). Correlates of role indices. *Journal of Applied Psychology, 61,* 468-472.

(12) Brodman, K., Erdman, Jr. A., Lorge, I., Wolff, H. (1949). The Cornell Medical index, an adjunct to medical interview. *Journal of American Medical Association, 140,* 530-534.

(13) Butler, M.C., Jones, A.P. (1979). The leath opinion survey reconsidered: Dimensionality, reliability and validity, *Journal of Clinical Psychology, 35,* No. 3, 554-559.

(14) Caplan, R.D., Jones, K.W. (1975). Effects of work load, role ambiguity, and type A personality on anxiety, depression and heart rate. *Journal of Applied Psychopogy, 60,* No, 6, 713-719.

(15) Cattell, R.B., Scheier, I.H. (1963). *Handbook for the IPAT Anxiety Scale* (second edition). Champaign: Institute for personality and ability testing.

(16) Cherry, N. (1978). Stress, anxiety and work: A longitudinal study. *Journal of Occupational Psychology, 51,* 259-270.

73

(17) Coburn, D. (1975). Job-worker incongruence: Consequenceslth. *Journal of Health and Social Behavior, 16*, 198-212.

(18) Derogatis, L.R., Lipman, R.S., Covi, L. (1973). SCL-90: An out-patient psychiatric rating scale: Preliminary report. Psychopharmacology Bulletin, 9, No, 1, 13-27.

(19) Dohrenwend, B.P., Dohrenwend, B.S. (1965). The problem of validity in field studies of psychological disorder. *Journal of Abnormal Psychology, 70*, 52-69.

(20) Donnelly, J.H. Jr., Etzel, M.J. (1977). Retail store performance and job satisfaction. A study of anxiety-stress and propensity to leave among retail employees. *Journal of Retailling, 53*, No. 2, 23-28.

(21) Fodor, E.M. (1976). Group stress, authoritarian style of control and use of power. *Journal of applied psychology, 61*, No. 3, 313-318.

(22) Forget, A. (1982). Les instruments utilisés dans la mesure des conséquences du stress occupationnel. mémoire inédit de maîtrise. Université de Montréal.

(23) Goodstadt, B. Kipnis, D. (1970). Situational influences on the use of power. *Journal of Applied Psychology, 54*, 201-207.

(24) Goodstein, L.D. (1972). Self-rating depression scale *in* Buros, O., (Ed.): *The Seventh Montal Measurement Yearbook* (pp. 320-321). Highland Park. N.J.: Gryphon.

(25) Gore, S. (1978). The effect of social support in moderating the health consequences of unemployment. *Journal of Health and Social Behavior, 19*, 156-165.

(26) Gurin, G., Veroff, J., Feld, S. (1960). *Americans view their mental health.* New-YORK: Basic.

(27) Howard, J.H., Cunningham, D.A., Rechnitzer, P.A. (1976). Health patterns associated with type A behavior: A managerial population. *Journal of Human Stress, 2*, 24-31.

(28) Indik, B. Seashore, S.E., Slesinger, J. (1964). Demographic correlates of psychological strain. *Journal of Abnormal & Social Psychology, 69*, 26-38.

(29) Jacobson, D. (1972). Fatigue-producing factors in industrial work and pre-retirement attitudes. *Occupational Psychology, 46*, 193-200.

(30) Johansson, G., Aronsson, G., Lindström, B.O. (1978). Social psychological and neuroendocrine stress reactions in highly mechanised work. *Ergonomics, 21*, 583-599.

(31) Kahn, R.L., Wolfe, D.M., Quinn, R.P., Snoek, J.D. (1964). *Organizational stress: Studied in role conflict and ambiguity.* New-Yrok: John-Wiley.

(32) Keith, P.M. (1978). Individual and organizational correlates of a temporary systems. *The Journal of Applied Behavioral Science, 14*, No 2, 195-203.

(33) Kelly, E.L. (1972). The multiple affect adjective check list in Buros, O. (Ed.). *The Seventh Mental Measurement Yearbook* (pp. 271-272). Highland Park, N.J.: Gryphon.

(34) Klein, S.M. (1971). *Workers under stress. The impact of work pressure on group cohesion.* Lexington: University Press of Kentucky.

(35) Kyriacou, C., Sutcliffe, J. (1977). Teacher stress: A review. *Educational Review, 29*, 299-306.

74

(36) Landry, M. (1973). La fidélité et la validité de l'adaptation française d'un questionnaire d'anxiété. Mémoire de maîtrise inédit, Université de Montréal.

(37) Landry, M. (1975). L'adaptation française d'un questionnaire d'anxiété: fidélité, validité et normalisation avec une population de niveau collégial. Thèse de doctorat inédite, Université de Montréal.

(38) Langner, T.S. (1962). A twenty-two items screening score of psychiatric symptoms indicating impairment. *Journal of Health and Human Behavior, 3*, 269-276.

(39) La Rocco, J.M., Jones, A.P. (1978). Co-worker and leader support as moderators of stress-strain relationships in work situations. *Journal of Applied Psychology, 63*, 629-634.

(40) Lyons, T.F. (1971). Role clarity, need for clarity, satisfaction, tension and withdrawal. *Organizational Behavior and Human Performance, 6*, 99-110.

(41) MacMillan, A. (1957). The health opinion survey: Technique for estimating the prevalence of psychoneurotic and related types of disorders in communities. *Psychological Reports, 3*, 325-339.

(42) Margolis, B.K., Kroes, W.H., Quinn, R.P. (1974). Job stress: An unlisted occupational hazard. *Journal of Occupational Medicine, 10*, 659-661.

(43) Megargee, E.I. (1972). The multiple affect adjective check list, *in* Buros, O. (Ed.). *The Seventh Mental Measurement Yearbook* (pp. 273-274). Highland Park, N.J.: Gryphon.

(44) Paul, R.J. (1974). Role clarity as a correlate of satisfaction, job related strain, and propensity to leave - male vs female. *Journal of Management Studies, 11*, 233-245.

(45) Quinn, R.P., Shepard, L.G. (1974). *The 1972-1973 quality of employment survey: Descriptive statistics, with comparison data from the 1969-1970 survey of working conditions.* Ann Arbor, Michigan, the University of Michigan Survey Research Center.

(46) Rizzo, J.R., House, R.J., Lirtzman, S.I. (1970). Role conflict and ambiguity in complex organizations. *Administrative Science Quarterly, 15*, 150-163.

(47) Roman, P.M., Trice, H.M. (1972). Psychiatric impairment among "Middle americans": Surveys of work organizations. *Social Psychiatry, 7*, 157-166.

(48) Rose, R.M., Jenkins, C.D., Hurst, M.W. (1978a). Health change in air traffic controllers: A prospective study. 1. Background and description. *Psychosomatic Medicine, 40*, 142-165.

(49) Rose, R.M., Jenkins, C.D., Hurst, M.W. (1978b). Air traffic controller health change study: A prospective investigation of physical, psychological and work-related changes. Rapport présenté à la Federal Aviation Administration.

(50) Sales, S.M. (1970). Some effects of role overload and role underload. *Organizational Behavior and Human Performance, 5*, 592-608.

(51) Schar, M., Reeder, L.G., Dirken, J.M. (1973). Stress and cardiovascular health: on international cooperative study-II. The male population of a factory at Zurich. *Social Science and Medicine, 7*, 585-603.

(52) Siassi, I., Crocetti, G., Spiro, H.R. (1974). Loneliness and dissatisfaction in a blue collar population. *Archives of General Psychiatry, 30*, 261-265.

(53) Singleton, G.W., Teahan, J. (1978). Effects of job-related stress on the physical and psychological adjustment of police officers. *Journal of Police Science and Administration, 6,* No. 3, 355-361.

(54) Snoek, J. (1966). Role strain in diversified role sets. *American Journal of Sociology, 71,* 363-372.

(55) Spielberger, C.D., Gorsuch, R.L., Lushene, R.E. (1970). *Manual for the State-Trait Anxiety Inventory.* Palo Alto, CA: Consulting psychologists Press.

(56) Spiro, H.R., Siassi, I., Crocetti, G.M. (1972). What gets surveyed in a psychiatric survey? A case study of the MacMillan Index. *Journal of nervous and mental disease, 154,* 105-114.

(57) Spitzer, R.L., Endicott, J., Fleiss, J.L., Cohen, J. (1970). The psychiatric status schedule. A technique for evaluating psychopathology and impairment in role functioning. *Archives of General Psychiatry, 23,* 41-55.

(58) Strupp, H.H. (1972). The psychiatric status schedules: Subject form, second edition *in* Buros, O. (Ed.). *The Seventh Mental Measurements Yearbook* (pp. 309-312). Highland Park, N.J.: Gryphon.

(59) Taylor, J. (1953). A personality scale of manifest anxiety. *Journal of Abnormal and Social Psychology, 48,* 285-290.

(60) Tosi, H., Tosi, D. (1970). Some correlates of role conflict and role ambiguity among public school teachers. *Journal of Human Relations, 18,* 1068-1075.

(61) Tousignant, M., Denis, G., Lachapelle, R. (1974). Some considerations concerning the validity and use of the health opinion survey. *Journal of Health and Social Behavior, 15,* 241-252.

(62) Zaleznik, A., Kets de Vries, M.F.R., Howard, J. (1977). Stress reactions in organizations: Syndromes causes and consequences. *Behavioral Science, 22,* 151-162.

(63) Zuckerman, M., Lubin, B. (1965). Normative data for the Multiple Affect Adjective Check List. *Psychological Reports, 16,* 438.

(64) Zung, W.W.K. (1965). A self-rating depression scale. *Archives of General Psychiatry, 12,* 63-70.

(65) Zung, W.W.K. (1971a). A rating instrument for anxiety disorders. *Psychosomatics, 12,* No. 6, 371-379.

(66) Zung, W.W.K. (1971b). The differenciation of anxiety and depressive disorders: A biometric approach. *Psychosomatics, 12,* No. 6, 380-384.

CHAPITRE **III**

La mesure des conséquences organisationnelles du stress au travail

Ce troisième chapitre porte sur l'analyse des instruments utilisés dans la mesure des conséquences organisationnelles du stress au travail. Encore ici, le matériau de base provient de la recherche effectuée par Forget (11) dans son inventaire critique des instruments de mesure effectivement appliqués à l'étude des conséquences du stress.

Pour les fins du volume, il a fallu sélectionner et condenser la matière incluse dans l'ouvrage de Forget tout en tâchant de sauvegarder au mieux la richesse des informations, d'où l'adhésion à la démarche suivante: chaque type de tension organisationnelle est subdivisé selon les grandes catégories d'instruments utilisés pour sa mesure. Pour chaque catégorie, la liste complète des instruments recensés est incluse, mais **seuls** les instruments les mieux connus et les mieux documentés sont présentés avec leurs qualités et défauts métrologiques.

Dans un premier temps, il sera question de la mesure du rendement au travail qui constitue de fait une partie substantielle de ce chapitre. Associée, mais de façon différente au rendement, suit la notion d'abattement ou d'usure prématurée (burnout). Vient ensuite la mesure de la motivation au travail selon les trois principales conceptions que s'en font les chercheurs. La mesure des comportements de retrait, sous ses dimensions roulement de personnel, absentéisme et même intention de quitter l'organisation constitue le quatrième et dernier volet de ce chapitre.

3.1 Le rendement au travail

Le rendement au travail représente probablement le thème le plus étudié dans le cadre des conséquences organisationnelles du stress au travail. Il existe de nombreuses approches dans la mesure du rendement: parmi les mesures caractérisées par le rôle prédominant de l'évaluateur, il y a l'auto-évaluation, l'évaluation par les supérieurs, par la clientèle et par les pairs. Si les méthodes précitées demeurent souvent empreintes de subjectivité, il existe d'autres mesures de rendement qui paraissent relativement plus objectives. Ces dernières peuvent consister en des tests d'efficience ou en des critères confinés dans les registres de l'employeur. Il peut notamment s'agir du nombre de promotions, de marques spéciales de reconnaissance ou du nombre de charges disciplinaires retenues contre le subalterne. En outre, ces critères de rendement peuvent correspondre soit à des mesures de niveau individuel, ce qui est majoritairement le cas, soit à des mesures de niveau organisationnel, comme la rentabilité d'une unité administrative.

L'abattement (burnout) ou si l'on préfère "l'usure prématurée" des travailleurs est relié à la question du rendement. Phénomène à la fois intéressant et méconnu, l'abattement mérite toutefois d'être étudié indépendamment des autres facettes du rendement au travail.

3.1.1 Les mesures d'auto-évaluation

Parmi les mesures à caractère dit "subjectif", l'auto-évaluation est de loin la plus utilisée, entre autres, parce qu'elle est d'application facile.

L'item d'auto-évaluation de Lawler et Hall (1970)

L'item d'auto-évaluation de l'efficacité occupationnelle (Miles et Perreault, 1976)

L'item d'auto-évaluation de Brief et Aldag (1976)

La mesure de la qualité des services à la clientèle (Parkington et Schneider, 1979)

La mesure de Pruden et Reese (1972)

A) L'ITEM D'AUTO-ÉVALUATION DE L'EFFICACITÉ OCCUPATIONNELLE (MILES ET PERREAULT, 1976)

Miles et Perreault (33) se servent d'un item d'auto-évaluation de l'efficacité (effectiveness) occupationnelle. Il s'agit d'une question suivie d'une échelle de réponse en neuf points sur laquelle le répondant situe sa compétence, en se référant à certains facteurs comme l'opinion de ses collègues quant à la qualité de son travail et à sa propre contribution à l'organisation.

a) *La fidélité*

Pym et Auld (37), les concepteurs de l'item, cherchaient à créer une mesure de la compétence et ils ont, semble-t-il, abouti à une mesure de l'efficacité au travail. D'autre part, ces deux auteurs soulignent à juste titre la difficulté d'évaluer la fidélité de leur item d'auto-évaluation. Premièrement il n'y a que la méthode test-retest qui risque de s'appliquer à une telle mesure. Mais encore là, des difficultés pointent à l'horizon. À titre d'exemple, il est facile pour le répondant de mémoriser sa réponse et, par soucis de consistance, de la redonner ultérieurement; ce qui biaise le coefficient de stabilité temporelle. D'autre part, si l'intervalle interpassation est augmenté de façon à minimiser le risque de mémorisation, une nouvelle source de biais est à craindre: l'effet de l'histoire. En effet, le trait mesuré peut subir des transformations réelles dues à différents facteurs susceptibles d'influer sur le rendement des travailleurs. Un changement de politique dans la gestion des ressources financières ou humaines, un arrêt de travail, un important grief, pour ne nommer que ceux-là, sont susceptibles de survenir entre les deux passations de l'instrument de mesure et, par conséquent, d'invalider la vérification de la stabilité temporelle.

b) *La validité*

Miles et Perreault (33), qui utilisent l'analyse multivariée, révèlent que les résultats à l'item d'efficacité occupationnelle varient en fonction de différents types de conflits de rôle, conformément à leur hypothèse de travail. Cette donnée, quoique parcellaire, va donc dans le sens de la validité conceptuelle de la mesure d'efficacité.

Pym et Auld (37) présentent de nombreuses données relatives à la validité diagnostique et à la validité conceptuelle de leur item d'auto-évaluation. Dans l'ensemble de leurs quatre groupes occupationnels, les corrélations entre l'item d'auto-évaluation et diverses autres mesures de rendement semblent plaider passablement en faveur de sa validité diagnostique. D'abord, chez les couturières, l'item corrèle substantiellement avec l'évaluation de la compétence par le contremaître (r = 0,52), avec l'évaluation globale du rendement par le contremaître (r = 0,42) et avec des critères objectifs de rendement en termes de pièces fabriquées (Xr = 0,50). Chez les stagiaires en commerce, les résultats sont tout aussi satisfaisants sinon plus. À l'exception des résultats scolaires avec lesquels l'item d'auto-évaluation corrèle faiblement (r = 0,25), les autres mesures de compétence convergent dans la direction de l'auto-évaluation avec des corrélations variant entre 0,46 et 0,69, ce qui semble très acceptable. Dans un groupe de chimistes, il est intéressant de voir que l'item entretient un lien avec la qualification universitaire, les plus qualifiés estimant leur compétence supérieure à celle des autres chimistes. Enfin, du côté des ingénieurs, l'item d'auto-évaluation corrèle passablement avec trois autres mesures d'évaluation : la compétence technique (r = 0,50), les relations avec la clientèle (r = 0,69) et la coopération avec l'entreprise (r = 0,57). Ces trois mesures reposent sur l'appréciation de deux supérieurs qui utilisent une échelle en cinq points.

Les données précitées tendent à démontrer que l'item d'auto-évaluation de la compétence peut offrir de bonnes garanties de validité. Il y a toutefois une ombre au tableau : la grande vulnérabilité de cette mesure au biais volontaire du répondant. Par exemple, dans l'étude de Pym et Auld (37), les apprentis en commerce se cotent significativement plus bas lorsque l'évaluation est anonyme que lorsqu'elle est identifiée à leur nom. Ils ne précisent malheureusement pas si la forme de la distribution des résultats varie substantiellement et c'est pourtant là l'essentiel. En effet, si tous les répondants ne font que rajouter l'équivalent d'une constante à leur évaluation, les cotes discriminent encore en fonction de la compétence de ces gens. Au besoin, il est assez facile de traiter les résultats statistiquement de façon à les normaliser ou à éliminer la valeur constante de rajout. Par ailleurs, si la distribution des résultats changent substantiellement, il devient alors plus difficile et dans certains cas impossible de les normaliser ou d'éliminer l'effet du biais engendré par la consigne administrative (administrative set). Puisque Pym et Auld (37) ne disent rien de la distribution des scores, il convient d'adopter une attitude de prudence à l'endroit de leur item d'auto-évaluation.

B) LA MESURE DE LA QUALITÉ DES SERVICES OFFERTS À LA CLIENTÈLE (PARKINGTON ET SCHNEIDER, 1979)

Parkington et Schneider (34) s'intéressent à la qualité des services offerts à la clientèle. Il est demandé à 263 employés d'évaluer comment les clients jugent la qualité des services qu'ils reçoivent à leur succursale bancaire. Les répondants ont le choix entre six indices de qualité. Il est intéressant de constater que la perception des employés corrèle substantiellement ($r = 0,67$) avec l'évaluation que font les clients de la qualité des services reçus. Parkington et Schneider (34) se penchent sur les liens susceptibles d'unir la dissonance dans l'orientation des services à la clientèle et différentes variables dont leur mesure de rendement. Ici, la dissonance réfère à l'écart entre l'orientation des employés et celle qu'ils attribuent à la direction de la banque dans la façon de transiger avec les clients. De fait, leurs résultats confirment l'existence d'un lien corrélationnel négatif ($r = -0,37$) entre la dissonance et l'auto-évaluation de la qualité des services offerts. Pour une, la variance de méthode risque d'expliquer une partie de la corrélation, ce qui invite à la prudence dans l'interprétation des résultats de Parkington et Schneider (34). Du reste, l'information demeure parcellaire et beaucoup d'autres données seraient requises avant de pouvoir se prononcer sérieusement sur la validité de cette mesure du rendement.

C) LA MESURE DE PRODUCTIVITÉ DE PRUDEN ET REESE (1972)

Pruden et Reese (36) mesurent ce qu'ils nomment la productivité de 91 vendeurs industriels. Ces derniers doivent se situer par rapport à leurs collègues quant à la quantité et la qualité de leur travail. Incidemment, la question est accompagnée de quatre choix de réponse. En recourant à l'analyse de la fonction discriminante, les auteurs cherchent à voir s'il est possible de discriminer entre le groupe à haut rendement et celui à bas rendement à partir des variables suivantes : le pouvoir du vendeur (v.g. sur le crédit, la livraison, les prix, les types de produits offerts et l'exclusivité des clients), son autorité sur d'autres membres de son organisation et le statut du vendeur par rapport à celui de ses clients (v.g. similitude et familiarité). Dans l'ensemble, 61 sujets sur 91 sont correctement classés par l'analyse discriminante. De ceux dont la cote du rendement est réellement élevée, 40 sont bien identifiés contre 19 qui se retrouvent dans la mauvaise catégorie. Par contre, dans le groupe à bas rendement, 21 sont correctement classés contre 11 qui se retrouvent à tort dans la classe du haut rendement. Même si la classification des vendeurs par l'analyse discriminante est significativement différente du hasard, il n'en demeure pas moins que le taux d'erreur atteint 33%. On ne saurait toutefois imputer la totalité de la responsabilité de ce taux d'erreur à la mesure de rendement. Les mesures de pouvoir, d'autorité et de statut, ainsi que la théorie qui a présidé à leur choix à titre de variables discriminantes peuvent tout aussi bien être en cause. Enfin, l'absence de lien entre les mesures de rendement et de satisfaction confirme les résultats d'études antérieures et, de ce fait, plaide partiellement en faveur de la validité conceptuelle de l'item de rendement.

D) CONCLUSION

Somme toute, l'item d'auto-évaluation globale du rendement semble présenter certaines garanties de validité de diagnostic en corrélant, par exemple, soit avec des critères objectifs de rendement, soit avec l'évaluation du rendement par les supérieurs ou par la clientèle. D'autres données issues de différentes sources renseignent particulièrement sur la validité conceptuelle de l'item d'auto-évaluation. Qu'il s'agisse de sa corrélation avec une mesure de motivation intrisèque à l'emploi (Lawler et Hall, 25), avec une mesure de tension occupationnelle (Brief et Aldag, 5) ou avec la dissonance d'orientation des services à la clientèle (Parkington et Schneider, 34), ces données permettent de mieux saisir la nature du trait mesuré. De même, l'absence de lien entre l'item de rendement et la satisfaction au travail plaide partiellement en faveur de la validité conceptuelle de l'item d'auto-évaluation du rendement. Par ailleurs, le fait qu'il soit très vulnérable au biais volontaire peut restreindre son applicabilité dans certains contextes organisationnels où les répondants trouveraient rentable de "mousser" les évaluations ou tout simplement de boycotter la discrimination en indiquant, par exemple, tous la même cote.

3.1.2 Les mesures d'évaluation par le supérieur

Dans le contexte du stress au travail, plusieurs chercheurs ont opté pour une évaluation du rendement en provenance du supérieur immédiat.

La mesure de Brief et Aldag (1976)

Les mesures de Cooper et Green (1976)

La mesure de Fodor (1974, 1976)

La mesure de Greene (1972)

La mesure de Sandberg et Bliding (1976)

Aussi surprenant qu'il puisse paraître, ce sont les seules études utilisant l'évaluation du rendement par le supérieur qui ont été repérées dans la documentation traitant de la mesure des conséquences du stress occupationnel. Et aussi décevant que cela pourra sembler, il apparaît superflu de faire une description sommaire de ces instruments, même si certains résultats obtenus sont intéressants, étant donné la très grande spécificité des instruments eu égard à la population qu'ils desservent, étant donné qu'ils n'ont été employés qu'une seule fois et en raison, il faut l'avouer, de la relative pauvreté de la documentation à leur endroit. Cependant, dans une étude sur le stress au travail, si un utilisateur éventuel est aux prises avec la problématique de l'évaluation du rendement par le supérieur auprès de personnels infirmiers, la recherche de Brief et Aldag (5) lui sera sûrement d'un certain secours. De même, si l'étude porte sur des militaires, les mesures de Cooper et Green (6) ne sont pas dénuées d'intérêt. Finalement, dans le cas où la recherche porterait sur des gestionnaires, la mesure de Greene (14) pourrait être utile.

3.1.3 La mesure d'évaluation par jury

A) L'APPROCHE DE ANDREWS ET FARRIS (1972)

Andrews et Farris (2) semblent être les seuls, du moins dans le contexte des conséquences du stress au travail, à recourir à un jury pour évaluer le rendement de leurs sujets. Il s'agit en l'occurrence d'ingénieurs et d'autres scientifiques attachés à la N.A.S.A. Une première collecte de données a lieu en 1965 (temps 1, n = 117) et une seconde a lieu cinq ans plus tard (temps 2, n = 118).

a) *Le jury*

Chaque jury est constitué d'un groupe d'évaluateurs dont les deux tiers sont impliqués dans la supervision des évalués, tandis que l'autre tiers est constitué de non-superviseurs de niveau sénior qui seraient en quelque sorte des collègues des chercheurs évalués. Tous les juges étant des professionnels affectés au laboratoire où travaillent les évalués, ils sont, de fait, familiers avec le travail des gens qu'ils évaluent.

b) *Les critères de rendement*

Les juges se prononcent sur trois critères de rendement : l'innovation, la productivité et l'utilité. L'innovation est définie comme étant la mesure dans laquelle le travail de l'évalué a contribué au développement des connaissances dans son champs d'activité, en utilisant de nouvelles et d'utiles voies de recherche ou de développement. Le concept de productivité réfère ici au degré auquel le travail de l'évalué a contribué au développement des connaissances en empruntant des voies de recherche ou de développement déjà établies. Enfin, l'utilité du travailleur réfère à la mesure dans laquelle son travail s'est avéré utile ou valable pour son organisation. Il convient de préciser que les juges évaluent chacun des aspects du rendement en se référant aux cinq dernières années. L'accord interjuge atteint des coefficients de 0,95 au temps 1 et de 0,88 au temps 2.

c) *La fidélité*

Comme on pouvait s'y attendre, les trois critères de rendement sont interreliés, les coefficients de corrélation variant de 0,70 à 0,80 et ce, aux temps 1 et 2. Quant aux coefficients de stabilité temporelle, ils atteignent tout de même des valeurs appréciables compte tenu de l'intervalle de cinq ans : 0,58 pour l'utilité, 0,45 pour la productivité et 0,60 pour l'innovation.

d) *La validité*

L'analyse de la corrélation croisée-différée (cross-lagged correlation) suggère la possibilité d'un lien de causalité entre la pression

temporelle, ici la source de stress au travail, et l'utilité des chercheurs. Par ailleurs, les résultats s'avèrent moins probants pour les
deux autres critères de rendement. Malgré l'intérêt qu'elle suscite,
l'étude de Andrews et Farris (2) ne renseigne que très partiellement sur
la validité des trois mesures de rendement. Le fait de ne pas attaquer
la validité de ces mesures, dans l'explication des résultats, ne constitue
pas pour autant la preuve de cette validité. Par exemple, les biais
comme l'effet de halo ou la partialité des juges risquent d'entacher
l'évaluation du rendement. Évidemment, le fait de s'enquérir d'un jury
dont certains membres supervisent le sujet et d'autres pas, tend à minimiser l'effet de tels biais. Il serait également intéressant de comparer
la formule d'évaluation de Andrews et Farris à des critères de rendement plus objectifs. De plus, il faut se garder de généraliser les conclusions des auteurs à d'autres contextes occupationnels et à d'autres
groupes de travailleurs. Enfin, elle génère des coûts forcément plus
élevés que ceux d'un simple questionnaire d'auto-évaluation. Cependant, il faut reconnaître que l'approche de Andrews et Farris (2)
débouche sur une information différente, originale et qu'il serait intéressant de la comparer à celle de l'auto-évaluation.

3.1.4 L'ÉVALUATION DU RENDEMENT PAR LES PAIRS

Rose *et al.* (40) semblent être les seuls à utiliser l'évaluation de
la compétence technique par les pairs dans la mesure de l'abattement et
dans le cadre du stress au travail. Ils s'enquièrent plus précisément de la
nomination, l'une des formes d'évaluation par les pairs.

On confond généralement la nomination par les pairs (peer
nomination), l'estimation par les pairs (peer rating) et le classement
par les pairs (peer ranking).

Dans la nomination par les pairs, il est généralement demandé à
chaque membre d'un groupe de nommer un certain nombre de collègues qu'il juge les plus forts eu égard à une dimension donnée. Parfois
les répondants doivent également nommer un certain nombre de pairs
qu'ils jugent les plus faibles sur la même dimension. Enfin, il arrive que
les répondants aient à placer les nominations par ordre décroissant.
D'ordinaire, il est demandé aux évaluateurs d'exclure leur propre nom
dans leurs nominations (Kane et Lawler, 19).

Dans l'estimation par les pairs (peer rating), chaque membre du
groupe doit évaluer chacun de ses collègues à l'aide d'échelles mesurant
des variables personnelles telles le leadership, l'initiative etc. De ces

échelles, les plus en vue demeurent les échelles B.A.R.S. (Behaviorally Anchored Rating Scales). Kane et Lawler (19) concluent que l'estimation constitue la forme d'évaluation par les pairs la plus pratique pour recueillir de l'information sur chaque employé. Cependant, exception faite des échelles B.A.R.S., l'estimation offrirait les moins bonnes garanties de fidélité et de validité des trois types d'évaluation par les pairs. Ces piètres qualités métrologiques tiendraient surtout à la faible consistance interjuge et à l'obligation de coter tous les collègues au lieu de ne retenir que les plus forts et/ou les plus faibles par rapport au trait mesuré, comme dans le cas de la nomination. Et dans l'ensemble, l'estimation par les pairs prête le flanc à divers biais comme ceux de l'uniformité, de la race et de l'amitié, pour n'en nommer que quelques-uns.

Dans la méthode du classement par les pairs (peer ranking), chaque membre du groupe attribue un rang à tous ses collègues, du plus élevé au plus bas, eu égard à une ou plusieurs caractéristiques. D'après Kane et Lawler (19), le classement doit être considéré comme la plus discriminante des techniques d'évaluation par les pairs. Par ailleurs, le classement demeure la moins étudiée des trois techniques, ce qui incite à la prudence dans son application. En outre, elle risque de conduire à une certaine résistance chez les sujets en milieu industriel et principalement si la recherche poursuit des objectifs administratifs (v.g. promotion, mise à pied).

A) LA NOMINATION PAR LES PAIRS

De toutes les méthodes d'évaluation par les pairs, c'est la nomination qui fut la plus étudiée et qui semble offrir les meilleures garanties de fidélité et de validité. Par ailleurs, la complexité de la cotation la distingue des autres approches. En outre, elle aurait moins de pouvoir discriminatif que les deux autres techniques (Kane et Lawler, 19). Toutefois, un de ses atouts principaux réside dans la collaboration des sujets en milieu organisationnel, même lorsqu'ils savent que la recherche peut servir à des fins administratives (Hollander, 17, Mayfield, 31, 32).

a) *Les avantages et les inconvénients de la nomination*

Certaines caractéristiques de la nomination par les pairs la rendent séduisante aux yeux des usagers éventuels. D'abord, comme il vient d'être mentionné, son applicabilité, tant à des fins de recherche qu'à des fins administratives, lui confère un avantage certain. En outre, la simplicité et la célérité de la passation, combinées à des coûts d'opération relativement peu élevés s'ajoutent à ses avantages. La nomination par les pairs pourrait même s'appliquer là où les gens se connaissent depuis relativement peu de temps. Il suffirait de trois semaines d'interaction pour que les résultats se stabilisent et offrent de bonnes garanties de validité de pronostic (Hollander, 17).

Les avantages précités ne sauraient toutefois servir de paravent à certains inconvénients comme sa capacité restreinte de discrimination entre les évalués. À titre d'exemple, Webb (45) rapporte que 46% de ses sujets n'ont pas reçu de nomination tandis que cette proportion atteint 25% dans l'étude de Booker et Miller (4). C'est donc dire que dans ce groupe de sujets non nommés, les individus ne peuvent être distingués les uns des autres. La nomination par les pairs s'avère donc moins utile lorsqu'il faut recueillir de l'information sur tous les sujets du groupe. Une autre caractéristique indésirable de la nomination par les pairs a trait à sa grande dépendance vis-à-vis l'entière collaboration de tous les membres du groupe. En effet, plus que les autres techniques d'évaluation par les pairs, la nomination peut voir ses résultats invalidés si plus de deux membres ne répondent pas et ce, particulièrement dans les petits groupes (Kane et Lawler, 19).

Derrière l'apparente simplicité de la nomination par les pairs, se cache la complexité relative du système de cotation. Ainsi, la taille du groupe d'évalués peut influer sur la distribution des cotes de nomination, surtout lorsque le groupe est inférieur à 16 membres et/ou que l'on fasse appel à des groupes de taille inégale. Cette influence, quelque réelle qu'elle soit, ne devrait pas être dramatisée même si la polémique à cet égard subsiste toujours. De toute façon, il existe des procédés statistiques qui corrigent de manière convenable ce phénomène inhérent à la technique de nomination par les pairs. Un autre aspect du système de cotation touche à la nature de la nomination et plus précisément à son aspect positif ou négatif. Dans certains cas, les évaluateurs doivent nommer les plus forts (positif) et les plus faibles (négatif) de leurs collègues, eu égard à une dimension particulière. Sans plus d'information, d'aucuns pourraient se demander s'il vaut la peine d'obtenir des nominations positives et négatives ou si d'obtenir que des nominations positives prive d'information pertinente. Les travaux de Webb (45), de Kaufman et Johnson (21), et de Kaufman (20) ajoutent quelque éclairage à cette question. En fait, ils reconnaissent l'inefficacité des nominations négatives, tout en soulignant la difficulté de les recueillir en milieu organisationnel.

b) *La fidélité*

Rose *et al.* (40) ont calculé à deux reprises les coefficients de stabilité temporelle de trois mesures de nomination par les pairs (équipe idéale, amabilité, compétence). Chaque intervalle test-retest couvrait approximativement une période de neuf mois. Pour le choix de l'équipe idéale, les deux coefficients sont de 0,77 et 0,69. Ils se situent à 0,70 et 0,71 dans le cas de l'amabilité et à 0,76 et 0,79 en ce qui concerne la compétence. Ces résultats témoignent d'une stabilité temporelle très appréciable pour chacune des nominations. En outre, la duplication des calculs dans un second intervalle successif augmente d'autant les garanties de fidélité de cette forme d'évaluation. En combinant les deux intervalles, les auteurs obtiennent des coefficients de stabilité établis sur 18 mois dont les valeurs sont respectivement de 0,64, 0,63, 0,72. Ces valeurs semblent plus qu'appréciables compte tenu de la longueur de l'intervalle et elles témoignent une fois de plus de la stabilité temporelle de la mesure.

La consistance interne est l'objet d'une évaluation de la part de Hollander (17) qui, après seulement une semaine d'intéraction entre les participants, signale des coefficients de l'ordre de 0,90. Kane et Lawler (19) rapportent des coefficients médians de consistance interne (0,89) et de stabilité temporelle (0,78) après avoir passé en revue quelques 21 études de nomination par les pairs. Les auteurs font toutefois remarquer que ces valeurs élevées s'expliqueraient en partie par la nomination des extrêmes dans un groupe.

c) *La validité*

À l'heure actuelle, faute d'information, il devient très difficile de se prononcer sérieusement sur la validité de la nomination par les pairs dans l'étude des conséquences du stress au travail. Pour un, la méconnaissance du phénomène de l'abattement et, conséquemment, la faiblesse du corpus empirique qui en découle ne sont pas étrangères à cet état de fait. En outre, le fait que Rose *et al.* (40) l'utilisent à l'intérieur d'une mesure multifactorielle d'abattement empêche la généralisation des résultats tirés de ce dernier instrument à la seule mesure de la nomination par les pairs. Aussi, faute d'information sur son usage dans l'étude du stress au travail, il convient de chercher les indices de sa validité dans les études qui en traitent, en dépit du fait qu'elles ne se rapportent pas à la problématique du stress.

L'analyse critique de Kane et Lawler (19) donne un aperçu global des garanties de validité qu'offrent différents types de nominations par les pairs. Les deux auteurs rapportent un coefficient de validité médian de 0,43 pour l'ensemble des 21 études qu'ils ont recensées. La valeur de ce coefficient est plus élevée pour les études conduites dans l'armée (r médian = 0,50) que celles menées dans l'industrie (r médian = 0,32). En outre, les coefficients de validité les plus élevés impliqueraient des critères mesurés objectivement. Comme ils l'ont fait dans le cas de la fidélité, Kane et Lawler (19) invoquent le choix des extrêmes qui, selon eux, contribuerait à gonfler légèrement les coefficients de validité.

Au terme d'une analyse critique de la documentation sur la nomination par les pairs, Lewin et Zwany (26) concluent que la plupart des recherches portent sur sa validité de pronostic. Ainsi, la nomination par les pairs présente de bonnes garanties de validité dans la prédiction de la performance chez les officiers de la marine, dans la prédiction de la réussite managériale, du succès dans la vente d'assurance-vie et de la réussite scolaire. Korman (1968 : voir Lewin et Zwany, 26) va même jusqu'à affirmer qu'au chapitre de la prédiction de la performance managériale, l'évaluation par les pairs constitue un meilleur prédicteur que les procédures psychométriques et que la plupart des tests.

Kane et Lawler (19) faisant état de six études qui traitent de la validité de concomitance ou de diagnostic de la nomination par les pairs présentent de sérieuses garanties de validité de concomitance. Par exemple, chez 61 cadets militaires, la nomination par les pairs corrèle très fortement (0,80) avec les évaluations faites par le personnel en charge de leur formation (Booker et Miller, 4). Ce qui est notable dans les études recensées par Kane et Lawler (19), c'est la remarquable convergence des résultats obtenus dans des contextes très variés et, corrolairement, la grande versalité de cette mesure.

d) *Conclusion*

En résumé, la nomination par les pairs constitue une source d'évaluation très versatile qui semble présenter de bonnes garanties de fidélité et de validité hypothético-déductive, de pronostic et de concomitance. Elle a été utilisée pour prédire la performance de différents groupes de sujets au travail et elle semble pouvoir identifier la compétence des individus. Nombreux seraient ceux qui rejetent l'évaluation par les pairs sous prétexte qu'elle rime à un concours de popularité. Même si tout n'a pas été dit sur les relations entre l'amitié, l'effet de halo et les scores de nominations par les pairs, il semble que ces sources potentielles de biais ne suffisent pas à invalider de façon significative l'évaluation par les pairs. Du reste, si d'aucuns nourrissent des doutes sérieux sur l'effet confondant de ces variables, ils peuvent toujours recourir aux différentes solutions proposées par Kane et Lawler (19). La fréquence des nominations positives, en plus de constituer la formule de cotation la plus simple et la plus économique, semble présenter les meilleures garanties de validité de pronostic. Enfin, l'examen de la documentation portant sur la nomination par les pairs a permis de réaliser que derrière son apparente simplicité se cache une réalité beaucoup plus complexe et nuancée. La nomination par les pairs devrait occuper une place de choix dans la mesure des conséquences du stress au travail.

3.1.5 La mesure de l'évaluation par la clientèle

A) L'APPROCHE DE PARKINGTON ET SCHNEIDER (1979)

Ce genre d'évaluation du rendement apparaît inusité puisque Parkington et Schneider (34) semblent être les seuls à y recourir dans le contexte du stress au travail. Ils utilisent un seul item d'évaluation globale dans lequel il est demandé aux clients de 23 succursales bancaires de coter la qualité des services qu'ils reçoivent. Les répondants choisissent entre six possibilités de réponse. Rappelons que cette mesure corrèle substantiellement avec la perception qu'ont les employés de succursales de la qualité des services offerts à la clientèle ($r = 0,67$) et aussi avec une mesure de la satisfaction des employés (0,41).

En somme, le peu d'information disponible sur l'évaluation par la clientèle plaide partiellement en faveur de sa validité de diagnostic et de sa validité hypothético-déductive. On ne saurait toutefois conclure formellement à la validité de cette forme d'évaluation du rendement pour autant. Signalons qu'elle présente les mêmes limites que les autres mesures à un item. Quant à la variable mesurée, la qualité des services offerts à la clientèle, sa variance ou plutôt son invariance peut dépendre parfois de facteurs extérieurs aux employés concernés. Or, ces sources de variance constituent autant de biais potentiels qu'il est très difficile sinon impossible à contrôler en milieu organisationnel.

3.1.6 Les mesures objectives d'évaluation du rendement

Les formes d'évaluation précédentes ont une caractéristique commune: elles reposent sur des critères d'évaluation relativement subjectifs. Le risque majeur qui accompagne l'emploi de critères subjectifs c'est le biais de l'évaluation. Par exemple, l'amitié, la popularité ou l'antiphatie peuvent bien biaiser l'évaluation du rendement ou de la compétence. Il existe heureusement différentes façons de vérifier empiriquement la présence de tels biais. Mais ces techniques ne sont pas infaillibles. Aussi, plusieurs se tournent avec espoir vers les approches qui utilisent des critères dits "objectifs". Au cours des pages suivantes, il sera donc question des critères "objectifs" de rendement qui sont utilisés dans l'étude des conséquences du stress au travail. Les critères qui portent directement sur le rendement des sujets seront vus en premier lieu. En second lieu, viendront les critères qui s'emploient surtout à décrire les retombées organisationnelles du rendement.

Les tests de capacité de rendement (Datel et Lifrak, 1969)

Les critères de productivité (Sales, 1970)

Les marques de reconnaissance et les prix de distinction (Rose *et al.,* 1978b)

La rentabilité financière (Tosi, 1971)

La productivité organisationnelle (Tosi, 1971)

Le critère de productivité de Keith (1978)

Les tests de capacité de rendement de Datel et Lifrak (7) sont en fait des instruments psychométriques d'usage courant, semble-t-il, dans l'armée américaine. Les critères de productivité de Sales (41) sont établis à partir du nombre d'anagrammes correctement décodés par minute de travail. Même si les résultats obtenus tendent à confirmer leur validité hypothético-déductive et que l'on ne peut mettre en doute leur caractère objectif, il semble qu'il y a peu d'emplois où le rendement des travailleurs peut être évalué avec justesse et justice d'une manière aussi simple. Quant au critère de productivité de Keith (22), il représente un intérêt limité malgré son objectivité. Il repose en fait sur l'atteinte d'un objectif organisationnel propre à une situation très particulière, nommément la diffusion d'un nouveau matériel académique. Aussi, la particularité de l'indice de productivité de même que l'aspect exploratoire de cette dernière étude restreignent d'autant la généralisation de ses résultats.

A) LES MARQUES DE RECONNAISSANCE ET PRIX DE DISTINCTIONS (ROSE *et al.*, 1978b)

Rose *et al.* (40) utilisent une mesure consistant en des marques spéciales de reconnaissance et des prix de distinction (Special recognitions and awards). Ces critères constituent en quelque sorte des conséquences à moyen terme du rendement du contrôleur aérien. Par le fait même, ils se distinguent des critères de rendement vus à date, lesquels portent plus directement sur le comportement des travailleurs.

La distribution de l'index global de reconnaissance, établie sur les trois années de l'étude, présente une asymétrie positive, réflétant ainsi le fait que de nombreux contrôleurs aériens ont peu sinon aucune marque de reconnaissance. Cela pose donc le problème de la discrimination entre ces gens. Par ailleurs, l'index global de reconnaissance entretient des liens révélateurs avec les changements occupationnels. Par exemple, les contrôleurs promus durant les trois années de l'étude se distinguent également par un index moyen de reconnaissance significativement plus élevé que celui des autres contrôleurs. En outre, les contrôleurs disqualifiés pour des raisons psychologiques obtiennent un index moyen de reconnaissance significativement inférieur. Par contre, ceux qui sont disqualifiés pour des raisons physiques ne se distinguent pas du groupe de sujets sur la base de leur index de reconnaissance. Ainsi donc, les résultats précités, malgré le caractère exploratoire de l'étude, semblent pointer dans la direction de la validité conceptuelle de l'index global de reconnaissance. Bien entendu, ce type de mesure n'est pas disponible pour tous les genres d'emplois, ce qui en restreint d'autant l'applicabilité. En terminant, une remarque s'impose sur la nature objective des critères de rendement comme les marques de reconnaissance. Si le comptage pur et simple du nombre de marques de reconnaissance présente un caractère d'objectivité indéniable, l'attribution de ces marques d'appréciation peut prêter le flanc à la subjectivité. Une remarque similaire s'adresse également aux promotions, démotions ou licenciements.

B) LA RENTABILITÉ FINANCIÈRE (TOSI, 1971)

Tosi (44) travaille avec les gérants de nombreuses succursales d'une grande institution financière. Le rapport des profits nets d'une succursale sur le total des capitaux investis dans cette succursale constitue l'indice d'"efficacité" (effectiveness) ou si l'on préfère, de rentabilité.

Les résultats de l'analyse corrélationnelle révèlent que la rentabilité n'entretient pas de liens globaux ni avec le conflit de rôle, ni avec l'ambiguité de rôle, ni même avec la participation des gérants aux décisions qui affectent leur travail. Ces résultats semblent donc s'opposer à ceux de Greene (14) qui fait état d'un lien entre, d'une part, une mesure de rendement et, d'autre part, la justesse du rôle (role accuracy: $r = -0,35$) et la conformité au rôle (role compliance : $r = -0,45$). Il y a lieu de se demander si la rentabilité financière d'une succursale de prêts à la consommation traduit bien le rendement du gestionnaire. Faut-il rappeler que la conjoncture économique, les taux d'intérêt ou même l'emplacement de la succursale peuvent avoir une influence déterminant la rentabilité financière et ce, indépendemment du rendement du gestionnaire. C'est d'ailleurs le problème de plusieurs critères de rendement qui s'appuient sur les retombées organisationnelles du comportement des employés. Ainsi donc, le problème du critère ressurgit dans l'étude de Tosi (44). Il est aussi frappant de constater que l'objectivité du critère de rendement ne garantit pas nécessairement sa pertinence ou sa valeur significative. D'ailleurs, Lawler (24) reconnaît que certains critères objectifs comme le volume des ventes ou la rentabilité financière peuvent manquer l'essentiel d'un emploi en termes de rendement.

3.2 La mesure de l'abattement (burnout) (Rose *et al.,* 1978b)

L'abattement ou l'usure prématurée des travailleurs constitue une facette particulière du rendement au travail. Le verbe **burn out** signifie faillir, s'user, s'exténuer en exploitant de façon excessive son énergie, sa force ou ses ressources. L'abattement se manifeste de différentes façons qui peuvent varier en symptômes et en intensité d'une personne à l'autre. Freudenberger (12) présente une liste de symptômes susceptibles de traduire l'abattement :

Les symptômes psychophysiologiques :

- sensations d'épuisement et de fatigue
- impossibilité de venir à bout d'un rhume
- fréquents maux de tête
- perturbations gastrointestinales
- perte de poids
- souffle court

Les symptômes psychologiques :

- ennui, désenchantement, ressentiment

- découragement, dépression, sentiment de futilité
- repli sur soi-même, sentiment de solitude (loneliness)
- paranoïa
- sentiment d'omnipotence
- attitude négative généralisée qui débouche sur de la résistance au changement
- rigidité

Les symptômes comportementaux:

- changements draconiens dans le comportement (v.g. une personne loquace devient taciturne)
- promptitude à la colère, à l'irritation et à la frustration; éclatement à la moindre provocation
- conduites à risques élevés accompagnant le sentiment d'omnipotence

Freudenberger va même jusqu'à décrire certains prodromes de l'abattement comme la recherche ostensible de renforcements, de marques d'appréciation, de compliments. Certains peuvent qualifier à tort ces comportements d'enfantillages, tant ils sont ouverts pour ne pas dire exagérés.

Maslach (30) rapporte aussi d'intéressantes observations qui dépeignent le phénomène de l'abattement auprès d'une population de travailleurs oeuvrant dans le domaine de la santé:

Les symptômes psychophysiologiques:

- épuisement
- maladies
- symptômes psychophysiologiques multiples

Les symptômes psychologiques:

- baisse du moral
- épuisement émotionnel
- perte d'intérêt et de respect envers les bénéficiaires
- perception cynique et déshumanisée des bénéficiaires

Symptômes comportementaux:

- baisse du rendement
- traitement déshumanisé des bénéficiaires

- blâme des bénéficiaires à titre de victimes ; on les accuse d'être les artisans de leurs problèmes
- absentéisme et roulement élevés
- augmentation de la consommation d'alcool et de médicament, drogue
- conflit marital et/ou familial

Il est intéressant de voir que plusieurs des symptômes identifiés par Freudenberger (12) se retrouvent également dans ceux de Maslach (30). Ce dernier retient principalement l'intense implication avec les bénéficiaires comme source de stress émotionnel susceptible de déboucher sur l'abattement.

Koocher (23) s'attarde à l'abattement qui guette les psychothérapeutes d'enfants atteints d'un cancer. D'après l'auteur, le sentiment d'impuissance chronique que nourrit le psychothérapeute, client après client, serait responsable de l'abattement. En outre, le contact avec les parents des enfants condamnés par la maladie n'est pas de nature à réjouir le thérapeute. Enfin, aux symptômes déjà signalés par Freudenberger (12) et Maslach (30), Koocher rajoute l'aversion du client parfois accompagnée d'éléments de véritable malice.

C'est au terme de longues discussions avec les contrôleurs aériens que Rose *et al.* (40) en sont venus à la définition opérationnelle suivante de l'abattement :

L'abattement réfère à l'occurrence d'un changement négatif chez les individus, durant les trois ans de l'étude, dans au moins deux des quatre variables suivantes : la satisfaction au travail telle que mesurée par le **Job Description Index** (J.D.I.), le facteur adaptation-abattement du questionnaire des contrôleurs aériens, le nombre de nominations par ses collègues pour sa compétence technique, la présence de pathologie dans l'échelle du rôle occupationnel au P.S.S. (Rose *et al.,* 1978b, p. 450).

Afin de mieux saisir la nature multifactorielle de la mesure d'abattement que proposent Rose *et al.* (40), il convient de s'attarder à certaines de ses composantes. On ne saurait mettre l'accent sur l'échelle de satisfaction au travail du J.D.I., puisque ce thème de mesure dépasse de loin la portée du présent volume. Il suffit de dire que le sujet doit signaler son accord (v.g. de complètement vrai à complètement faux) à partir d'une série d'adjectifs qui décrivent son travail comme étant intéressant, fascinant, routinier etc... Il semble que le J.D.I. et notamment son échelle de satisfaction au travail présentent de bonnes qualités métrologiques (Rose *et al.,* 40; Smith *et al.,* 43). Quant au P.S.S. et à la technique de nomination par les pairs, ils ont déjà fait l'objet d'une analyse dans les sections précédentes. Il reste donc le facteur Adaptation-Abattement du questionnaire des contrôleurs aériens.

A) LE FACTEUR ADAPTATION-ABATTEMENT DE ROSE *et al.* (1978b)

Le facteur Adaptation-Abattement, comme son nom l'indique, renseigne sur la capacité d'adaptation du contrôleur aérien, sur sa flexibilité par rapport aux changements qui surviennent dans la circulation aérienne. Ce facteur est constitué de quatre items sélectionnés après une analyse factorielle effectuée sur une version expérimentale d'un questionnaire destiné aux contrôleurs aériens.

a) *La fidélité*

La consistance interne du facteur Adaptation-Abattement paraît appréciable avec un coefficient de 0,80. La stabilité temporelle, évaluée sur une période de neuf mois, atteint un coefficient de 0,65.

b) *La validité*

Rose *et al.* (40) se penchent tour à tour sur les validités convergente et divergente du facteur Adaptation-Abattement en le corrélant à des mesures d'usage courant en psychologie industrielle et organisationnelle. Sur le plan de la validité convergente, d'abord, le facteur d'adaptation obtient des corrélations de 0,29 et de 0,20 respectivement avec les échelles satisfaction au travail et satisfaction avec les collègues du J.D.I. De même, l'échelle moral de l'individu du **Kavanagh Life Attitude Profile** (K.L.A.P.) corrèle à 0,29 avec le facteur d'adaptation. Les faibles corrélations obtenues entre le L.B.D.Q. et le facteur d'adaptation lèvent le voile sur un aspect de sa validité divergente. En effet, on ne s'attend pas à ce qu'une mesure de flexibilité et d'adaptation au travail entretienne de grands liens corrélationnels, avec un questionnaire qui demande aux répondants de décrire le comportement de leur supérieur (L.B.D.Q.). Ainsi donc, les données présentées par Rose *et al.* (40) semblent pointer dans la direction de la validité conceptuelle du facteur Adaptation-Abattement. Il va sans dire que beaucoup d'autres aspects de la validité conceptuelle de cette mesure restent à vérifier.

B) LA NOMINATION POUR LA COMPÉTENCE TECHNIQUE
(ROSE *et al.*, 1978b)

Un type d'évaluation par les pairs, la nomination par rapport à la compétence technique, constitue un autre composant de la mesure d'abattement. L'instrument utilisé est constitué de trois items qui s'énoncent à peu près comme suit :

- Si toutes les affectations étaient changées afin de correspondre à vos préférences, quels sont les trois contrôleurs aériens avec lesquels vous aimeriez le plus travailler ?

- Sans égard à l'habileté technique, quels sont les trois contrôleurs aériens avec lesquels il vous serait plus facile de travailler ? (Nomination pour l'amabilité ou l'amitié).

- Sans égard à la facilité avec laquelle vous pourriez travailler avec eux, quels sont d'après vous, les trois contrôleurs les plus compétents d'un point de vue technique ? (Nomination pour la compétence).

(Rose *et al.,* 1978b, p. 132).

Les auteurs précisent que les deux premières questions sont essentiellement destinées à épurer l'évaluation de la compétence. Rose *et al.* (40) s'intéressent d'abord à la discrimination entre ceux qui présentent un état d'abattement et ceux qui ne le présentent pas. Or, aussi paradoxal que cela puisse paraître, les données recueillies aux deux premières rondes d'examen indiquent que ceux qui souffriront d'abattement vers la fin de l'étude obtiennent des résultats significativement plus élevés sur diverses variables positives. Par exemple, ils présentent plus de vigueur, de dispositions amicales (friendliness) et de gaieté (elation) au **Profile of Moods State** (P.O.M.S.). En outre, ils manifestent moins d'anxiété à l'endroit de leur travail et ils déchargent leur tension à un taux plus élevé. Ils utilisent moins fréquemment l'alcool comme moyen d'échappement ou d'adaptation au stress au travail. Ils manifestent plus de détermination professionnelle (v.g. l'intérêt à faire du bon travail à titre de contrôleur aérien) et ils utilisent davantage l'exercice physique comme mode d'adaptation au stress au travail. Bref, à en juger par leurs résultats à certaines mesures psychologiques et comportementales, les contrôleurs qui souffriront d'abattement vers la fin de l'étude semblent se porter mieux que les autres aux premières rondes d'examens.

Par ailleurs, pendant les trois ans de l'étude, les futurs cas d'usure prématurée voient leurs problèmes psychologiques augmenter. Pourtant, ces gens-là ne se distinguent pas des autres quant à la charge moyenne de travail ni au temps passé en poste. En plus, les futurs cas d'abattement se comparent très bien à leurs collègues au niveau des réactions psysiologiques durant le travail (v.g. niveaux de cortisol, pression sanguine), de l'hypertension et des changements de santé allant de bénins à modérés.

Devant ces résultats déconcertants, les auteurs en viennent à la conclusion que le phénomène de l'abattement, tel qu'ils le mesurent, ne guette pas nécessairement et uniquement ceux qui sont considérés moins compétents, mais pourrait être relié à l'appréhension de ne plus être aussi bon qu'on l'a été, laquelle appréhension agirait à la manière du *Self fullfilling prophecy*.

L'étude de Rose *et al.* (40) demeure exploratoire et leur mesure est taillée pour les contrôleurs aériens, ce qui en restreint la versatilité auprès d'autres groupes de travailleurs. Toutefois, les observations de Freudenberger (12) et de Maslach (30), pour ne nommer que ceux-là, alliées à la mesure de Rose *et al.*, permettent d'entrevoir d'intéressantes avenues de recherche.

3.3   La motivation au travail

Dans le cadre du stress au travail, la motivation au travail a été considérée sous trois angles : la motivation intrinsèque, l'orientation focale de la motivation et la motivation à travailler. L'orientation focale, étant donné ses inconsistances en matière de validité conceptuelle, ne sera pas traitée.

3.3.1   La motivation intrinsèque

La motivation intrinsèque est mesurée, dépendant des chercheurs, à l'aide de trois ou quatre items qui sondent auprès de l'employé jusqu'à quel point son rendement conduit à la satisfaction de "besoins supérieurs" tels l'estime de soi ou l'accomplissement.

La mesure à quatre items de Lawler et Hall (1970)
La mesure à trois items de Hackman et Lawler (1971)

A) LA MESURE À TROIS ITEMS DE HACKMAN ET LAWLER (1971)

En dépit du faible nombre d'items, Hackman et Lawler (25) se sont donnés la peine de calculer le coefficient de consistance interne qui s'établit à 0,72.

Il est fermement établi que le degré de motivation intrinsèque varie en fonction du degré d'autonomie, de la variété des habiletés, de la distinction de la contribution au travail et du feedback direct caractérisant l'emploi. De même, en termes de validité de convergence, la motivation intrinsèque au travail corrèle significativement avec le sentiment d'accomplissement au travail ($r = 0,45$), la satisfaction générale au travail ($r = 0,39$), l'implication dans le travail ($r = 0,39$), la satisfaction envers la croissance personnelle et le développement ($r = 0,26$), l'orientation focale de la motivation vers la prise de responsabilité ($r = 0,30$) et vers la qualité du travail ($r = 0,25$), la satisfaction envers le degré de supervision étroite ($r = 0,25$). Maintenant, du côté de la divergence, la mesure de motivation intrinsèque entretient des liens très faibles pour ne pas dire pratiquement inexistants avec les items suivants : l'orientation focale de la motivation vers la production de grandes quantités de travail, l'auto-évaluation de la quantité de travail exécuté, la satisfaction envers le développement de liens profonds d'amitié et envers la paie. Enfin, il est bon de savoir que la mesure de motivation intrinsèque entretient un lien corrélationnel négatif ($r = -0,23$) avec le nombre d'absences du travail.

Les résultats précités semblent aller dans la direction de la validité conceptuelle de la mesure de motivation intrinsèque de Hackman et Lawler (25). En terminant, il convient de glisser un mot sur la grande validité apparente des trois items de motivation qui, rappelons-le, peut constituer un avantage ou un inconvénient dépendant du contexte d'utilisation. La facilité avec laquelle on peut biaiser sa réponse à ce genre d'item mérite d'être soulignée.

3.3.2 L'investissement émotionnel au travail

A) LA MESURE DE PATCHEN (1965)

En vue d'évaluer l'investissement émotionnel de l'employé à son travail, Patchen (35) conçoit un instrument qui mesure le niveau de motivation du point de vue de l'énergie déployée dans l'accomplissement des tâches.

100

a) *La fidélité*

En autant que l'on puisse apprécier un coefficient de consistance interne calculé à partir de trois items, Quinn et Shepard (38) en signalent un qui paraît faible (r = 0,46; n = 2 154). Il semblerait que chacun de ces trois items porte sur une facette particulière du trait mesuré.

b) *La validité*

Sur le plan de la convergence, cette mesure entretient, selon Quinn et Shepard (38) des liens substantiels avec la satisfaction envers le défi que représente le travail (r = 0,49), deux mesures de satisfaction globale au travail (r = 0,37, r = 0,35), l'estime de soi (r = 0,32), l'humeur dépressive (plus la note est élevée, moins l'humeur est dépressive; r = 0,30).

Margolis et Kroes (29) présentent aussi des données révélatrices sur le plan de la validité conceptuelle de cette mesure de motivation. Tout d'abord, elle corrèle substantiellement et significativement avec quatre des six sources potentielles de stress: la non-participation des employés aux décisions qui concernent leur travail (r = -0,48), l'insécurité d'emploi (r = -0,33), leur sous-utilisation (r = -0,27), la surcharge de travail (r = 0,26). Incidemment, à en juger par la direction de la corrélation qui relie la motivation et la surcharge, cette dernière variable tranche avec les autres sources potentielles de stress. En identifiant trois intensités de stress — basse, moyenne, élevée — résultant du regroupement des six sources de stress en une mesure globale, Margolis et Kroes (29) observent, d'une part, des différences significatives entre les niveaux de motivation correspondants et, d'autre part, un rapport inversé entre le niveau de stress et le degré d'investissement émotionnel au travail. Ces résultats vont évidemment dans le sens de la validité conceptuelle de cette mesure.

3.3.3 L'implication au travail

Une autre variable voisine de la motivation intrinsèque, l'implication au travail (job involvement) retient l'attention de certains chercheurs qui s'intéressent de près ou de loin à l'étude des conséquences du stress au travail. L'implication au travail est définie par Lodahl et Kejner (27) comme étant le degré auquel le rendement du travailleur affecte son estime de soi. Cette définition ressemble donc étrangement à celle de la motivation intrinsèque. Par ailleurs, d'aucuns (Abdel-Halim, 1; Beehr *et al.*, 3) associent l'implication au travail à l'importance du rôle occupationnel vis-à-vis les autres rôles de la vie. Ceci étant dit, voyons maintenant à l'aide de quels instruments l'implication dans le travail est mesurée.

La mesure de Abdel-Halim (1978)

La mesure de Lawler et Hall (1970)

La mesure de Hackman et Lawler (1971)

La mesure de Hall et Mansfield (1972)

D'abord, il est frappant de constater qu'aucune des études traitant de l'implication au travail n'utilise le même instrument de mesure. La plupart cependant, s'enquièrent d'items tirés de l'échelle originale de Lodahl et Kejner (27). Par exemple, Abdel-Halim (1) travaille avec 9 de ces items. Lawler et Hall (25) en utilisent 6, tandis que Hackman et Lawler (15) n'en retiennent que 3. Hall et Mansfield (16) disent également utiliser une version abrégée de l'instrument de Lodahl et Kejner, à la différence qu'ils ne précisent pas le nombre d'items qu'elle comporte. L'échelle de Lodahl et Kejner (27) est constituée de 20 items et leur version abrégée de cette échelle en contient 6. Du reste, cette étude doit être considérée uniquement à titre de soutien puisqu'elle est étrangère au stress au travail.

A) LA MESURE DE HACKMAN ET LAWLER(1971)

Les 3 items qu'utilisent Hackman et Lawler (15), proviennent des 6 items identifiés par Lodahl et Kejner (27). Ils rapportent un coefficient de consistance interne de 0,81 pour les 3 items. Incidemment, les auteurs travaillent à partir de la moyenne des cotes des 3 questions.

a) *La validité*

Cette mesure de l'implication au travail corrèle substantiellement et significativement avec la satisfaction globale au travail (r = 0,44), la motivation intrinsèque (r = 0,39), la satisfaction envers le sentiment d'accomplissement au travail (r = 0,39), envers la croissance personnelle au travail (r = 0,38), envers l'estime de soi que procure le travail (r = 0,34), envers l'indépendance de pensée et d'action au travail (r = 0,34), envers les promotions (r = 0,34), envers le prestige de l'emploi à l'intérieur de l'entreprise (r = 0,29), et envers la participation dans les décisions qui touchent le travail (r = 0,28). En somme, la mesure d'implication corrèle substantiellement avec la mesure de motivation intrinsèque et diverses mesures de satisfaction au travail. Par contre, elle ne corrèle guère avec l'auto-évaluation du rendement, de même qu'avec l'orientation focale de la motivation vers la quantité ainsi qu'avec un item touchant aux relations interpersonnelles. L'absence de lien avec l'auto-évaluation du rendement rejoint d'ailleurs les conclusions de Lawler et Hall (25) qui, rappelons-le, utilisent une version à 6 items.

Toujours au chapitre des données corrélationnelles, la mesure d'implication corrèle modérément mais significativement avec les quatre grandes dimensions généralement associées aux emplois motivants ou enrichis: la variété des habiletés (r = 0,24), l'autonomie (r = 0,22), la distinction de la contribution au travail (r = 0,12) et du feedback relatif au travail exécuté par l'employé (r = 0,24). Cette relation entre ces dimensions occupationnelles et la mesure d'implication est d'ailleurs confirmée par l'analyse de la variance. En effet, les emplois qui cotent bas sur les quatre dimensions précitées obtiennent la plus basse cote moyenne d'implication, suivis des emplois qui cotent haut sur deux des quatre dimensions, tandis que les emplois qui cotent haut sur les quatre dimensions remportent la palme. Dans l'ensemble, les résultats de Hackman et Lawler (15) tendent à plaider en faveur de la validité conceptuelle de leur mesure d'implication au travail.

B) LA MESURE DE HALL ET MANSFIELD (1972)

Hall et Mansfield (16) ne précisent pas le nombre d'items que contient leur version abrégée de l'échelle de Lodahl et Kejner (27). Cependant, ils disent tout bonnement que leur mesure est définie et explorée plus longuement dans l'article de Lawler et Hall (25). Puisque ces derniers utilisent la version abrégée de 6 items de Lodahl et Kejner (1965), il est donc possible que Hall et Mansfield fassent de même. Quoi qu'il en soit, voyons les données relatives à cette mesure d'implication au travail.

a) *La fidélité*

La mesure de Hall et Mansfield (16) fait preuve d'une étonnante stabilité temporelle (r = 0,70), compte tenu de la longueur de l'intervalle (20 mois). En outre, l'instrument obtient un coefficient de consistance interne de 0,83, dépassant ainsi la valeur présentée par Lodahl et Kejner (27) (r = 0,73). Cette différence pourrait provenir, du moins en partie, du fait que les coefficients sont tirés de populations différentes. D'ailleurs, les résultats de Lodahl et Kejner (27) donnent un bon aperçu de l'influence de la population sur le coefficient de consistance interne: chez des infirmières, le coefficient n'atteint que 0,72, tandis qu'il monte à 0,80 chez les ingénieurs et même à 0,89 chez les étudiants. Même si ces valeurs se rattachent à l'échelle d'implication de 20 items, il y a gros à parier que la nature de la population exerce également son influence sur les coefficients de consistance interne de la version abrégée.

b) *La validité*

Rappelons que Hall et Mansfield (16) s'intéressent aux conséquences de fortes restrictions budgétaires qui affectent trois organisations de recherche et développement. Rappelons aussi que les auteurs disposent de trois échantillons de sujets dont l'un assure le suivi en étant testé au début de l'étude puis 20 mois plus tard, tandis que les autres sont testés soit au début, soit à la fin de l'étude longitudinale. Or, les résultats n'indiquent aucune différence significative dans les cotes d'implication au travail, ni dans l'échantillon de suivis, ni entre les cotes des deux échantillons indépendants. D'ailleurs, cette invariance est consistante avec la forte stabilité temporelle de la mesure d'implication. Afin d'expliquer leurs résultats, Hall et Mansfield (16) invoquent l'allégation de Lodahl et Kejner (27) selon laquelle l'implication au travail serait davantage fonction de la personne que de l'emploi. Et jusqu'à un certain point, cette allégation semble se refléter dans les résultats de Lawler et Hall (25), d'où ressortent des corrélations modérées entre l'implication et diverses caractéristiques subjectives de l'emploi. D'un autre côté, il ne faut pas oublier les liens corrélationnels qui unissent les diverses mesures d'implication à des caractéristiques occupationnelles comme l'ambiguité de rôle (Abdel-Halim, 1; Beehr *et al.*, 3), la surcharge et la non-participation (Beehr *et al.*, 3). Aussi, il semble beaucoup plus sage de relier l'implication au travail à l'interaction individu-caractéristiques de l'emploi, comme le font Lawler et Hall (25). Cette perspective permet donc de mieux comprendre les résultats expérimentaux des uns et des autres, tout en laissant entrevoir d'intéressantes avenues de recherche.

En terminant, une remarque s'impose au sujet des multiples versions abrégées de l'échelle de Lodahl et Kejner (27). Il est à la fois frappant et décevant de voir que les études qui s'intéressent à l'implication au travail, dans le cadre du stress au travail, utilisent chacune une échelle différente. La déception engendrée par cette pratique tient au fait que le chercheur dispose alors d'une information limitée sur plusieurs mesures au lieu de profiter d'une information plus complète sur une échelle en particulier. Car le fait de changer le nombre ou la nature des items à l'intérieur d'un instrument de mesure a généralement des retombées sur ses qualités métrologiques. En termes plus clairs, il paraît risqué de généraliser les conclusions d'une étude de validation menée sur l'échelle aux 9 items de Abdel-Halim (1) à celle aux 6 items de Lodahl et Kejner (27) ou à celle aux 3 items de Hackman et Lawler (15) et inversement. Au demeurant, les échelles abrégées qui découlent de l'échelle aux 20 items de Lodahl et Kejner (27) présentent une bonne validité apparente, sont économiques à l'usage mais prêtent plus ou moins le flanc au biais volontaire. Cette vulnérabilité risque toutefois de s'atténuer avec le nombre et la diversité des items. En fin de compte, il serait intéressant que les recherches à venir reprennent l'échelle abrégée aux 6 items.

3.4   Les comportements de retrait

Les comportements de retrait des employés ont retenu l'attention d'un bon nombre de chercheurs dans le cadre de l'étude des conséquences du stress au travail. Le roulement du personnel de même que l'absentéisme occupent une place de choix dans les conduites de retrait. La tendance à quitter l'organisation renseigne sur une intention de comportement et à ce titre, elle figure quand même sous la bannière des comportements de retrait.

3.4.1   Le roulement du personnel

Le roulement du personnel débouche sur des mesures de critère. Essentiellement, il s'agit de savoir quels sont les employés qui quittent leur emploi entre telle et telle date.

La mesure de Brief et Aldag (1976)
La mesure de Lyons (1977)

Brief et Aldag (5) ne retiennent qu'un critère de roulement dichotomique: ceux qui, dans les six mois qui suivent la cueillette des données, quittent l'entreprise ou demeurent en poste. Cette mesure, trop fruste, n'éclaire pas tellement le processus de roulement du personnel.

A) LA MESURE DE LYONS (1977)

Lyons (28) s'intéresse aux liens susceptibles d'unir la clarté de rôle à différentes variables dont le roulement "volontaire". Les infirmières identifiées à cette catégorie sont celles qui ont indiqué qu'elles étaient libres de partir ou de rester mais ont choisi de partir. L'auteur exclut donc de cette catégorie les infirmières qui ont quitté l'hôpital pour des raisons jugées inévitables: retraite, décès ou invalidité, grossesse, difficultés à la maison, transfert du mari dans une autre ville. Ainsi donc, à la différence de Brief et Aldag (5) qui classent parmi les cas de roulement tous ceux qui quittent leur emploi, Lyons (28) ne retient que les cas de roulement volontaire.

Dans l'échantillon total, le critère de roulement volontaire corrèle négativement (r = -0,21), avec l'index de clarté de rôle. Par ailleurs cette corrélation tombe à zéro chez les infirmières dont le besoin de clarté est bas tandis qu'elle passe à -0,35 chez celles dont le besoin de clarté est élevé. Ces résultats semblent donc aller dans la direction de la validité conceptuelle de la mesure de roulement qu'utilise Lyons (28). Il va sans dire que de plus amples données seraient bienvenues puisque la validation d'une mesure est un processus complexe et continu.

3.4.2 L'absentéisme

La mesure d'absentéisme provient généralement de critères tirés des registres de l'employeur.

La mesure de Fried *et al.* (1972)
La mesure de Johansson *et al.* (1978)
La mesure de Hackman et Lawler (1971)

Les résultats de Fried *et al.* (13) ne renseignent guère sur la pertinence d'utiliser le taux d'absentéisme dans l'étude des conséquences du stress au travail. Il semble toutefois qu'il entretienne certains liens avec des facteurs de responsabilité et d'influence relative de l'employé sur son environnement de travail. Or, l'absence de ces facteurs est associée à l'alinéation au travail, une variable qui peut toujours être associée au stress au travail. Enfin, le taux d'absentéisme demeure d'une grande applicabilité.

Johansson *et al.* (18) sont avares de commentaires sur leur mesure d'absentéisme. Ils comparent deux groupes d'ouvriers suédois en regard de différentes variables dont l'absentéisme. Un groupe à risque élevé dont le travail est empreint de répétitions, de cadences imposées et d'une forte charge de capacités d'attention est comparé à un autre groupe dont le travail est moins astreignant, moins monotone et plus flexible. Comme l'on pouvait s'y attendre, le groupe à risque élevé présente plus d'absentéisme que le groupe de référence. C'est à peu près tout ce qui est dit au sujet de cette mesure d'absentéisme. Du reste, les données disponibles semblent plaider en faveur de la validité et de la pertinence de l'absentéisme dans l'étude des conséquences du stress occupationnel, quoique l'on puisse conclure formellement à l'existence d'un lien de causalité entre l'emploi routinier, astreignant et la hausse de l'absentéisme.

Hackman et Lawler (15) retiennent le nombre de fois qu'un employé s'absente du travail, sur une période de 12 mois. Les auteurs expliquent qu'ils ont retenu la fréquence d'absences plutôt que le nombre de jours absents de façon à ne pas exagérer l'effet d'une longue période d'absence. Les auteurs présentent de nombreuses données corrélationnelles qui impliquent leur mesure d'absentéisme. Dans l'ensemble, les données issues de cette étude renseignent assez peu sur la validité conceptuelle du nombre d'absences à titre de conséquence possible du stress au travail.

Somme toute, à la lumière des données présentées à date, il s'avère difficile de juger de la pertinence d'utiliser un critère d'absentéisme dans l'étude des conséquences du stress au travail. En outre, il y a différentes façons de mesurer le taux d'absentéisme et la méthode employée risque d'avoir une incidence sur les résultats. Certains des auteurs ne précisent justement pas la nature de leur mesure d'absentéisme, ce qui rend difficile les comparaisons entre études.

3.4.3 La tendance à quitter l'organisation

L'évaluation de la tendance à quitter l'organisation (propensity to leave) repose essentiellement sur des mesures variant de un à trois items.

La mesure à trois items de Lyons (1971)
La mesure à deux items de Rizzo *et al.* (1970)
L'item de Donnelly et Etzel (1977)
L'item de Parkington et Schneider (1979)

A) LA MESURE À TROIS ITEMS DE LYONS (1971)

Lyons (28) utilise une mesure à 3 items pour évaluer la tendance à quitter l'organisation chez les infirmières. En substance, les trois questions demandent à la répondante si elle aimerait rester dans l'hôpital ou si elle préférerait le quitter, combien de temps elle aimerait rester dans l'hôpital et si elle devrait le quitter dans un cas de force majeure (v.g. grossesse), y reviendrait-elle? Incidemment, chaque question est assortie de cinq choix de réponses.

Lyons (28) annonce des corrélations interitem variant de 0,54 à 0,75. En combinant les 3 items en un index de la tendance à quitter l'organisation, l'auteur obtient une corrélation de -0,27 entre cette mesure et la clarté de rôle, dans l'échantillon total. Par contre, chez les infirmières dont le besoin de clarté est bas, cette corrélation devient pratiquement nulle (r = -0,01) tandis qu'elle passe à -0,45 chez celles dont le besoin de clarté est élevé. Ces résultats semblent donc orientés vers la validité conceptuelle de la mesure de propension à quitter l'organisation.

Brief et Aldag (5) présentent plusieurs données corrélationnelles impliquant cette mesure de la tendance à quitter l'organisation. D'abord, sur le plan de la convergence, cette mesure corrèle positivement avec les variables suivantes: l'ambiguité de rôle (r = 0,25), le conflit de rôle (r = 0,23), et la force des besoins d'ordre supérieur (r = 0,24). Cependant, la mesure de l'intention de quitter l'organisation corrèle négativement avec les variables qui suivent: la satisfaction envers la supervision (r = -0,31), l'information rétroactive qui renseigne le sujet sur son rendement (r = -0,23). Enfin, la mesure de l'intention de quitter ne corrèle à peu près pas avec différentes mesures dont celles-là: la variété des habiletés requises pour le travail, la distinction de la contribution au travail, l'auto-évaluation de la qualité du travail, la tension occupationnelle et le roulement. Incidemment cette dernière corrélation ne manque pas de surprendre. Mais dans l'ensemble, les données précitées tendent à plaider en faveur de la validité conceptuelle de cette mesure de l'intention de quitter l'organisation.

En terminant, il convient de rappeler la grande applicabilité des mesures de comportements de retrait. Incidemment, les taux de roulement et d'absentéisme se calculent rapidement à partir des registres de l'employeur, ce qui signifie une économie de temps et d'argent. Par contre, la difficulté réside dans la sélection d'informations pertinentes. Quant aux mesures d'intention de quitter l'organisation leurs nombres restreints d'items plaident en faveur d'une applicabilité appréciable.

3.5 Conclusion

L'étude des instruments utilisés dans la mesure des conséquences du stress au travail a débouché sur une kyrielle d'instruments psychométriques et de critères, dont certains semblent présenter des qualités métrologiques appréciables. Mais dans l'ensemble, leur validité conceptuelle est assez lourdement entâchée des grands problèmes qui affectent la recherche sur le stress au travail actuellement. Pour une, la confusion qui entoure les concepts mêmes de stress, de stress au travail et par conséquent, le concept des conséquences, ralentit l'intégration de la recherche qui s'y rattache. Il y a également l'épineux problème de la vérification empirique de la causalité qui se pose, dans toute son ampleur, dans l'étude des conséquences du stress au travail. Notons aussi l'abondance d'études transversales et rétrospectives qui ne satisfont pas l'une des conditions essentielles de la causalité: l'antériorité de la variable indépendante sur la variable dépendante. Du reste, la facette temporelle du modèle de stress au travail de Beehr et Newman souligne la valeur du devis longitudinal. Et si sa supériorité ne fait plus de doute dans l'étude du stress au travail, le devis longitudinal brille toujours par sa rareté. Enfin, la surabondance de données corrélationnelles qui risquent souvent d'être artificiellement gonflées par la variance de méthodes vient se rajouter à cette liste peu enviable.

La recherche sur les conséquences du stress au travail est encore jeune, comme en témoigne la nature exploratoire de nombreuses études présentées dans le cadre du présent ouvrage. Par voie de conséquence, le réseau théorique qui entoure le concept des conséquences du stress au travail, sans lequel il devient impossible de valider les mesures de ce concept, n'est pas encore bien assujetti. Cela ajoute donc à la difficulté d'interpréter tel ou tel résultat durant le processus de validation des mesures de conséquences. Toutefois, on ne saurait freiner la recherche du fait que le réseau théorique qui entoure le concept de conséquences du stress au travail soit ébranlé par des contradictions. Au contraire, ce réseau théorique doit reposer sur une assise empirique solide mais adaptable. Et cette assise empirique dépend à son tour d'une recherche renouvelée, articulée et intégrée. D'ailleurs, le manque d'intégration de la recherche se cristallise, par exemple, autour de nombreux instruments utilisés aux mêmes fins et qui ne se distinguent parfois que par le nombre d'items qu'ils comportent. Au lieu de se retrouver avec des bribes d'informations sur plusieurs instruments voisins, il serait intéressant de se concentrer sur celui qui semble offrir les meilleures qualités métrologiques, compte tenu de son applicabilité, afin de constituer un corpus empirique sur cet instrument. Il serait alors plus facile d'analyser sa fidélité et sa validité, tout en favorisant l'intégration des connaissances sur le stress au travail.

Le principe de l'intégration pourrait également s'appliquer à profit dans l'étude simultanée de différents types de mesures. Pris séparément, les questionnaires, échelles à items, échelles B.A.R.S. et critères présentent inévitablement des lacunes ; certains présentent de bonnes qualités métrologiques assorties d'une applicabilité réduite alors que pour d'autres c'est le contraire. Chose certaine, leur combinaison permettrait de recueillir une information plus complète tout en tirant avantage de leurs forces respectives. À titre d'exemple, le principe de la matrice multitrait multiméthode de Campbell et Fiske pourrait guider une telle démarche empirique.

En terminant, on ne saurait trop insister sur l'importance de l'intégration de la recherche sur les mesures de conséquences du stress au travail puisque l'absence d'un profit unique de conséquences a rendu nécessaire la différenciation de cette recherche.

Bibliographie et références

(1) Abdel-Halim, A.A. (1978). Employee affective responses to organizational stress: Moderating effects of job characteristics. *Personnel Psychology, 31,* 561-579.

(2) Andrews, F.M., Farris, G.F. (1972). Time pressure and performance of scientists and engineers: A five year panel study. *Organizational Behavior and Human Performance, 8,* 185-200.

(3) Beehr, T.A., Walsh, J.T., Taber, T.D. (1976). Relationship of stress to individually and organizationally valued states: Higher order needs as a moderator. *Journal of Applied Psychology, 61,* No. 1, 41-47.

(4) Booker, G.S., Miller, R.W. (1966). A closer look at peer ratings. *Personnel, 43,* 42-47.

(5) Brief, A.P., Aldag, R.J. (1976). Correlates of role indices. *Journal of Applied Psychology, 61,* 468-472.

(6) Cooper, C.L., Green, M.D. (1976). Coping with occupational stress among royal air force personnel on isolated island bases. *Psychological Reports, 39,* 731-734.

(7) Datel. W.E., Lifrak, S.T. (1969). Expectations, affect change, and military performance in the army recruit. *Psychological Reports, 24,* 855-879.

(8) Donnelly, J.H. Jr., Etzel, M.J. (1977). Retail store performance and job satisfaction. A study of anxiety-stress and propensity to leave among retail employees. *Journal of Retailing, 53,* No. 2, 23-28.

(9) Fodor, E.M. (1974). Disparagement by a subordinate as an influence on the use of power. *Journal of Applied Psychology, 59,* 652-655.

(10) Fodor, E.M., (1976). Group stress, authoritarian style of control and use of power. *Journal of Applied Psychology, 61,* No. 3, 313-318.

(11) Forget, A. (1982). Les instruments utilisés dans la mesure de conséquences du stress occupationnel. Mémoire inédit de maîtrise. Université de Montréal.

(12) Freudenberger, H.J. (1975). The staff burn-out in alternative institutions. *Psychotherapy, Theory, Research and Practice, 12,* 73-82.

(13) Fried, J., Weitman, M., Davis, M.K. (1972). Man-machine interaction and absenteeism. *Journal of Applied Psychology, 56,* 428-429.

(14) Greene, C.N. (1972). Relationships among role accuracy, compliance, performance evaluation and satisfaction within managerial dyads. *Academy of Management Journal,* June, 205-215.

(15) Hackman, J., Lawler, E.E. III (1971). Employee reactions to job characteristics. *Journal of Applied Psychology Monograph., 55,* 259-286.

(16) Hall, D.T., Mansfield, R. (1972). Organizational and individual response to external stress. *Administrative Science Quarterly,* 533-547.

(17) Hollander, E.P. (1956b). The friendship factor in peer nominations. *Personnel Psychology, 9,* 435-447.

(18) Johansson, G., Aronsson, G., Lindström, B.O. (1978). Social psychological and neuroendocrine stress reactions in highly mechanised work. *Ergonomics, 21,* 583-599.

111

(19) Kane, J.S., Lawler, E.E. III (1978). Methods of peer assessment. *Psychological Bulletin, 85,* No. 3, 555-586

(20) Kaufman, G.G. (1975). Comments on Downey'snote: Discussion and further analysis of the differential validities of peer nomination acales. *Journal of Applied Psychology, 60,* No. 2, 247-248.

(21) Kaufman, G.G., Johnson, J.C. (1974). Scaling peer ratings: an examination of the differential validities of positive and negative nominations. *Journal of Applied Psychology, 59,* No. 3, 302-306.

(22) Keith, P.M. (1978). Individual and organizational correlates of a temporary system. *The Journal of Applied Behavioral Science, 14,* No. 2. 195-203.

(23) Koocher, G.P. (1980). Pediatric cancer: Psychosocial problems and the high costs of helping. *Journal of Clinical Child Psychology, 9,* 2-5.

(24) Lawler, E.E. III (1967). The multitrait-multirater approach to measuring managerial job performance. *Journal of Applied Psychology, 51,* No. 5, 369-445.

(25) Lawler, E.E. III, Hall, D.T. (1970). Relationship of job characteristics to job involvement, satisfaction, and intrinsic motivation. *Journal of Applied Psychology, 54,* 305-312.

(26) Lewin, A.Y., Zwany, A. (1976). Peer nominations: A model, literature critique and a paradigm for research. *Personnel Psychology, 29,* 423-447.

(27) Lodahl, T.M., Kejner, M. (1965). The definition and measurement of job involvement. *Journal of Applied Psychology, 49,* 24-33.

(28) Lyons, T.F. (1971). Role clarity, need for clarity, satisfaction, tension and withdrawal. *Organizational Behavior and Human Performance, 6,* 99-110.

(29) Margolis, B.K., Kroes, W.H. (1974). Occupational stress and strain in McLean, A. (Ed.). *Occupational Stress.* Springfield: Thomas.

(30) Maslach, C. (1978). The client role in staff burn-out. *Journal of Social Issues, 34,* 111-124.

(31) Mayfield, E.C. (1970). Management selection: Buddy nominations revisited. *Personnel Psychology, 23,* 377-391.

(32) Mayfield, E.C. (1972). Value of peer nominations in predicting life insurance sales performance. *Journal of Applied Psychology, 56,* No. 4, 319-323.

(33) Miles, R.H., Perreault, W.D. (1976). Organizational role conflict: Its antecedents and consequences. *Organizational Behavior and Human Performance, 17,* 19-44.

(34) Parkington, J.J., Schneider, B. (1979). Some correlates of experienced job stress: A boundary role study. *Academy of Management Journal, 22,* No. 2, 270-281.

(35) Patchen, M. (1965). *Some questionaire measures of employee motivation and morale.* Ann Arbor, Michigan: The University of Michigan, Survey Research Center.

(36) Pruden, H.O., Reese, R.M. (1972). Interorganizational role-set relations and the performance and satisfaction of industrial salesmen. *Administrative Science Quarterly, 17,* 601-609.

(37) Pym, D.L.A., Auld, H.D. (1965). The self-rating as a measure of employee satisfaction. *Occupational Psychology, 39,* 103-113.

(38) Quinn, R.P., Shepard, L.J. (1974). *The 1972-1973 quality of employement survey: Descriptive statistics, with comparison data from the 1969-1970 survey of working conditions*. Ann Arbor, Michigan: The University of Michigan, Survey Research center.

(39) Rizzo, J.R., House, J.R., Lirtzman, S.I. (1970). Role conflict and ambiguity in complex organizations. *Administrative Science Quarterly, 15*, 150-163.

(40) Rose, R.M., Jenkins, C.D., Hurst, M.W. (1978b). Air traffic controller health change study: A prospective investigation of physical, psychological and work-related changes. Rapport présenté à la Federal Aviation Administration.

(41) Sales, S.M. (1970). Some effects of role overload and role underload. *Organizational Behavior and Human Performance, 5*, 592-608.

(42) Sandberg, B., Bliding, A. (1976). Problems and symptoms in army basic trainees with stress-induced hypertensive reactions. *Journal of Psychosomatic Research, 20*, 51-59.

(43) Smith, P., Kendall, L., Hulin, C. (1969). *The measurement of satisfaction in work and retirement*. Chicago: Rand McNally.

(44) Tosi, H. (1971). Organization stress as a moderator of the relationship between influence and role response. *Academy of Management Journal, 14*, 7-20.

(45) Webb, W.B. (1955). The problem of obtaining negative nominations in peer ratings. *Personnel Psychology, 8*, 61-63.

DEUXIÈME PARTIE

La prévention du stress au travail

Commentant le volume Society, Stress and Disease de Levi (1971) constitué de 44 textes distincts dont les auteurs donnent l'impression de concevoir le stress chacun à sa manière, Sidney Cobb avait suggéré qu'il était temps d'employer des concepts spécifiques du genre "conflit de rôle, surcharge de rôle" et d'attribuer au stress une signification plus large comme celle, par exemple, que l'on attribue à infection par rapport au pneumocoque de type 1.

La section intervention dans cet ouvrage va suivre la suggestion de Cobb. Il sera question de stresseurs spécifiques, de tensions spécifiques qui, dans la recherche scientifique, ont été et sont encore indubitablement associés au stress. Le rapport exact de ces tensions (et même de ces stresseurs) à l'endroit du stress peut être ambigu : parfois elles sont considérées comme des précurseurs d'activation physiologique, et les prédicteurs de la santé future ; d'autres fois, elles sont conceptualisées comme accompagnant l'activation physiologique et l'état de santé actuel. Dans d'autres contextes, on suggère une relation causale entre les tensions subjectives et la santé mentale d'une part et entre les changements physiologiques et la santé physique, d'autre part ; ces quatre dernières catégories d'indices étant supposément reliées de manière causale à une chute de performance.

Sans sous-estimer l'importance cruciale qu'il y a à clarifier le sens exact de ces relations, notre objectif est de chercher à intervenir sur les tensions et sur les stresseurs qui, sans l'ombre d'un doute, sont associés au stress. Pour ce faire, il a fallu puiser et importer des approches, des méthodes, des techniques qui ne font pas souvent partie de la documentation habituelle sur le stress quoique leur action sur des phénomènes intimement liés aux tensions et stresseurs spécifiques a été identifiée depuis longtemps. C'est en somme un effort de rapprochement entre, d'une part, les recherches sur des tensions et stresseurs spécifiques relevant du grand domaine du stress et, d'autre part, des stratégies d'intervention appartenant à diverses disciplines des sciences sociales et humaines.

Dans un premier temps, il est apparu essentiel de promouvoir la compréhension et la prévention du stress susceptible d'affecter tout membre d'une organisation, qu'il soit cadre ou exécutant. Dans cette perspective, le chapitre 4 est consacré à l'analyse et à la réduction des tensions découlant des "rôles vécus au travail".

Ensuite, notre effort se porte sur la prévention du stress des subordonnés, d'une part, par la mise à découvert et l'opérationnalisation des facteurs déterminants la satisfaction au travail (chapitre 5) et, d'autre part, par l'exploration et l'explicitation des variables qui favorisent une expérience positive de la participation chez les subordonnés (chapitre 6).

Finalement, la prévention du stress du gestionnaire est abordée sous deux volets: la gestion de la performance des subordonnés au chapitre 7 et la gestion des conflits au chapitre 8. Ces deux chapitres exposent les mécanismes et le fonctionnement de ces deux phénomènes et proposent des façons d'intervenir pour atteindre les objectifs organisationnels sans tension excessive en respectant les parties en cause.

La prévention du stress du subordonné et du supérieur

CHAPITRE IV

Les rôles vécus au travail

Le comportement dans les organisations (ou le comportement organisationnel) fait l'objet d'études particulières, non pas parce qu'il se distingue du comportement humain en général, mais parce qu'il se déploie dans les organisations où il reçoit des stimulations et des renforcements spécifiques qui développent davantage certaines formes plus singulières de comportement comme, par exemple, l'adoption des méthodes de travail ambiantes, la conformité aux valeurs de l'entreprise, la poursuite des objectifs de l'organisation, etc.

Le comportement dans les organisations peut être analysé sous des angles fort différents, souvent complémentaires, quelquefois antagonistes, mais jamais isolés les uns des autres. McGrath (23) illustre cet aspect interactionniste à la figure 4-1. D'après cette illustration, le comportement dans les organisations s'exprime de la façon la plus synthétique par le concept du rôle occupationnel (ABC) qui est à l'intersection des trois grandes dimensions déterminant le comportement organisationnel, à savoir: la dimension physique-technologique (A), la dimension sociale (B), la dimension personnelle (C). Les rôles occupationnels sont aussi la synthèse la plus compréhensive des trois composantes résultant de l'interaction de chacune des dimensions entre elles. Nommément, il s'agit de la composante "fonctions et tâches" (AC), de la composante "style des transactions" (BC) et de la composante "cadre de vie" (AB).

FIGURE 4—1

Les dimensions conditionnant le comportement dans les organisations.

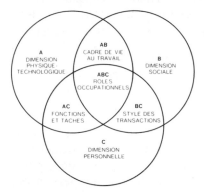

Source: McGrath, J.E. (1976). Stress behavior in organizations *in* Dunnette, M.D. (Ed.). *Handbook of industrial and organizational psychology.* Chicago: Rand McNally, page 1368.

123

Voyons plus en détails et dans la perspective du stress en quoi consiste chacune des dimensions conditionnant le comportement dans les organisations :

A. **La dimension physique-technologique** consiste en l'environnement matériel, physique, climatique dans lequel le travail est effectué. Les stresseurs en provenance de la condition physique-technologique sont, par exemple, le bruit, la température, la vitesse d'opération de la machinerie/équipement, les modalités d'opération de cet équipement, les conditions d'éclairage, le niveau de technologie, etc.

B. **La dimension sociale** réfère à l'entourage humain qui "peuple" l'organisation et dont la qualité des interactions donne naissance à divers stresseurs dont le climat organisationnel, la culture de l'entreprise, le système de valeurs, les politiques de l'entreprise.

C. **La dimension personnelle** réfère aux caractéristiques stables de l'individu comme les aptitudes, les traits de caractère, les modes d'apprentissage et de communication qui nous font dire d'une personne - après 10 ans d'absence - : "elle n'a pas changé". Ces caractéristiques peuvent être autant des sources de stress (une faiblesse en représentation spatiale pour un dessinateur) que des variables modératrices du stress (niveau d'anxiété, besoin d'accomplissement, résistance à la tension).

L'interaction des dimensions de base entre elles entraîne l'apparition de composantes du comportement organisationnel, lesquelles sont à leur tour source de stress ou de bien-être.

AB. **Le cadre de vie au travail** (behavior setting) est à l'intersection de la dimension physique-technologique et de la dimension sociale et se caractérise principalement par le ratio travailleurs/charge globale de travail.

AC. **Les fonctions et tâches,** à l'intersection de la dimension physique-technologique et de la dimension personnelle, représente "ce qu'il y a à faire" pour que le poste satisfasse sa raison d'être. Le degré d'adéquation personne-poste rend presque totalement compte de la difficulté, et partiellement de la charge, que représente la tâche pour l'individu concerné. Quant à l'ambiguité de la tâche, elle relève autant du degré de précision en

124

provenance du système physique-technologique que du degré d'autonomie/initiative de la personne-cible.

BC. De l'interaction du système personnel et du système social jaillit le **style des transactions** ("la façon de faire les choses"). De la plus ou moins grande précision des styles valorisés par le système social (source d'ambiguité) et de la plus ou moins grande habileté de la personne (source de difficulté), le style des transactions posera des problèmes d'ajustement pour la personne-cible.

Au coeur de l'aire commune de recouvrement entre les trois dimensions de base conditionnant le comportement organisationnel et, du même coup, au coeur de l'aire commune de recouvrement entre les trois composantes (du comportement organisationnel) résultant de l'interaction des dimensions, il y a les rôles occupationnels.

ABC. **Les rôles occupationnels** dépendent à la fois des systèmes physique-technique, social, personnel et synthétisent les dimensions cadre de vie, fonctions et tâches, style des transactions. Ils constituent une synthèse de ce qu'il y a à faire et de la façon de le faire dans un cadre de vie donné. Compte tenu de leur position centrale et intégrative, ils sont, au premier chef, source d'ambiguité, de difficulté et de charge.

De toutes les recherches concernant le stress en milieu de travail, ce sont les études mettant en rapport stress et rôle occupationnel qui sont les mieux documentées et les plus décortiquées. Pourtant, le rôle occupationnel est un concept relativement récent et son étude systématique ne date que d'une vingtaine d'années.

Le but de ce chapitre est d'outiller à la prévention du stress en provenance des rôles. Pour ce faire, six objectifs sont poursuivis: premièrement, le concept de rôle occupationnel fait l'objet d'une présentation détaillée; ensuite, le concept est concrétisé et illustré par divers inventaires de rôle; la troisième section propose un modèle du processus dynamique d'adoption de rôles occupationnels. Quatrièmement, les rapports étroits qu'entretient chacune des trois problématiques de rôle — le conflit, l'ambiguité, la charge — avec le stress sont mis en évidence. En cinquième lieu, un modèle d'identification phénoménologique des problèmes de rôles de même qu'une typologie exemplifiée de ces différents problèmes sont mis de l'avant. Finalement, une stratégie orientée vers la résolution de problème de rôle est proposée.

4.1 Le concept de rôle occupationnel

Toute personne travaillant dans une organisation détient un rôle occupationnel. Le rôle occupationnel est un concept molaire qui englobe à la fois les fonctions et les tâches que l'individu a à accomplir, et la façon (stylistic behavior) de les accomplir (Kahn *et al.,* 20). Autant les fonctions se subdivisent et se réalisent concrètement en tâches spécifiques, autant les styles se manifestent et s'actualisent lors de transactions, d'échanges interpersonnels spécifiques. Que ce soit à l'endroit de ce qu'il y a à faire (fonctions et tâches) ou à l'endroit de la façon de faire (styles et transactions), le concept de rôle réfère toujours implicitement à la notion de comportement. C'est par des comportements que le titulaire d'un poste affiche sa compréhension et sa maîtrise du rôle qui lui est dévolu.

Précisions terminologiques

La tâche (task): la tâche est l'unité de base pour organiser les différentes activités de travail. Elle est constituée d'activités similaires directement reliées à l'exécution d'une tâche unique. Par exemple, les activités suivantes font toutes partie de la tâche "préparation de cours": repérage de la documentation, recension des écrits, élaboration du plan de cours, sélection des documents d'appoint, élaboration du syllabus.

La fonction a deux sens principaux. Au niveau organisationnel, le terme fonction réfère aux grandes fonctions de l'entreprise, telles les fonctions finance, personnel, production, marketing, etc.

Au niveau occupationnel, le terme fonction identifie un regroupement homogène de tâches. Par exemple, la fonction enseignement est constituée des tâches "préparation de cours", "animation du cours", "évaluation des apprentissages". C'est dans ce sens que le terme fonction sera utilisé dans le présent volume.

Dans notre société, le travail est décortiqué et organisé de telle sorte qu'un ensemble précis de fonctions, chacune se décomposant en tâches spécifiques, peut rendre compte du terme...

126

- *poste* (position) si on fait référence à l'emploi d'un indivi-du donné. Le contenu du poste se retrouve habituellement dans la description du poste.

- *emploi* (job) si on réfère à l'ensemble des postes qui, dans une organisation donnée, se ressemblent de par leur simi-litude au niveau des fonctions et tâches et du fait qu'ils exigent à peu près les mêmes connaissances, habiletés et aptitudes.

- *métier, profession* (occupation) si on fait référence à l'en-semble des emplois similaires qu'on retrouve dans plu-sieurs organisations.

C'est pourquoi il est possible qu'un ensemble donné de fonc-tions bien décomposées en leurs tâches respectives puissent décrire à la fois un poste, un emploi et une profession comme c'est le cas pour les électriciens, les représentants-vendeurs, etc.

Le rôle réfère à l'ensemble plus ou moins imposé, normatif et obligatoire des modes de conduite et de comportement pour un individu en poste. Le rôle est composé des fonctions et tâches relevant du poste (ce qu'il a à faire) et du style avec lequel ces fonctions et tâches ont à être accomplies (la façon de le faire). Le style relève davantage du consensus social entourant l'individu en poste et porte sur les convenances sociales, les modes d'interaction, la tenue vestimentaire, le langage, les échanges hiérarchiques etc... Pour leur part, les fonctions et tâches relèvent des exigences organisationnelles directement reliées au poste et se doivent d'être accomplies pour que l'objectif organisationnel attribué au poste soit atteint.

Une analogie pour mieux traduire le concept de rôle : au théâtre, les rôles sont détenus par des acteurs. Chaque acteur a un texte à rendre et des gestes à poser à des moments précis au cours du déroule-ment de la pièce de théâtre. Cette habileté à intervenir au bon moment et à réciter sans erreur son texte ne suffit à faire d'un individu un bon acteur. Le style avec lequel l'acteur intervient dans une scène est de première importance pour qu'il remplisse adéquatement le rôle qui est le sien. C'est un peu la même chose dans les organisations. Il est d'ailleurs significatif que Crozier et Friedberg (5) emploient le terme acteur pour désigner tout membre d'une organisation.

Il est généralement admis que les styles et les transactions sont nécessairement associés à l'exécution de fonctions et de tâches. Cependant, l'inverse n'est pas toujours vrai: certaines fonctions ou tâches n'impliquent que peu ou pas de transactions interpersonnelles directes (par exemple, l'opération de vérification des livres) même si un certain style puisse être présent dans cette opération spécifique. Cette distinction entre le contenu de l'action (fonctions et tâches) et la façon de l'exécuter (style et transactions) est d'une importance capitale dans la compréhension des problèmes qui sont rattachés au rôle. Un individu peut être compétent dans l'accomplissement de ses fonctions et tâches, mais ne pas "avoir le tour" dans ses transactions interpersonnelles. Certains, plus ou moins compétents à la tâche savent comment s'y prendre pour transiger avec autrui. Le succès, dans la plupart des postes, est relié à une compétence technique (fonctions et tâches) et à une compétence sociale (style et transactions) donc à une compétence de rôle.

4.1.1 Les propriétés du rôle occupationnel

Les rôles ont une fonction stratégique tant pour l'individu-membre d'une organisation que pour l'organisation elle-même.

Il est généralement reconnu de nos jours que le rôle est un concept essentiel à la compréhension de la consistance et de l'identité d'une organisation à travers le temps en dépit du changement continuel de personnel. À titre d'exemple, on n'a qu'à songer un moment à la remarquable consistance de l'église catholique romaine au cours de deux millénaires. Ce qui fait qu'une organisation conserve sa personnalité, son identité au cours des années, c'est une continuité substantielle des rôles exercés par différents titulaires occupant successivement le même poste. Le rôle est transmis de manière relativement homogène d'un titulaire à l'autre parce qu'il est défini, promulgué et partiellement contrôlé par ceux qui entourent le titulaire, ceux que l'on appelle les inducteurs de rôle et qui font partie de la constellation de rôle d'un titulaire donné.

La constellation de rôle est habituellement entendue comme l'ensemble des postes (offices) occupés par les titulaires entourant de près l'individu-cible en vertu de la structure d'autorité, du déroulement du travail (work-flow), de la technologie (Kahn *et al.,* 19; Kahn, 18).

Même si l'individu est loin d'être passif dans la formulation de ses propres rôles, il n'empêche que les principaux définisseurs du rôle sont en fait les membres de la constellation de rôle. Ceux-ci...

- ont des attentes quant aux comportements que devrait adopter l'individu-cible
- déterminent les critères sur lesquels l'individu-cible est évalué
- allouent récompenses et punitions en tant que rétroaction suite aux comportements de rôle de la personne-cible (Tsui, 38).

Les supérieurs immédiat et hiérarchique, les collègues, les subordonnés, les clients forment le cortège le plus fréquent des membres de la constellation de rôle. Cependant, dépendant du niveau hiérarchique de l'individu-cible, de son degré de spécialisation, de la localisation de son poste dans la structure organisationnelle, l'ampleur et la composition de la constellation de rôle varient. Par contre, la fonction et l'impact de la constellation de rôle demeurent sensiblement les mêmes, à savoir, un réseau social plus ou moins informel dont les membres définissent les rôles attendus, jugent l'individu selon sa capacité à satisfaire les rôles attendus et se comportent en conséquence à son égard.

Dans les organisation formelles, l'adoption de comportements de rôle repose fortement sur le processus de socialisation institutionnelle. La découverte par la personne-cible des rôles émis par l'entourage, la conformité à ces rôles attendus en cas d'acceptation ou la modification de ces rôles en cas de divergence de même que l'accomplissement effectif des rôles relèvent foncièrement des récompenses associées au membership, c'est-à-dire au fait d'être accepté et intégré comme membre à un groupe donné (Kahn *et al.,* 19).

D'autre part, comme les rôles ne sont généralement pas définis de manière spécifique, l'individu-cible a la possibilité d'influencer les attentes de son entourage quant aux rôles qu'il devrait adopter. En effet, si la structure organisationnelle et les systèmes de contrôle peuvent directement déterminer le comportement de la personne-cible (Jacobs, 17), celle-ci peut, à son tour, s'engager à modifier les attentes des constituants par l'intermédiaire d'un processus d'influence dynamique, réciproque et continu (Bandura, 3).

Une déviation de l'individu par rapport aux rôles transmis peut n'être pas intentionnelle ou voulue par l'individu tout comme elle peut résulter d'une décision arrêtée de sa part de modifier les rôles, d'introduire une certaine "distance" entre les rôles transmis et les rôles exercés (Tsui, 38). On met davantage l'accent que par le passé sur l'in-

129

fluence de l'interprétation que fait l'individu de ses propres rôles dans le processus de formation des rôles (Graen, 10; Kieser, 21). De même, selon Tsui (38), les attentes et les priorités de la personne-cible font aussi partie de la constellation de rôle de par leur incidence sur les comportements que privilégie l'individu.

Les rôles ont une importance stratégique pour tout individu dans une organisation parce qu'ils servent de base à l'évaluation, au jugement qui sont portés sur lui et influent grandement sur les comportements subséquents qui seront adoptés à son égard. Cette position stratégique des rôles dans la survie d'un individu au sein d'une organisation résulte du fait que chaque constituant d'une constellation de rôle a des intérêts (attentes) et des perceptions quant aux comportements de la personne-cible.

Si le comportement perçu correspond au comportement souhaité, le constituant se formera vraisemblablement une idée favorable de la personne-cible. Au contraire, si le comportement perçu diffère du comportement souhaité, il est probable que le constituant aboutira à une évaluation moins positive de ladite personne. C'est de cette comparaison comportement perçu vs comportement souhaité que naît la **réputation individuelle.**

Si les rôles ont un tel impact au niveau individuel, c'est qu'ils sont essentiels à la continuité et à l'identité de l'organisation au cours du temps. C'est par les rôles que se transmettent les valeurs, la culture, les comportements privilégiés dans une organisation: c'est ce qui fait qu'elle conserve sa personnalité en dépit des changements inévitables de personnel. Les rôles sont **le ciment de l'organisation.**

C'est dans ce contexte à la fois stratégique et dynamique que s'inscrivent les conflits de rôle, les ambiguités de rôle, les charges de rôle, lesquels sont tous reliés à divers phénomènes tant comportementaux que psychologiques apparentés au stress au travail.

4.2 Inventaire des rôles occupationnels

Il existe très peu d'études descriptives sur la nature des rôles occupationnels. La plus célèbre de ces contributions appartient à Henry Mintzberg (27), lequel a effectué une observation systématique des faits et gestes de cinq gestionnaires durant une pleine semaine chacun. La compilation de cette énorme masse de données a résulté en une typologie de 10 rôles regroupés en trois catégories qui, de l'avis de l'auteur, rend compte véritablement de la réalité du travail managérial. Cette assertion se trouve jusqu'à un certain point confirmée par le fait que ces 10 rôles partagent de fortes similitudes avec diverses typologies de fonctions résultant des rares recherches descriptives réalisées au cours des 3 dernières décennies (Horne et Lupton, 15; Hemphill, 11, 12; Stewart, 35).

Comme dans les recherches susmentionnées, l'importance et l'ampleur de chacun de ces rôles varient selon le secteur d'industrie auquel appartient l'entreprise, selon la fonction (finance, production, marketing, etc.) de l'entreprise dans laquelle oeuvre l'individu, selon son niveau hiérarchique. Nonobstant ces variations, Mintzberg (27) a pu décrire un contenu relativement stable de chacun de ces 10 rôles du gestionnaire. Les rôles interpersonnels, au nombre de trois, découlent directement de l'autorité formelle du gestionnaire.

Le rôle de figure de proue, de symbole

De par sa position à la tête d'une unité organisationnelle, le gestionnaire se doit d'accomplir des activités qui ont un caractère symbolique ou essentiellement social telles "couper le ruban d'inauguration", présider la campagne Centraide locale, assister à diverses mondanités. Ce rôle de symbole même s'il s'avère utile au fonctionnement harmonieux de l'organisation n'implique généralement pas de décicions importantes au moment de son exercice.

Le rôle de leader, de meneur d'hommes

En plus de l'autorité que lui confère son poste, le gestionnaire peut, par son leadership, développer une influence accrue sur les membres de son unité administrative. Cette influence se traduit principalement par les valeurs qu'il met de l'avant, par le climat qu'il contribue à instaurer, par sa façon de concilier besoins individuels et besoins organisationnels.

Le rôle d'agent de liaison

Le gestionnaire étant en contact avec ses subordonnés, ses pairs, ses supérieurs et aussi des personnes n'appartenant pas à l'organisation, joue le rôle d'agent de liaison entre ces diverses parties. Ce réseau d'interlocuteurs constitue pour le gestionnaire un système exceptionnel d'information et d'influence s'il est utilisé à bon escient. D'où le groupe de trois rôles informationnels qui suivent.

Le rôle de pilote/moniteur

De par sa position stratégique d'agent de liaison, le gestionnaire est à la croisée des chemins en ce qui concerne les informations en rapport aux opérations internes, aux événements à venir, aux spéculations ; que ces informations prennent la forme de rapports, d'analyses, de plans, de commérages, de ouie-dire, de rumeurs, peu importe, un gestionnaire informé est un gestionnaire puissant.

Le rôle d'informateur

Possesseur d'informations, le gestionnaire est en mesure de diffuser l'information au meilleur des intérêts de son unité organisationnelle et de ses propres intérêts. Le rôle d'informateur suggère une certaine forme de diffusion sélective commandée par des intérêts stratégiques ou tactiques.

Le rôle de porte-parole

Dans son rôle de porte-parole, le gestionnaire communique au nom de son unité administrative avec des personnes extérieures à son unité, que ces personnes proviennent de la communauté, d'autres entreprises ou d'unités différentes. Le rôle de porte-parole est directement lié à l'autorité formelle du gestionnaire car il engage, par ses propos, l'unité administrative qu'il dirige.

C'est le niveau des rôles décisionnels que le gestionnaire rend compte de la raison d'être de son poste. Dans cette perspective, les rôles interpersonnels et les rôles informationnels apparaissent être des compléments instrumentaux de premier ordre, mais des compléments quand même.

Le rôle d'entrepreneur

En tant qu'entrepreneur, le gestionnaire cherche à faire progresser son unité, à l'adapter à un environnement mouvant (Mintzberg, 28). Le rôle d'entrepreneur n'implique pas nécessairement qu'il soit à l'origine de l'idée nouvelle, mais suppose qu'il s'assure directement ou par personnes interposées, de la réalisation effective de cette idée, à partir de la proposition initiale jusqu'à la clôture de l'ensemble de l'opération.

Le rôle de régulateur/dépanneur

Non seulement est-il difficile pour le gestionnaire de prévoir les impondérables de l'environnement mais souvent même l'anticipation des conséquences de ses propres décisions peut lui échapper. C'est dans cette réalité imprévisible qu'intervient le rôle du régulateur/dépanneur. Dans toute situation problématique non prévue (résiliation d'un contrat par un fournisseur, grève sauvage, perte d'un client important, arrivée d'un compétiteur), le gestionnaire est tenu de réagir au mieux à ces perturbations, de régulariser les forces et les contraintes en présence et même de s'adonner au plus terre-à-terre des dépannages.

Le rôle de répartiteur de ressources

C'est probablement le rôle le plus "politique" du gestionnaire. D'une part, l'attribution des ressources humaines, financières, physiques constitue, pour le gestionnaire, des décisions visant l'efficacité optimale de l'entreprise et, d'autre part, elle représente aux yeux des subordonnés des confirmations officielles de leur statut dans l'organisation.

Le rôle de négociateur

Ce rôle occupe beaucoup de temps dans la semaine du gestionnaire. Que ces négociations soient routinières ou hautement stratégiques, le gestionnaire, de par son autorité formelle et son réseau informel de communication, est souvent le plus en mesure de procéder à ces négociations impliquant son organisation représentée par lui-même et diverses parties dont le représentant syndical, des pairs, des clients, des fournisseurs, etc.

Ces dix rôles regroupés en trois catégories représentent, au dire de Mintzberg (28), la réalité quotidienne du gestionnaire et, du fait même, constituent une critique virulente des fonctions habituellement attribuées au gestionnaire, à savoir la planification, l'organisation, le contrôle, qu'il qualifie de légende.

Au cours de recherches exploratoires effectuées en 1978 auprès de 125 cadres intermédiaires d'une entreprise de service appartenant au secteur para-public, Savoie (33) a mis en évidence un ensemble de **rôles attendus** en réponse à la question-déclencheur suivante: "Sans tenir compte d'un poste en particulier, quels sont à votre avis les rôles qui contribuent le plus à l'efficience (les meilleurs rapports investissement/résultats) d'un individu dans une organisation?"

De cette exploration ont surgi neuf rôles dont chacun a été jugé important par au moins 65% des répondants:

Travailleur :

ce rôle pourrait être mesuré par la **quantité** de travail abattu par l'individu comparativement à ses pairs. Il réfère aussi aux facteurs psychologiques qui sous-tendent le fait d'être "travailleur", à savoir être capable d'un effort soutenu quelle que soit la tâche assignée et être disposé à investir du temps en dehors des heures de travail si besoin est.

Consciencieux :

ce rôle pourrait se mesurer par la **qualité** du travail accompli. Par "consciencieux", les répondants entendent aussi le souci du travail bien fait jusqu'aux détails, l'habitude de vérifier attentivement le travail en cours d'exécution et/ou avant de le remettre.

Entreprenant :

il s'agit du degré d'**initiative** dont fait preuve l'individu à son poste. Cet esprit d'initiative se manifeste par des actions visant à accroître ses responsabilités, par la recherche de façon nouvelle d'accomplir le travail, par la mise de l'avant de projets d'action nouvelle.

Organisé :

ce rôle pourrait être mesuré par la fréquence des pertes de temps, des oublis, des redondances. Il réfère à la façon dont un employé organise son travail et "se retrouve" dans son travail de même qu'à l'approche méthodique qu'il donne à l'exécution de ses tâches.

Compétent :

il est ici question de la **maîtrise** que démontre un individu dans l'exercice de ses fonctions. Ce rôle se manifeste par la fréquence et la gravité des erreurs, des échecs ainsi que par son habileté à mener à terme ses entreprises.

Responsable :

ce rôle se mesure par le respect des engagements et des échéances. Un individu responsable est celui "qui fait en temps ce qu'il faut faire".

Mature:

ce rôle semble être une synthèse des rôles **compétent, responsable, entreprenant.** Il s'apparente ainsi au concept de maturité de Hersey et Blanchard (14).

Efficace:

ce rôle semble intégrer les rôles **mature, travailleur** et **consciencieux.**

Efficace:

ce rôle intègre ultimement les rôles **efficaces** et **organisé.**

FIGURE 4-2

Structure probable des rôles orientés vers l'efficience

EFFICIENT

EFFICACE X ORGANISÉ

MATURE X TRAVAILLEUR X CONSCIENCIEUX

ENTREPRENANT X COMPÉTENT X RESPONSABLE

Il s'agit, de manière évidente, de rôles attendus, c'est-à-dire de rôles souvent non transmis à la personne-cible mais dont se sert son entourage pour se faire une idée de cette personne. De l'aveu des répondants, ces rôles s'appliquent à tout poste donné dans une organisation car ils servent implicitement de base à l'appréciation que les répondants font de leurs subordonnés, de leurs collègues et même de leur supérieur. L'importance de ces rôles n'est cependant pas encore déterminée quoique la figure 4-2 laisse croire à une hiérarchie intégrée de rôles.

Dans la documentation sur la théorie de rôles, très peu de recherches ont porté sur l'identification des rôles. L'essentiel de la documentation traite de la dynamique des rôles. C'est le point qui va être abordé dans la section qui suit.

4.3 La dynamique de l'adoption des rôles occupationnels

Les rôles qu'adopte un individu en poste sont le fruit des exigences du poste, des attentes des diverses parties impliquées ainsi que des interactions entre ces diverses parties, à savoir l'individu-cible et les membres de sa constellation de rôle. La figure 4-3 illustre ce processus dynamique d'adoption de rôles occupationnels à partir d'un modèle théorique des facteurs impliqués dans ce processus appelé incidemment épisode de formation de rôles (Kahn *et al.*, 19).

FIGURE 4-3

Modèle théorique des facteurs impliqués dans l'adoption de rôles au travail.

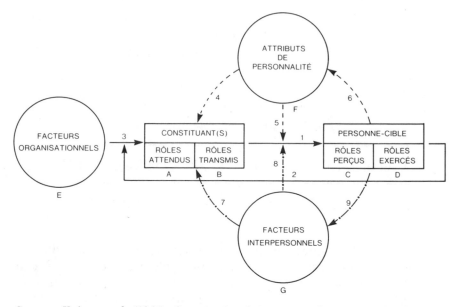

Source: Kahn *et al.* (1964) *Organizational Stress: Studies in role conflict and ambiguity.* New-York: John Wiley, p. 30.

L'essentiel du processus dynamique se joue entre, d'une part, les constituants par l'entremise des rôles qu'ils attendent de la personne-cible (case A) et des rôles qu'ils lui transmettent (case B) et, d'autre part, la personne-cible via les rôles qu'elle perçoit (case C) et les rôles qu'elle exerce (case D). La flèche #1 correspond au processus de transmission de rôle en provenance des constituants vers la personne-cible et la flèche #2 représente le processus de rétroaction par lequel les constituants évaluent le degré de conformité de la personne-cible à leurs attentes. À ces éléments qui constituent le coeur d'un épisode de rôle s'ajoute une variable de base, les facteurs organisationnels (cercle E) dont on présume l'influence causale (flèche 3) et deux variables auxiliaires, les facteurs interpersonnels (cercle G) et les attributs de la personnalité (cercle F) dont les influences respectives sont de nature modératrice (les flèches pointillées 7, 8, 9 pour G et 4, 5, 6 pour F).

Le sens exact de chacune des composantes du processus dynamique d'adoption de rôles est formulé dans les paragraphes qui suivent:

Les rôles attendus (case A):

> les rôles attendus à l'endroit d'un poste particulier — et de son titulaire — existent dans l'exprit des membres du réseau de rôle (les constituants) et représentent les normes sur lesquelles ils évalueront la performance du titulaire (Kahn *et al.*, 19). Ces attentes sont la plupart du temps implicites, c'est-à-dire non communiquées et varient vraisemblablement selon que le constituant est un pair, un supérieur, un subordonné ou un client. Il est à noter que ces attentes peuvent affectivement viser à mieux atteindre certains objectifs organisationnels tout comme elles peuvent viser à satisfaire les objectifs strictement individuels du constituant.

Les rôles transmis (case B):

> il ne s'agit pas ici seulement de transmission d'informations concernant un rôle donné. Il s'agit aussi de tentative d'influence sur la personne-cible de façon à la conformer à ses propres attentes. C'est pourquoi les modes de transmission de rôle sont très variés: subtile allusion, message postural ou comportemental, directive spécifique, information stricte, menace voilée, communication évaluative etc. Bref, les rôles transmis originent des rôles attendus par les constituants et visent à conformer la personne-cible à ces attentes.

Les rôles perçus (case C):

> les rôles perçus correspondent au message reçu par la personne-cible compte tenu des habituels phénomènes de brouillage de la communication, Kahn *et al.* (19) incluent dans les rôles perçus

les attentes appartenant en propre à la personne-cible. D'autres auteurs incluent aussi l'aperception des attentes cachées que le titulaire peut déceler chez autrui.

C'est pourquoi il est d'usage de considérer que les rôles perçus par la personne-cible résultent d'une forme de synthèse entre ses propres attentes, celles qu'elle aperçoit chez autrui et ce qu'elle reçoit comme message lors de la transmission de rôle. Ainsi les rôles perçus correspondent à ce que le titulaire d'un poste perçoit comme applicable à sa conduite suite à ses interactions avec les membres de sa constellation de rôle.

Les rôles exercés (case D):

ce sont les comportements manifestes et observables du titulaire dans l'exercice de son poste. Sur un plan plus général, les rôles exercés réfèrent aux actions récurrentes de la personne-cible en interaction aux activités elles-mêmes répétitives d'autrui, de sorte qu'il s'ensuit un mode relativement stable et prévisible de comportement (Kahn *et al.,* 19).

Les facteurs organisationnels (cercle E):

dans une large mesure, les attentes des constituants à l'égard d'un poste donné sont déterminées par des facteurs organisationnels tels la nature des fonctions et des tâches à accomplir, l'autorité et les responsabilités habituellement rattachées à ce poste, la position du poste dans la structure organisationnelle, le type de structure organisationnelle, la technologie en usage, les politiques formelles, le système de récompense et de punition. Les propriétés structurales d'une organisation sont suffisamment stables pour être considérées comme indépendantes des constituants de la constellation de rôle. C'est pourquoi Kahn *et al.* (19) proposent une relation causale (flèche #3) entre les facteurs organisationnels et les rôles attendus et transmis par les constituants.

Les attributs de la personnalité (cercle F):

ces attributs se rapportent aux variables qui font qu'un être humain se comporte de manière relativement prévisible de par ses motivations, ses goûts, ses préférences, ses mécanismes de défense, ses peurs, etc. Dans le présent modèle, les attributs de la personnalité peuvent être impliqués de trois façons différentes au cours d'un même épisode de rôle. Premièrement, comme l'indique la flèche pointillée #4, les caractéristiques personnelles de la personne-cible suscitent ou évoquent certaines évaluations et/ou réactions de la part des constituants. Deuxièmement, les attributs de personnalité de la personne-cible peuvent affecter (flèche pointillée #5) la façon dont elle perçoit les rôles qui lui sont transmis. Finalement, les rôles perçus (case C) et les rôles exercés (case D) peuvent modifier à la longue certaines caractéristiques de la personnalité (flèche pointillée #6).

Les facteurs interpersonnels (cercle G):

comme les attributs de la personnalité, les facteurs interpersonnels peuvent être impliqués de trois façons différentes au cours d'un même épisode de rôle. Ainsi, les rôles perçus et exercés (cases C et D) par la personne-cible peuvent affecter la qualité des relations interpersonnelles entre la personne-cible et les membres de sa constellation de rôle (flèche pointillée #9). De même, les rôles attendus et transmis (case A et B) par les constituants dépendent jusqu'à un certain point de la qualité des relations interpersonnelles unissant la personne-cible aux membres de sa constellation de rôle (flèche pointillée #7). Enfin, l'adéquation entre les rôles perçus (case C) par la personne-cible et ceux transmis par les constituants (case B) risque fort d'être malmenée si, par exemple, la qualité des relations interpersonnelles entre ces parties n'est pas optimale (flèche pointillée #8).

4.4 La problématique des rôles

C'est sous la forme spécifique de conflit, d'ambiguité ou de charge que les rôles ont été mesurés en tant que stresseurs potentiels au travail. Les prochaines pages traiteront de chacune de ces problématiques sous trois volets: leur envergure, leur effet, les variables modératrices.

4.4.1 Les conflits de rôle

Kahn *et al.* (19) définissent le conflit de rôle par la présence simultanée de deux attentes/demandes ou plus, de sorte que la satisfaction d'une demande rende la satisfaction de l'autre plus problématique. L'intensité du conflit pourrait s'évaluer par le degré d'incompatibilité des deux demandes, par l'enjeu des demandes et/ou le nombre et le statut des demandeurs. Un conflit de rôle peut survenir entre deux constituants ou plus à l'endroit de la personne-cible lorsque, par exemple, cette dernière fait l'objet de demandes mutuellement incompatibles de leur part, entre la personne-cible et un des membres de la constellation de rôle si elle est astreinte à certaines activités qu'elle ne veut pas faire. Chez un même individu déchiré par des attentes internes non compatibles quand, par exemple, un patron hésite entre divers modes de conduite — punir, laisser aller, convaincre — envers des employés peu performants.

Le conflit de rôle se produit dans une situation où la teneur des informations disponibles crée un conflit. Kahn *et al.* (19) utilisaient des items pour mesurer l'intensité du conflit de rôle. Voici des exemples de ces items:

1. Être tiraillé par des demandes conflictuelles
2. Subir des pressions pour "s'entendre" avec d'autres
3. Connaître un différend d'opinion avec un supérieur
4. Hésiter dans la conduite à tenir envers des subordonnés
5. Avoir à faire des tâches que l'on ne veut pas faire

A) ENVERGURE

Dans une enquête effectuée à l'échelle nationale aux États-Unis auprès d'employés masculins (Kahn *et al.,* 19), près de la moitié des répondants rapportent être plus ou moins fréquemment pris entre deux feux devant des demandes divergentes de deux parties concernant leur travail; pour 15% des répondants, ces conflits constituent des problèmes fréquents et sérieux. De plus, neuf sur dix de tous les répondants impliqués dans de tels conflits indiquent qu'au moins une des parties occupe un niveau hiérarchique supérieur au leur.

Dans cette étude, le conflit de rôle est défini comme des demandes logiquement incompatibles faites auprès d'une personne-cible par deux individus ou plus dont les postes sont en interdépendance fonctionnelle avec celui de la personne-cible. Il s'agit du conflit "objectif" de rôle. Des recherches subséquentes réalisées en 1969 et 1973 par Quinn et Shepard (29) révèlent que respectivement 31% et 43% d'un échantillon national de répondants adultes se considèrent sujets à des "demandes conflictuelles que font les autres". Ce pourcentage de conflit de rôle est même plus élevé dans certains groupes occupationnels spécifiques tels les administrateurs, les chercheurs et les ingénieurs oeuvrant dans des agences gouvernementales. On ne peut raisonnablement ignorer l'envergure des conflits de rôle dans les milieux de travail nord-américains.

Maintenant, quel est l'effet du conflit "objectif" de rôle chez celui ou celle qui en est l'objet? Dans la mesure où le conflit "objectif" de rôle génère des forces psychologiques en opposition chez l'individu-cible, on est en droit de considérer que le conflit "objectif" de rôle est devenu internalisé. Dans l'étude de Kahn *et al.* (19), 39% des répondants subissant ce type de conflit de rôle se déclarent "dérangés" par leur incapacité à satisfaire ces demandes incompatibles. Les liens entre le conflit objectif de rôle et la réaction de la personne-cible ont des incidences de formes variées mais continuellement négatives. Les personnes soumises à un fort conflit objectif de rôle déclarent, comparativement à celles soumises à un faible conflit, un vécu plus intense (au plan psychologique) du conflit: elles ressentent davantage de tensions reliées au travail, elles tendent à "s'en faire" et à s'inquiéter des différents événements qui marquent la vie de travail; elles éprouvent moins de satisfaction générale à l'emploi et vis-à-vis les conditions de travail.

Malheureusement, les effets du conflit "objectif" de rôle ne se limitent pas à l'expérience émotive de la personne-cible. Ils se répercutent aussi sur ses relations interpersonnelles. Ainsi, comparativement à celles soumises à un faible niveau de conflit objectif de rôle, les personnes en état de fort conflit éprouvent moins de confiance envers leurs supérieurs et envers l'organisation dans son ensemble. Elles sont généralement moins portées à faire confiance à leurs constituants. Il est peu probable qu'elles aillent quérir de l'aide auprès des constituants impliqués pour trouver une solution mutuellement satisfaisante au conflit. Dans le même ordre d'idées, elles éprouvent moins de respect et d'estime pour leurs constituants et elles les aiment moins.

Mais la réaction de la personne-cible dépasse le stade des émotions et des perceptions pour atteindre celui des comportements. En état de fort conflit de rôle, les personnes communiquent beaucoup moins. Ceci s'explique non seulement par la réduction des liens affectifs mentionnés précédemment mais aussi par le fait que les pressions de rôle sont habituellement exercées de manière verbale. Cette forme de mécanisme de défense qu'est le retrait de la communication est aussi accompagnée d'une réduction du pouvoir attribué au constituant. La boucle est ainsi bouclée. Les pressions de rôles exercées par le constituant se traduisent ultimement par une perte de pouvoir auprès de la personne-cible.

C) VARIABLES MODÉRATRICES

Cependant, il existe des différences individuelles dans la façon de réagir aux conflits objectifs de rôle. Ainsi, les personnes portées à l'anxiété vivent plus intensément le conflit et éprouvent plus de tension que celles qui sont peu enclines à l'anxiété. De même, les personnes introverties éprouvent plus de tension et rapportent davantage de détérioration dans leurs relations interpersonnelles que ne le font les personnes extroverties. D'après la mesure du continuum psychologique rigidité-flexibilité, les personnes flexibles éprouvent fortement les effets du conflit de rôle alors que les personnes rigides ne rapportent pas plus de tension en situation de faible ou fort conflit de rôle.

C'est de manière similaire aux caractéristiques de la personnalité que le contexte interpersonnel agit sur les relations entre le conflit objectif de rôle et la tension ressentie. En cas de conflit de rôle, la personne-cible éprouve d'autant plus de tension que les communications entre elles et ses constituants sont fréquentes, que sa dépendance fonctionnelle à l'égard des membres de la constellation de rôle est importante et que la constellation exerce un pouvoir effectif sur elle. Dans de telles conditions de conflit de rôle, la personne-cible peut facilement et rapidement perdre toute satisfaction au travail, éprouver un sentiment de futilité générale et des affects négatifs (hostiles) envers ses constituants.

4.4.2 Ambiguité de rôle

Dans sa forme originale, le concept "ambiguité de rôle" signifie l'incertitude du titulaire d'un poste à l'égard de ce qu'il doit faire (Kahn *et al.,* 19). De fait, l'ambiguité de rôle résulte d'un écart existant entre l'information qu'une personne possède et celle dont elle a besoin pour exercer son rôle adéquatement. Ainsi, l'ambiguité de rôle réfère tout simplement à l'incertitude quant aux comportements que la personne-cible est supposée adopter. Cette ambiguité peut provenir d'une communication imprécise et/ou insuffisante entre la personne-cible et le constituant (Rogers et Molnar, 31). Cela peut aussi dépendre d'un phénomène de perception sélective à l'endroit des demandes provenant d'autrui. D'autre part, on ne peut ignorer l'existence d'une ambiguité originant de la personne elle-même lorsque, par exemple, ses propres attentes ou désirs la perturbent même s'ils demeurent imprécis et flous.

L'instrument original de Kahn *et al.* (19) pour mesurer l'intensité de l'ambiguité de rôle était composé d'items du type suivant:

1- Degré auquel les objectifs de travail sont définis?
2- Degré auquel les futures demandes/attentes des constituants sont prévisibles?
3- Degré de certitude quant aux attentes actuelles des constituants à leur égard?
4- Jusqu'à quel point la nature et la portée des responsabilités au travail sont clarifiées?

A) ENVERGURE

Une enquête effectuée auprès d'un échantillon national de 725 travailleurs masculins aux États-Unis (Kahn *et al.,* 19) révèle que le conflit de rôle constitue une source de stress pour une proportion substantielle de la population au travail:

- 35% des répondants se déclarent incertains de la nature et de l'envergure de leurs responsabilités au travail et s'avouent perturbés par cet état de fait.

- 29% des répondants expriment des sentiments similaires d'incertitude et d'inconfort à l'endroit de ce que leurs collègues attendent d'eux.

- 38% d'entre eux éprouvent du désarroi parce qu'ils ne peuvent obtenir l'information requise à l'exécution correcte de leurs fonctions et tâches.

Si l'ambiguité de rôle interfère sur la performance effective au travail, elle se traduit aussi par des coûts personnels. Ainsi,

- 32% des répondants ressentent de la tension parce qu'ils sont incertains de l'évaluation que leur supérieur fait d'eux.

- 31% des répondants sont perturbés par un manque d'information relative aux possibilités d'avancement au sein de l'organisation.

Bref, dans cette étude à l'échelle nationale américaine, un tiers de la main-d'oeuvre (34,7%) se déclare perturbée par le manque d'information qui lui est pourtant requise soit pour la réalisation du travail,

143

soit pour l'atteinte de buts personnels au travail. Cependant, d'autres études à l'échelle nationale rapportent des pourcentages variant de 11% à 35%. En termes d'envergure, il est prudent de conclure que l'ambiguïté de rôle est un problème organisationnel vraisemblablement significatif et que son incidence varie selon les populations et/ou les organisations considérées.

B) EFFET

La recherche sur les conséquences de l'ambiguïté de rôle a mis en lumière des effets comparables à ceux observés dans le cas du conflit de rôle — satisfaction au travail plus faible (r = 0,30) et tension plus élevée (r = 0,50) — et des effets plus spécifiques à l'expérience de l'ambiguïté, à savoir : une faible confiance en soi (r = 0,30) et une impression de futilité (r = 0,41). Des différences individuelles, particulièrement le besoin de structure, affectent les relations mentionnées précédemment (Kahn *et al.*, 19).

Caplan (4) rapporte que l'ambiguïté de rôle est reliée à la non-satisfaction au travail (r = 0,42), à un sentiment de menace originant du travail vis-à-vis le bien-être physique et mental (r = 0,40) à une sous-utilisation des habiletés intellectuelles et des connaissances (r = 0,48) et à une perception de chances plutôt faibles d'avancement dans l'organisation (r = 0,44).

Katz et Kahn (20) présentent une documentation visant à démontrer que l'ambiguïté de rôle perçue réduit l'efficacité de la performance. Dans une recherche expérimentale en laboratoire, on a observé que l'ambiguïté au niveau des directives et de la tâche non seulement a un effet négatif sur la performance mais aussi tend à altérer la qualité des relations interpersonnelles des membres impliqués dans la tâche. Des effets comparables ont été observés dans une étude sur le terrain (Kahn *et al.*, 19), particulièrement lorsque les attentes ambiguës des constituants étaient exprimées sous forme évaluative plutôt que prescriptive. Miles (25) rapporte que l'ambiguïté subjective de rôle est reliée à des attitudes négatives à l'endroit des constituants impliqués et à une plus faible auto-évaluation de sa propre efficacité. Par contre, les effets de l'ambiguïté objective de rôle sont moins clairs. En effet, même si le constituant ne communique pas clairement ses attentes, la personne-cible peut éprouver un faible niveau d'ambiguïté par sa capacité à engager des activités de rôle et à définir ses propres attentes.

À cet égard, les recherches de Szilagyi *et al.* (37), de Schuler (34), de Szilagyi (36) sont éclairantes. Leurs résultats tendent à démontrer que l'ambiguité de rôle exerce une influence causale sur la satisfaction au travail chez les employés de niveau hiérarchique supérieur alors que, au niveau inférieur, c'est le conflit de rôle qui exercerait cette influence. Pour les niveaux hiérarchiques intermédiaires, tant l'ambiguité que le conflit de rôle seraient des sources d'influence sur la satisfaction.

4.4.3 Charge de rôle

La charge de rôle réfère directement au volume de travail et/ou à la complexité du travail. Les gens se plaignent de surcharge, c'est-à-dire incapacité de satisfaire simultanément ou à l'intérieur des délais fixés des demandes qui, prises séparément sont légitimes et raisonnables. Il y a surcharge **quantitative** quand la personne-cible a plus de travail qu'elle peut en effectuer à l'intérieur de limites temporelles données. Il y a surcharge **qualitative** quand les habiletés, les connaissances requises pour exécuter le travail dépassent celles que possède la personne-cible (French et Caplan, 8).

Dans les instruments originaux de French et Caplan (8), la surcharge quantitative se mesurait à partir d'items tels "charge écrasante de travail", "manque de temps", "quantité de travail attendue"; à partir de données relatées telles le nombre d'heures de travail par semaine, la fréquence et/ou la rigueur des échéances; à partir de données objectives tels le nombre de rencontres, de visites, d'appels téléphoniques. La mesure de la surcharge qualitative s'effectuait par l'intermédiaire d'items du genre "la qualité du travail que l'on attend de vous", "les exigences de votre emploi en termes de connaissance et de perfectionnement", "la difficulté des tâches confiées".

Il est curieux de constater que très peu d'auteurs traitent de la sous-utilisation de l'employé au travail. Pourtant les travaux répétitifs, monotones, sans défi existent à profusion tout comme les tactiques visant à placer les employés sur des voies de garage, des "tablettes". Le phénomène de la "sous-charge" de rôle semble avoir été occulté du champ de la recherche.

A) ENVERGURE

Lors d'une enquête auprès d'un échantillon national de collets blancs américains, 44% d'entre eux rapportent un certain taux de surcharge quantitative. Dans un secteur d'activité plus spécifique (aéro-spatiale), les pourcentages oscillaient entre 45% et 72,6%.

Une recherche dans un milieu auprès de professeurs et administrateurs (French et Caplan, 8) indique que la surcharge qualitative (r = 0,58) est un peu plus reliée à la tension au travail que ne l'est la surcharge quantitative (r = 0,41). Par contre, la surcharge quantitative est associée à une estime de soi plus faible chez les administrateurs (r = 0,70) mais non chez les professeurs. Pour ces derniers, l'estime de soi négative est associée à une surcharge qualitative (r = 0,31). Chez des collets blancs, les surcharges quantitative objective (nombre d'appels téléphoniques et de visites) et subjective (telle que perçue) corrèlent à 0,64. De plus, les surcharges objective et subjective sont reliées au rythme cardiaque (r = 0,39 et 0,65 respectivement) et au taux de cholestérol (r = 0,43 et 0,41 respectivement).

En résumé, la surcharge de rôle est un phénomène fréquemment rapporté et ressenti en situation de travail; il y a lieu de différencier surcharge quantitative et surcharge qualitative et finalement ces formes de surcharge sont clairement associées à neuf différentes tensions psychologiques et physiologiques. Par contre, beaucoup de recherche reste à faire en regard de la sous-utilisation.

4.5 Modèle d'identification phénoménologique et de résolution transactionnelle des problèmes de rôle

La théorie des rôles est due, pour une large part, aux conceptualisations et recherches de Kahn et ses collègues (18, 19). Leur modèle théorique des facteurs impliqués dans l'adoption de rôles occupationnels a été conçue à des fins d'intégration théorique et de guide à la recherche. Si ce modèle est indispensable à la compréhension de la dynamique des rôles, il ne vise pas à guider l'intervention et/ou la prévention tel que pourrait le souhaiter n'importe quel membre d'une organisation aux prises avec des problèmes de stress découlant des rôles. C'est en fonction de cette demande formulée par des travailleurs, salariés et gestionnaires, qu'a été élaboré le modèle phénoménologique des rôles.

Premièrement, l'approche expérientielle a été retenue parce que c'est celle qu'utilise quotidiennement le travailleur dans une organisation. Personne d'entre nous, en tant qu'employé, n'a à sa disposition des instruments de recherche pour diagnostiquer les problèmes de stress reliés au rôle. Par contre, chacun d'entre nous utilise son jugement, son expérience, ses connaissances, son bon sens pour saisir, comprendre et intervenir dans et sur la situation stressante. C'est sur ces habiletés largement répandues que se fonde l'approche phénoménologique: donner aux gens un outillage mental qu'ils peuvent appliquer facilement en toute situation. Dans le cas présent, l'outillage se compose d'un modèle des rôles en interaction telles que l'expérience peut l'appréhender, une typologie des problèmes formulée à la manière de l'expérience vécue et une stratégie expérientielle de résolution de problèmes reliés aux rôles.

Deuxièmement, le modèle de Kahn *et al.* (19) exposé à la figure 4-3 a été légèrement modifié pour tenir compte d'une variable mentionnée mais fondue aux rôles perçus. Cette variable appartient à la personne-cible et est identifiée sous le vocable de "rôles préférés".

Les rôles préférés:

> ils consistent en l'ensemble des attentes propres à la personne-cible. Ces attentes relèvent directement des besoins et des aspirations personnelles du titulaire. Elles prennent souvent l'allure des rôles que la personne-cible aimerait jouer pour être le plus à l'aise possible, à son mieux dans son poste.

Les autres rôles, à savoir les rôles exercés, attendus, transmis demeurent tel quel. Cette adaptation, tout en retenant la même définition des concepts utilisés par Kahn *et al.* (19) sauf dans le cas des rôles perçus a le mérite d'inclure plus directement l'influence du titulaire dans le processus d'adoption de rôle, conformément à la tendance actuelle récente. Elle maintient intacte l'influence des variables modératrices "facteurs interpersonnels" et "attributs de la personnalité" et attribue à la variable "facteurs organisationnels" une influence causale non seulement sur les constituants, mais aussi sur la personne-cible. Dans cette adaptation, les exigences du poste sont considérées déterminantes des comportements du titulaire, non seulement des attentes des constituants.

4.5.1 Modèle phénoménologique des rôles

L'essentiel de la contribution de cette adaptation du modèle de Kahn *et al.* repose dans la mise en évidence de la variable "rôles préférés" et dans la traduction des concepts au plan phénoménologique. Pour les fins de la présente discussion, seules les variables de base seront prises en considération et apparaissent à la figure 4-4. Toutes les observations de Kahn *et al.* (19) concernant la variable causale et les variables modératrices sont implicitement reconnues et acceptées dans cette adaptation expérientielle.

FIGURE 4-4

Modèle phénoménologique des rôles

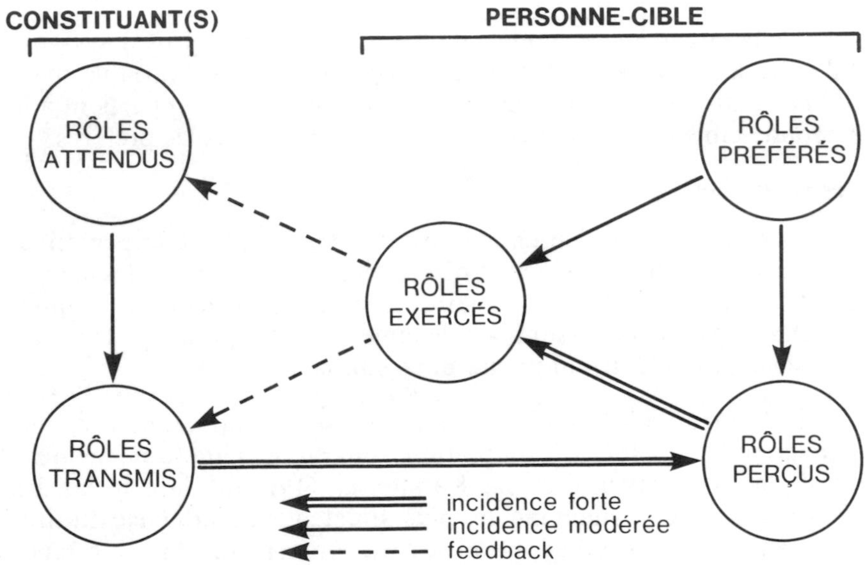

CONSTITUANT(S)   PERSONNE-CIBLE

incidence forte
incidence modérée
feedback

Les cercles représentent les divers états que peuvent prendre les rôles dans l'expérience des partenaires: ils peuvent se situer, pour les constituants, au niveau des attentes (rôles attendus) ou des expressions directes/voilées (rôles transmis); pour la personne-cible, ils prennent la forme de préférences, désirs (rôles préférés), de perceptions, (rôles perçus), de comportements (rôles exercés).

Du côté des constituants, les attentes ont tendance à se transformer en expressions directes/voilées et sont plus ou moins comblées selon le degré de conformité des comportements du titulaire aux attentes exprimées. Du côté du titulaire, les rôles qu'il choisit d'exercer relèvent de ses perceptions, lesquelles résultent principalement des messages qu'il reçoit, des exigences du poste (facteurs organisationnels) et aussi de ses désirs plus ou moins conscients.

148

Nécessairement, la perte d'information originale d'un cercle à l'autre de même que l'ajout d'informations plus ou moins pertinentes à l'information originale entraînent l'apparition d'une problématique de rôle. C'est en fonction de ces cinq états de rôle que se traduisent et s'identifient, pour la/les personne(s) en situation problématique, les conflits de rôle, les ambiguités de rôle, les charges de rôle.

4.5.2 Indices phénoménologiques de problèmes de rôle

Toute problématique de rôle se traduit pour la personne concernée par une série d'indices phénoménologiques qui, non seulement font état d'un certain niveau de tension, mais aussi et surtout peuvent servir à diagnostiquer le type précis de problématique vécue, la nature des rôles impliqués et bien sûr la localisation de cette problématique. C'est en réponse à ces observations phénoménologiques qu'il sera possible, pour la personne-cible, d'intervenir sur sa problématique de rôle.

A- Problématique interne à la personne-cible:

1) *Rôles préférés vs Rôles exercés:*

Si cette problématique se traduit par un énoncé du genre "je ne fais pas ce que (ou comme) j'aimerais faire" ou "je désire faire autre chose (ou autrement) que ce que je fais", il s'agit vraisemblablement d'un **conflit** intrapersonnel de rôle. L'expérimentation de Milgram (26) l'illustre fort bien: des sujets se sentaient tenus d'administrer des chocs électriques alors que c'était totalement à l'encontre de leurs désirs. Dans l'enquête de Kahn *et al.* (19), 45% de l'échantillon à l'échelle nationale américaine reconnaissent adopter au travail des comportements qui vont à l'encontre de leur jugement de même que de leurs valeurs et de leurs attentes personnelles.

Par contre, si la réalité vécue est mieux rendue par l'expression "j'en fais trop à mon goût" ou "j'aimerais mieux en faire moins", il s'agit vraisemblablement d'une **surcharge** de rôle. Formulée à l'inverse, il s'agirait d'une **sous-utilisation.**

D'autre part, si le propos suivant rend mieux compte de la situation "je ne sais vraiment plus ce que je veux faire", il est probablement question d'une **ambiguité** de rôle.

2) *Rôles perçus vs Rôles exercés:*

La personne-cible éprouve un **conflit** de rôle si elle exprime réellement son problème par des termes comme "ce que je fais est en contradiction avec ce que je pense/perçois que l'on attend de moi".

Par contre, si la formulation suivante est plus juste "je ne sais plus si ce que je fais coincide avec ce que l'on attend de moi", il s'agit plus probablement d'une **ambiguité** de rôle.

Finalement, il y a **surcharge** subjective de rôle si la personne-cible se dit des choses comme "j'ai l'impression que l'on m'en demande encore plus que je n'en fais". C'est l'inverse dans le cas d'une **sous-utilisation.**

3) *Rôles préférés vs Rôles perçus:*

Si la personne-cible formule son problème en disant "ce que je perçois que l'on attend de moi ne correspond pas à ce que je voudrais faire", elle réfère implicitement à un **conflit** anticipé de rôle.

Si elle exprime son problème par les propos "je n'arrive plus à savoir ce que je souhaite faire comparativement à ce que je pense que l'on attend de moi", elle anticipe probablement une **ambiguité** de rôle.

"Ce que je pense que l'on attend de moi est au-delà de ce que je souhaite faire" exprime une **surcharge** anticipée de rôle. Il y a **sous-utilisation** anticipée quand le volume ou la complexité de travail perçu comme attendu est en-deçà des préférences du titulaire.

4) *Rôles préférés vs Rôles perçus vs Rôles exercés:*

L'expression "ce que je fais ne correspond ni à ce que j'aimerais faire ni à ce que je perçois que l'on attend de moi" traduit l'existence d'un triple conflit de rôle.

Si le volume ou la complexité du travail accompli ne correspond pas aux préférences du titulaire ni à ce qu'il perçoit comme attendu par autrui, il s'agit vraisemblablement d'une **surcharge** ou d'une **sous-utilisation** au niveau des rôles.

Advenant que le titulaire ne sache plus trop si ce qu'il fait correspond à ce qu'il aime faire et à ce qu'il voit que l'on attend de lui, il vit probablement une **ambiguité** triple de rôle.

Quelle que soit la nature de la problématique (conflit, ambiguïté, charge) qui confronte la personne-cible et quels que soient les rôles impliqués (désirés, exercés, perçus), les problématiques internes à la personne-cible sont par définition, intrapersonnelles, c'est-à-dire elles ne sont connues que de la personne-cible à moins que cette dernière en ait informé autrui. En référence à la fenêtre de Johari (Luft, 22), ces problématiques se situent dans l'aire secrète car elles sont connues de la personne-cible et inconnues d'autrui.

B- **Problématiques impliquant constituant(s) et personne-cible:**

1) *Rôles exercés vs Rôles transmis:*

Dans le cas d'un **conflit** interpersonnel de rôle, cette problématique se traduit par des propos du genre "ce que l'on me dit de faire ne correspond pas à ce que je fais" ou "je ne fais pas ce que l'on (ou comme) me dit de faire". Ainsi, dans l'expérimentation de Wall citée par Kahn (18), les personnes-cible qui déviaient des rôles transmis étaient considérées moins fiables (quel que soit leur succès) que celles qui s'y conformaient.

D'autre part, si le problème est mieux rendu en disant "je ne fais pas autant que l'on me dit de faire", la personne-cible éprouve une **surcharge** de rôle. La surcharge de rôle prend souvent l'allure d'un conflit entre la qualité et la quantité compte tenu du temps disponible (Sales, 32) de sorte que les délais ou la quantité ou la qualité ne sont pas satisfaits. Par contre, l'expression "on me demande d'en faire moins (en quantité ou en complexité) que je n'en fais" risque de révéler une **sous-utilisation.**

Il peut aussi y avoir une **ambiguïté** interpersonnelle de rôle si l'expression "je ne sais pas si je fais comme (ou ce que) l'on me demande de faire" rend compte de l'état dans lequel se trouve la personne-cible.

2) *Rôles exercés vs Rôles transmis vs Rôles préférés:*

Il est possible qu'une personne-cible adopte des comportements qui ne correspondent pas à ses attentes personnelles, ni ne satisfont les demandes d'autrui. Par exemple, un gestionnaire peut juger plus à propos de ne pas intervenir immédiatement dans une situation de crise alors qu'il aurait personnellement tendance à offrir du support aux belligérants au même moment où ses supérieurs le pressent de mettre fin d'autorité aux disputes. Dans une situation de triple **conflit**, la personne-cible est aussi mal à l'aise avec elle-même qu'avec autrui. Le même phénomène peut se produire au niveau de la surcharge, de la sous-utilisation et de l'ambiguïté.

3) *Rôles exercés vs Rôles attendus :*

Les disparités entre les attentes des constituants et le comportement de la personne-cible sont directement associés chez la personne à des sentiments négatifs envers le travail et l'entourage (Kahn *et al.,* 19). Une des difficultés de cette situation réside dans le fait que les attentes ne sont pas communiquées quoiqu'elles puissent être "aperçues" par la personne-cible, ce qui a tendance à créer de l'**ambiguïté** chez elle. Cette ambiguïté s'exprime par un énoncé du type "je ne suis pas sûr si ce que je fais correspond à ce que l'on attend vraiment de moi" ou "je me demande si ce que l'on attend vraiment de moi a un rapport avec ce que je fais".

4) *Rôles perçus vs Rôles attendus :*

Une expérience auprès de représentants-vendeurs a démontré que les objectifs de vente perçus par les représentants étaient à mi-chemin entre leur propre objectif et ceux attendus par leur supérieur. Comme les rôles attendus par les constituants ne peuvent qu'être inférés ou estimés par la personne-cible, il peut s'ensuivre là encore une **ambiguïté** de rôle du genre "je ne suis pas sûr de ce qu'ils attendent vraiment de moi" ou "je perçois que leurs attentes à mon égard sont nébuleuses".

5) *Rôles perçus vs Rôles transmis :*

"Ce que je perçois que l'on attend de moi ne correspond pas à ce que l'on me communique de faire". Cet énoncé peut exprimer un **conflit** ou une **ambiguïté** de rôle ou une **surcharge/sous-utilisation anticipée** résultant fréquemment des aperceptions que la personne-cible peut avoir des attentes réelles des constituants au-delà des rôles qu'ils lui communiquent. Par exemple, ces aperceptions se produisent quand un supérieur proclame ouvertement les vertus de la gestion démocratique alors qu'en fait on sait qu'il ne valorise que la gestion directive autocratique.

C- **Problématique entre constituants:**

1) *Rôles transmis vs Rôles transmis :*

Quand des constituants différents ont des demandes explicites différentes à l'égard de la personne-cible, il s'agit d'un **conflit** de rôle dont la personne-cible fait l'objet. C'est le modèle-type du conflit de rôle défini par Kahn (18) comme la présence simultanée de deux demandes contradictoires de sorte que la satisfaction d'une demande rende l'autre pour le moins problématique. Il peut également s'agir de surcharge de rôle.

4.5.3 **Les modes de résolution de problèmes de rôle**

Chaque état de rôle (perçu, exercé etc.) possède son propre mécanisme d'ajustement compensatoire. En fait, comme l'état de rôle réfère à un fonctionnement psychologique particulier, à savoir la perception, la communication, le comportement, la préférence, l'attente, chacun d'entre eux peut être ajusté par un mécanisme compensatoire. La figure 4-5 illustre les mécanismes appartenant à chaque état de rôle.

FIGURE 4-5

Mécanismes d'ajustement des problèmes de rôle

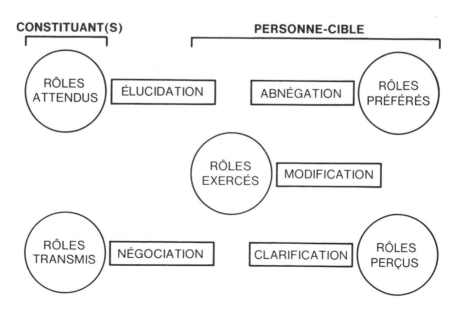

Comme les attentes (rôles attendus) sont, par nature, secrètes, le mécanisme d'ajustement repose sur le processus de l'élucidation, c'est-à-dire rendre à la lumière, qui peut être provoqué par la personne-cible même si l'objet en est le(s) constituant(s).

Si le rôle atteint le stade de la communication (rôles transmis), il peut être négocié car il est devenu explicite.

Lorsqu'un rôle est mis en application (rôles exercés), il peut par le fait même être modifié dans son exécution ou même dans sa teneur.

Quand le rôle est au niveau de la perception (rôles perçus), il peut être précisé, mieux circonscrit, élagué par le mécanisme de clarification, c'est-à-dire, tiré au clair.

Au niveau des préférences qui correspondent aux désirs personnels du titulaire, le mécanisme d'ajustement s'appelle l'abnégation, c'est-à-dire l'abandon plus ou moins partiel ou pour une durée plus ou moins longue de ses préférences. Le tableau 4-1 présente les étapes d'application appartenant à chacun des mécanismes d'ajustement.

TABLEAU 4-1

Processus de résolution de problèmes de rôle

RÔLES IMPLIQUÉS	PROCESSUS DE RÉSOLUTION
EXERCÉS	MODIFICATION: a) Vérifier l'à-propos des rôles exercés b) Changer les rôles les moins appropriés → plus conformes aux attitudes personnelles
PRÉFÉRÉS	ABNÉGATION a) Etablir le degré de "réalisabilité" des attentes personnelles b) Laisser tomber partiellement ou totalement les attentes personnelles les moins réalisables (à court ou à long terme)
PERÇUS	CLARIFICATION a) Identifier les rôles qui sont sources de problème b) Etablir avec les constituants concernés l'importance et la portée de ces rôles
TRANSMIS	NÉGOCIATION a) De concert avec les constituants impliqués, exposer les perceptions respectives à l'égard des rôles-problèmes b) Viser un accord qui tienne compte des points de vue des parties impliquées
ATTENDUS	ÉLUCIDATION a) Exposer ouvertement aux constituants concernés les problèmes vécus (perceptions et aperceptions) en regard des rôles b) Demander aux constituants de confirmer/infirmer ou corriger vos perceptions et aperceptions

154

Comme les problématiques de rôle mettent en jeu au moins deux états de rôle antagonistes, il devient possible pour la personne-cible de mettre en marche un système de résolution de problème fondé sur l'**application plus ou moins poussée de chacun des mécanismes d'ajustement**. Le tableau 4-2 illustre les mécanismes disponibles pour chacune des problématiques de rôle examinées jusqu'à présent.

TABLEAU 4-2

Systèmes de résolution de problèmes de rôle

	PERSONNE-CIBLE RÔLES	SYSTÈME DE RÉSOLUTION	CONSTITUANT(S) RÔLES
interne à la personne-cible	EXERCÉS VS PRÉFÉRÉS	+/− modification et/ou +/− abnégation	
	EXERCÉS VS PERÇUS	+/− modification et/ou +/− clarification	
	PERÇUS VS PRÉFÉRÉS	+/− clarification et/ou +/− abnégation	
	PERÇUS VS PRÉFÉRÉS VS EXERCÉS	+/− clarification et/ou +/− abnégation et/ou +/− modification	
entre la personne-cible et constituants	EXERCÉS	+/− modification et/ou +/− négociation	VS TRANSMIS
	EXERCÉS VS DÉSIRÉS	+/− modification et/ou +/− abnégation et ou +/− négociation	VS TRANSMIS
	PERÇUS	+/− clarification et/ou +/− élucidation	VS ATTENDUS
	EXERCÉS	+/− modification et/ou +/− élucidation	VS ATTENDUS
	PERÇUS	+/− clarification et/ou +/− négociation	VS TRANSMIS
entre deux constituants ou plus		négociation	TRANSMIS VS TRANSMIS

A) LES MODES DE RÉSOLUTION DE PROBLÈMES DE RÔLE INTERNES À LA PERSONNE-CIBLE

En paraphrasant le célèbre exemple de l'âne de Buridan, on peut considérer que les problématiques de rôle internes à la personne-cible ressemblent étrangement à celles d'un chien face à deux os également alléchants : c'est lui seul qui peut éprouver le conflit face à ces deux os.

En revenant aux rôles, les problèmes intrapersonnels se jouent entre les rôles préférés, les rôles perçus et les rôles exercés.

155

Il peut être velléitaire, illusoire ou même dommageable pour la personne-cible d'entretenir certaines attentes quant aux rôles qu'elle aimerait jouer. Dans cette perspective, le mécanisme d'ajustement le plus sain consiste à laisser tomber ses attentes, ses rêves pour tenir compte davantage des contraintes de la réalité: c'est l'**abnégation.**

Il se peut que la personne-cible erre dans l'idée qu'elle se fait de ce que l'on attend d'elle. Plutôt que d'abandonner ses propres attentes ou de conformer son comportement à des attentes d'autrui non vérifiées, il est plus sage qu'elle prenne le temps et le soin de vérifier en quoi consistent les attentes d'autrui: c'est la **clarification**.

Finalement, il est possible que les rôles qu'elle exerce ne conviennent vraiment pas aux exigences de la situation, aux attentes d'autrui, ni même à ses propres attentes. Plutôt que de s'engager dans la douloureuse abnégation, il serait préférable qu'elle clarifie les attentes d'autrui et, le cas échéant, qu'elle change de comportements de rôle: c'est la **modification.**

Comme les problématiques de rôle n'existent que si au moins deux états de rôle sont en position antagoniste, et comme chaque état de rôle a son mécanisme privilégié d'ajustement compensatoire, la résolution des problèmes de rôle repose sur un dosage approprié des deux mécanismes d'ajustement (cf. tableau 4-2). Ainsi si le problème se joue entre les rôles exercés et les rôles préférés, il y a lieu pour le titulaire: 1) de vérifier: a) jusqu'à quel point les rôles qu'il exerce sont requis par la situation et b) quels sont les changements qu'il pourrait apporter de façon à mieux répondre à ses attentes personnelles et 2) déterminer: c) jusqu'à quel point ses préférences sont réalisables et d) quelle est la portion des attentes qu'il serait disposé à abandonner de façon à se conformer plus harmonieusement avec la situation réelle. Par exemple, si le travail d'un administrateur junior se compose de beaucoup de comptabilité alors qu'il préférerait davantage d'interaction avec son personnel, il y a lieu 1) de vérifier a) le degré de comptabilité qui doit effectivement être exécuté à son niveau et b) d'identifier les opérations comptables qui pourraient être déléguées et 2) de déterminer jusqu'à quel point l'envergure de ses responsabilités justifie des activités plus étendues d'animation, de gestion et de supervision de personnel et b) quelles sont les tâches de direction de personnel qu'il vaudrait mieux ne pas espérer. La résolution finale de ce problème de rôle dépendra du poids que la personne-cible accordera à chacun des éléments de l'équation.

B) LES MODES DE RÉSOLUTION DE PROBLÈMES DE RÔLE IMPLIQUANT CONSTITUANT(S) ET PERSONNE-CIBLE

Reprenant l'analogie du chien et de l'os, nous avons cette fois au moins deux chiens, dont l'un représente la personne-cible et l'autre le constituant, qui se disputent un seul os. Dans les problèmes interpersonnels de rôle, tous les états de rôle peuvent être impliqués chacun à leur tour, que ce soient les rôles attendus, transmis, exercés, perçus ou préférés.

Nous avons vu dans les problèmes intrapersonnels de rôle comment fonctionnent les rôles préférés, perçus et exercés. Ces mêmes fonctionnements se transfèrent au niveau des problème interpersonnels de rôle, mais il faut cependant ajouter les rôles attendus et transmis.

Lors d'un problème interpersonnel de rôle impliquant les rôles transmis, il est coûteux pour la personne-cible de modifier ses rôles exercés ou d'abandonner ses rôles préférés avant d'avoir tâté le terrain concernant le sérieux et l'à-propos des rôles transmis. Par contre, il est plus sage de s'assurer que notre perception des rôles est exacte avant de se lancer dans la négociation des rôles transmis. Le processus de négociation est suggéré lorsque l'on a le sentiment que nos rôles préférés sont ou seraient tout aussi efficaces que les rôles transmis ou lorsque l'on est relativement sûr de l'exactitude de nos rôles perçus ou lorsque l'on estime que nos rôles exercés sont adéquats. La négociation est un processus d'adaptation entre deux parties et plus qui ont chacune de bonnes raisons de croire que leur position est justifiée.

Lorsque le problème interpersonnel de rôle implique les rôles attendus, la procédure de résolution de problème est un peu plus délicate pour la personne-cible. En effet, comme les rôles attendus peuvent être perçus par la personne-cible seulement au travers de mécanismes tels l'aperception, l'inférence, l'interprétation, ils ne peuvent faire l'objet d'une négociation ou d'une confrontation directe. Il est suggéré d'aborder la problématique des rôles attendus par le biais de l'ouverture, de la transparence. La personne-cible ne peut forcer l'explicitation des rôles attendus, elle peut cependant exposer la problématique à laquelle elle-même est confrontée, à savoir ses perceptions, ses aperceptions et les difficultés qui s'ensuivent et demander aux constituants impliqués de confirmer ou infirmer ou corriger sa problématique. C'est une forme indirecte d'élucidation car ce mécanisme ne peut être mis d'autorité en opération.

C) LES MODES DE RÉSOLUTION DE PROBLÈMES DE RÔLES ENTRE CONSTITUANTS

Selon notre analogie du chien et de l'os, un problème de rôle n'impliquant que des constituants ressemblerait étrangement à une dispute entre deux chiens pour la possession d'un os, lequel os représenterait la personne-cible. En effet, la personne-cible est présentée dans le problème en tant qu'objet du conflit ou de la surcharge de rôle. Même si elle est tiraillée de toutes parts, ce n'est pas elle qui a l'initiative de l'action, ce sont les constituants.

Si la marge de manoeuvre de la personne-cible est relativement faible pour résoudre le problème, elle n'en est pas moins puissante. Elle peut remettre le problème aux mains d'une ou des parties impliquée(s) et favoriser ainsi l'une ou l'autre partie. Reprenant le point de vue de Kieser (21), il est exact de considérer que le conflit de rôle entre constituants ne constitue pas seulement un problème, c'est aussi l'occasion de faire preuve d'un sens machiavélique de la politique. La personne-cible peut renvoyer le conflit objectif de rôle aux constituants impliqués et, par le fait même, contribuer à un gain de pouvoir pour la partie la plus puissante.

À un niveau d'intervention moins politique, il est possible de favoriser un processus de négociation visant davantage la résolution du problème que la prise du pouvoir lorsque les deux parties s'opposent pour des raisons fonctionnelles plutôt que pour des raisons d'hégémonie.

4.6 Conclusion

Les problématiques de rôle peuvent être résolues, qu'il s'agisse de conflit, d'ambiguïté, de surcharge ou de sous-utilisation. D'autre part, étant donné leurs relations étroites avec le stress au travail, il est prudent, sinon nécessaire, de les résoudre.

Le processus expérientiel de résolution des problématiques de rôle repose, dans ses phases initiales tout au moins, sur l'initiative et l'habileté de la personne-cible. Cette importance accrue accordée à la personne-cible, comparativement aux constituants, correspond à la façon contemporaine de conceptualiser les rôles. Graen (10) conçoit la consolidation des rôles comme un processus dynamique dans lequel l'interprétation que fait la personne-cible de ses propres rôles influence jusqu'à un certain point la formation des attentes chez les constituants.

D'autre part, les attentes auxquelles est confrontée la personne-cible sont souvent plutôt générales, c'est-à-dire ne sont pas étroitement reliées à la tâche. Dans ce contexte relativement flou, il est possible, pour la personne-cible, de démontrer par ses activités que ses valeurs et ses préférences sont compatibles avec celles soutenues par la coalition dominante dans son organisation.

L'ambiguité de rôle n'est pas seulement caractéristique d'une situation dans laquelle la personne-cible a de la difficulté à saisir ce qu'on attend d'elle. C'est aussi l'occasion de participer plus activement à la définition de ses propres rôles.

La même règle s'applique au conflit de rôle. Le conflit de rôle ne constitue pas seulement un problème, c'est aussi l'occasion de faire preuve d'un sens machiavélique de la politique comme il a été énoncé précédemment.

L'impact de la structure organisationnelle sur les rôles n'est pas unidirectionnel. Des régulations structurales qui réduisent l'ambiguité et les conflits de rôle peuvent aussi limiter le degré de liberté associé à des performances exceptionnelles. D'autre part, la routinisation de certaines activités libère la personne-cible et lui permet de se concentrer sur des problèmes plus complexes et/ou plus importants.

Bibliographie et références

(1) Adams, J.S. (1976). The structure and dynamics of organization boundary role in Dunnette, M.D. (Ed.). *Handbook of Industrial and Organizational Psychology.* Chicago: Rang McNally.

(2) Adams, J.D. (1980). *Understanding and managing stress.* San Diego: University Associates.

(3) Bandura, A. (1977). *Social Learning Theory.* New Jersey: Prentice-Hall.

(4) Caplan, R.D. (1971). Organizational stress and individual strain: A Social-psychological study of risk factors in coronary heart disease among administrators, engineers and scientists. Unpublished doctoral dissertation. University of Michigan.

(5) Crozier, M., Friedberg, E. (1977). *L'acteur et le système.* Paris: Éditions du Seuil.

(6) Culbert, S., McDonough, J. (1980). *The invisible war: Pursuing self-interest at work.* New York: John Wiley & Sons.

(7) French, J.R.P., Jr. (1974). Person-role fit in McLean, A. (Ed.) *Occupational Stress.* Springfield, ILL.: Charles C. Thomas.

(8) French, J.R.P., Caplan R.D. (1973). Organizational stress and individual strain in Marrow, A.J. (Ed.) *The Failure of Success.* New York: A.M.A.

(9) Gouldner, A.W. (1960). The norm of reciprocity: A preliminary statement. *American Sociological Review, 25,* 161-179.

(10) Graen, G. (1976). Role-making processes within complex organizations in Dunnette, M.D. (Ed.) *Handbook of Industrial and Organizational Psychology.* Chicago: Rand McNally.

(11) Hemphill, J.K. (1959). Job descriptions for executives. *Harvard Business Review, 37,* 55-67.

(12) Hemphill, J.K. (1960). Dimensions of executive positions. Ohio Studies in Personnel, *Research Monographs, #98.* Ohio State University, Bureau of Business Research.

(13) Hollander, E.P., Julian, J.W. (1969). Contemporary trends in the analysis of leadership process. *Psychological Bulletin, 17,* 381-397.

(14) Hersey, P., Blanchard, K.H. (1977). *Management of organizational behavior.* Englewood Cliffs, N.J.: Prentice-Hall.

(15) Horne, J.H., Lupton, T. (1965). The work activities of "middle" managers. *Journal of Management Studies, 1,* 14-33.

(16) House, R.J., Rizzo, J.R. (1972). Role conflict and ambiguity as critical variables in a model of organizational behavior. *Organizational Behavior and Human Performance, 7,* 467-505.

(17) Jacobs, T. (1971). *Leadership and exchange in formal organizations.* Alexandria, VA: Human Resources Research Organization.

(18) Kahn, R.L. (1974). Conflict, ambiguity, and overload: Three elements in job stress in MacLean, A. (Ed.) *Occupational Stress.* Springfield, ILL.: Charles C. Thomas.

(19) Kahn, R.L., Wolfe, D.M., Quinn, R.P., Snoek, J.D. (1964). *Organizational stress: Studies in role conflict and ambiguity.* New York: John Wiley.

(20) Katz, D. Kahn, R.L. (1978). (2nd ed.). *The Social psychology of organizations.* New York: John Wiley.

(21) Kieser, A. (1982). Comment on the Paper by Anne S. Tsui: "A multiple-constituency framework of managerial reputational effectivenes. Paper presented at the NATO sponsored SEVENTH LEADERSHIP SYMPOSIUM in Oxford, U.K., July 11-16.

(22) Luft, J. (1967). *Introduction à la dynamique des groupes.* Paris: Privat.

(23) McGrath, J.E. (1976). Stress behavior in organizations in Dunnette, M.D. (Ed.). *Handbook of Industrial and Organizational Psychology.* Chicago: Rand McNally.

(24) Merton, R. (1957) (2nd ed.). *Social theory and social structure.* Glencoe, ILL.: Free Press.

(25) Miles, R.H. (1976). A comparaison of the relative impacts of role perceptions of ambiguity and conflict by role. *Academy of Management Journal,* 25-35.

(26) Milgram, S. (1965). Some conditions of obedience and disobedience to authority. *Human Relations.* 18, 57.

(27) Mintzberg, H. (1973). *The nature of managerial work.* New York: Harper.

(28) Mintzberg, H. (1977). Le travail du dirigeant: La légende et les faits. *Direction et Gestion, 1,* 11-23.

(29) Quinn, R.P., Shepard, L.J. (1974). The 1972-73 quality of employment survey. Ann Arbor: Institute for Social Research. University of Michigan.

(30) Rizzo, J.R., House, R.J., Lirtzman, S.I. (1970). Role conflict and ambiguity in complex organizations. *Administrative Science Quarterly,* 15, 150-163.

(31) Rogers, D.L., Molnal, J. (1976). Organizational antecedents of role conflict and ambiguity in top level administrators. *Administrative Science Quartely, 17,* 598-610.

(32) Sales, S.M. (1969). Differences among individuals in affective, behavioral, biochemical and physiological responses to variations in work load. Doctoral dissertation. University of Michigan.

(33) Savoie, A. (1978). Les rôles attendus en regard de l'efficience au travail. Document inédit.

(34) Schuler, R. (1975). Role perceptions, satisfaction and performance: A partial reconciliation. *Journal of Applied Psychology, 60,* 683-687.

(35) Stewart, R. (1967). *Manager and their jobs.* London: MacMillan.

(36) Szilagyi, A.D. (1977). An empirical test of causal influence between role perceptions, satisfaction with work, performance and organizational level. Personnel Psychology, 30, 375-388.

(37) Szilagyi, A.D., Sims, H.P. Jr., Keller, R.T. (1976). Role dynamics, locus of control and employee attitudes and behavior. *Academy of Management Journal, 19,* 259-276.

(38) Tsui, Anne S. (1982). A multiple-constituency framework of managerial reputational effectiveness. Paper presented ad the NATO sponsored SEVENTH LEADERSHIP SYMPOSIUM. Oxford, U.K., July 11-16. 1982.

(39) Whetten, D.A. (1978). Coping with incompatible expectations: An integrated view of role coflict. *Administrative Science Quarterly, 23,* 254-271.

La prévention du stress
des subordonnés

CHAPITRE **V**

Un travail plus satisfaisant

Ce qui est "nouveau", c'est de ne plus mettre l'accent exclusivement sur les conditions de travail, mais d'ouvrir de nouvelles voies quant à l'organisation même du travail, c'est-à-dire quant à la répartition des responsabilités, à la façon de faire le travail, au contenu du travail.

Gérald Lefebvre (16).

Il y a au moins deux bonnes raisons de s'intéresser à la satisfaction. Premièrement, ne constitue-t-elle pas une fin en soi, un peu comme le bonheur ou la joie? Deuxièmement, elle est associée à diverses autres attitudes et comportements reliés au stress. C'est surtout à cause de cette seconde raison que ce chapitre porte sur la satisfaction au travail.

5.1 Satisfaction et stress au travail

Dans une étude longitudinale d'une durée de 15 ans présentée en 1969, Erdman Palmore (23) rapporte que le meilleur prédicteur individuel de la longévité (r = 0,26) est la satisfaction au travail définie comme le sentiment d'être généralement utile et capable de remplir un rôle social significatif. Le deuxième plus puissant prédicteur s'avère être le degré de bonheur apparent du répondant tel que perçu par un interviewer (r = 0,25). Ces deux mesures psycho-sociales prédisent mieux la longévité que l'appréciation médicale de l'état physique, qu'une mesure de la consommation de tabac, que l'héritage génétique. Qui plus est, l'annulation, par manipulation statistique, de l'influence des variables précédentes n'altère en rien la position dominante de la satisfaction au travail comme prédicteur de la longévité.

Dans une autre perspective, il appert que les maladies cardiaques expliquent à peu près la moitié des décès. Chose étrange, les facteurs "médicaux" tels le taux de cholestérol, la pression sanguine, le taux de glucose, le poids etc., ne représentent approximativement que 25% des facteurs de risque dans les maladies cardiaques (French et Caplan, 3). La tendance actuelle est d'attribuer aux facteurs psycho-sociaux le 75% restant de ces facteurs de risque. Une recension poussée de la documentation (Jenkins, 11) rapporte de nombreuses études qui indiquent des associations entre des maladies coronariennes et diverses insatisfactions au travail telles l'ennui, un sentiment de malaise, des conflits interpersonnels. Parmi les facteurs psycho-sociaux du travail les plus fréquemment associés aux maladies coronariennes, il faut mentionner:

167

- le mécontentement au travail provenant d'un travail ennuyeux, un manque de reconnaissance (recognition), de mauvaises relations avec les coéquipiers, de mauvaises conditions de travail (Jenkins, 10; Sales et House, 24).

- une faible estime de soi (Kasl et Cobb, 12).

- les conflits de rôle, l'ambiguité de rôle, la surcharge de rôle (Kahn *et al.,* 11).

- des changements excessifs, en termes de rapidité et de fréquence, au travail (Caplan, 1).

- une disparité entre le statut de l'emploi et d'autres dimensions importantes de la vie, tel le niveau d'éducation (Jenkins, 10).

- certaines caractéristiques de la personnalité, comme le type A (Sales et House, 24).

- un manque de stabilité, de sécurité et de support dans l'environnement de travail (Caplan, 1).

Vivre un état d'insatisfaction est en soi une expérience psychologique déplaisante. De plus, l'existence d'un tel état implique une certaine forme de conflit puisque l'individu en cause souhaite se défaire de cette insatisfaction. Kornhauser (13) a effectué l'étude la plus systématique sur les relations entre la satisfaction au travail et la santé mentale. Ayant développé un index de santé mentale à partir de six éléments (anxiété/tension, estime de soi, hostilité, sociabilité, satisfaction face à la vie, moral), Kornhauser a trouvé des relations consistantes entre la satisfaction vis-à-vis du travail et l'index de santé mentale. La plus forte corrélation entre le travail et la santé mentale reposait sur "la possibilité de faire usage de ses habiletés".

5.2 Les prédicteurs de la satisfaction au travail

S'il est vrai que la satisfaction au travail est le meilleur prédicteur de la longévité, qu'elle est négativement associée aux maladies coronariennes et qu'elle entretient une relation positive avec la santé mentale, il y a lieu d'identifier les facteurs qui favorisent l'émergence de la satisfaction au travail. C'est ce à quoi se sont attaqués nombre d'auteurs au cours du dernier quart de siècle.

La majorité de ces recherches sur la satisfaction au travail s'inscrit implicitement dans le paradigme du modèle ISR à l'effet que l'environnement objectif (les caractéristiques du travail dans le cas présent) conditionne l'expérience subjective de l'individu (ce qu'il vit dans son travail) qui adopte des comportements, des attitudes, des réactions physiologiques lesquels affecteront sa santé mentale et physique. Cet enchaînement est modulé par les caractéristiques personnelles de l'individu et par ses relations interpersonnelles (voir figure 5-1).

FIGURE 5-1

Le modèle ISR : l'environnement et la santé

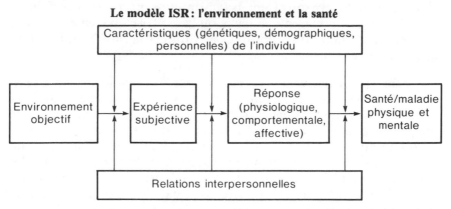

Source: Kahn, R.L. (1974). Conflict, ambiguity, and overload: three elements in job stress *in* McLean A. (Ed.) *Occupational stress.* Springfield, Ill.: Thomas.

Le modèle ISR propose des catégories conceptuelles plutôt que la représentation d'une théorie. Selon les contenus inclus dans les catégories et les rapports entre les catégories, le modèle s'avérera plus explicite et corollairement plus restrictif.

5.2.1 Le fondement théorique

Ainsi, dans la catégorie "environnement objectif" Locke (18) rapporte une liste de facteurs identifiés par différents auteurs comme étant reliés à la satisfaction et à l'intérêt au travail: occasion de nouveaux apprentissages, créativité au travail, variété du travail, difficulté du travail, quantité de travail, responsabilité, absence de pressions arbitraires à produire, autorité sur ses méthodes et son débit de travail, tâche enrichie en termes de responsabilités et de contrôle.

En termes "d'expérience subjective", ces facteurs réfèrent au défi mental (et comportemental) qu'offrent les activités de travail. En l'absence d'un tel défi, c'est l'ennui qui s'installe : l'ennui survient quant les processus mentaux impliqués au travail ne suffisent pas à occuper et à concentrer l'attention. De plus, toujours au niveau de "l'expérience subjective", une tâche représentant un défi pour le titulaire suscite son implication parce qu'elle requiert l'exercice de choix et de jugement personnels qui font du titulaire un agent encore plus causal de la performance. C'est le principe de la responsabilité. Dans cette même foulée de "l'expérience subjective", une précondition importante à la satisfaction au travail consiste, selon Herzberg *et al.* (9), dans le fait que l'individu trouve son propre travail intéressant et significatif. En ce sens, le défi que représente la tâche ou la maîtrise qu'il en a acquis ne sont pas des conditions suffisantes à entraîner la satisfaction. Il faut que la tâche elle-même soit signifiante.

Finalement, les recherches de la dernière décennie ont mis en évidence l'importance pour l'employé d'exécuter des tâches pour lesquelles sa contribution personnelle est perceptible et identifiable ; de même, la possibilité d'obtenir un feedback direct, c'est-à-dire de percevoir durant l'exécution de sa tâche les résultats de ses efforts, joue un rôle important dans le sentiment d'accomplissement d'un individu. Ces deux variables s'inscrivent dans la catégorie "environnement objectif". Leur contrepartie respective au niveau de "l'expérience subjective" réfère à la signifiance du travail et à la connaissance des résultats. Par la connaissance des résultats, l'individu peut apprécier son niveau de réussite, selon le degré d'atteinte des objectifs, selon ses progrès en termes de performance ou selon son avancement en regard de l'objectif visé (Locke *et al.,* 19).

5.2.2 Le modèle global

Il a fallu cependant attendre les travaux de Hackman et Oldham (6,8), pour tester, dans un modèle intégré, la nature et les rapports des composantes de l'environnement objectif et de l'expérience subjective en regard de la satisfaction dans le milieu de travail. Ces auteurs proposent un modèle théorique composé de cinq dimensions primordiales de l'emploi qui suscitent spécifiquement certains états psychologiques critiques — au nombre de trois — lesquels sont suivis indistinctement de cinq résultantes affectives et comportementales. Leur théorie prévoit un effet modérateur des besoins de croissance sur les liens unissant ces trois catégories de variables (voir figure 5-2).

FIGURE 5-2

Variables considérées dans la prédiction de la satisfaction

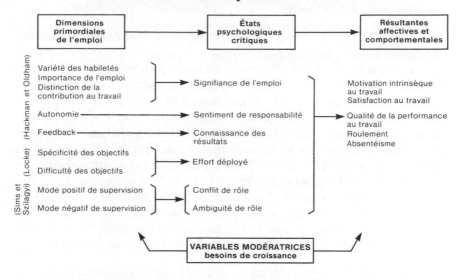

Source : Maillet, L. (1980). Modèle d'analyse et de prévision de la satisfaction et du rendement chez des agents du service correctionnel. Thèse de doctorat inédite. Université de Montréal. p. 75. Adaptation.

Les auteurs postulent que les états psychologiques critiques constituent les assises causales du modèle de pas leur rôle de médiateur. En effet, les dimensions primordiales de l'emploi exercent une influence sur les résultantes affectives et comportementales dans la mesure où cette influence est médiatisée par les variables psychologiques. D'autre part, Hackman et Oldham présument que chaque variable psychologique est stimulée par une dimension ou un groupe de dimensions primordiales de l'emploi. Ainsi, la signifiance de l'emploi serait fonction de la moyenne des variables diversité des habiletés, importance de l'emploi et distinction de la contribution au travail. La seconde variable psychologique, le sentiment de responsabilité, dépendrait du niveau d'autonomie. Enfin, la connaissance des résultats découlerait du feedback direct. Ces trois variables psychologiques détermineraient sans distinction les cinq variables résultantes. Toutefois, les auteurs atténuent ce déterminisme mécanique en insérant l'influence modératrice d'une variable individuelle, à savoir le besoin de croissance. Ainsi, selon la force du besoin de croissance, les relations entre les trois caté-

171

gories de variables seraient plus ou moins intenses. Plus ce besoin sera important, plus les relations seront prononcées; plus il sera faible, plus les relations s'affaibliront.

Les vérifications empiriques du modèle de Hackman et Oldham ont présenté des résultats encourageants, particulièrement en regard des attitudes (satisfaction, motivation), mais non pas quant au rendement et à l'absentéisme. Ainsi, le modèle est supporté en ce qui concerne le rôle déclencheur des dimensions primordiales de l'emploi, le rôle médiateur des états psychologiques critiques et le rôle modérateur du besoin d'accomplissement, le tout en regard des attitudes comme la motivation intrinsèque et la satisfaction au travail (Hackman et Oldham, 8). Une vérification effectuée lors d'un changement organisationnel de type "enrichissement de la tâche" en milieu bancaire démontre que l'amélioration des dimensions primordiales de l'emploi conduit à une augmentation significative du niveau de satisfaction et de motivation (mais non pas de rendement) et que cette relation s'accentue en fonction de l'intensité du besoin de croissance (Hackman, 5).

Maillet (20) a repris le modèle de Hackman et Oldham (8) en y adjoignant les propositions de Locke (17) concernant l'influence de la spécificité et de la difficulté des objectifs sur le rendement par l'intermédiaire de l'effort déployé, et les propositions de Sims et Szilagyi (25) à propos des modes positif ou négatif de supervision et de leur incidence sur les problématiques de rôle, à savoir le conflit et l'ambiguïté.

Étant donné l'importance stratégique qu'ont ces variables dans la prédiction de la satisfaction et dans l'élaboration d'un plan d'intervention visant à rendre le travail plus satisfaisant, il est indispensable de préciser le sens exact des variables dont il est question.

5.2.3 Les composantes du modèle global

Les variables de l'expérience subjective (McGrath, 21) sont composées des trois états psychologiques critiques de Hackman et Oldham (8), des deux problématiques de rôle (Sims et Szilagyi, 26) et de l'effort déployé (Steers, 27). Ces variables psychologiques occupent une position dominante dans la présente approche parce que les caractéristiques objectives des tâches affectent l'employé par l'intermédiaire de l'expérience subjective qu'il en fait. Et en ce sens, l'expérience subjective qu'il en a est plus importante que la nature même des caractéristiques de l'emploi, en autant que ces caractéristiques suscitent le type souhaité d'expérience subjective.

172

- Signifiance de l'emploi (experienced meaningfulness of the work): le degré auquel l'employé a le sentiment que son emploi est valable et important. Selon l'approche de Hackman et Oldham (8), un individu éprouve au travail des sentiments positifs, résultant de ses propres efforts, dans la mesure où il accomplit des tâches qui sont significativement importantes pour lui personnellement.

- Sentiment de responsabilité (experienced responsability for outcomes of the work): le degré auquel l'employé a le sentiment d'être responsable et garant des résultantes de son travail. Pour qu'un employé se sente personnellement responsable des résultats positifs ou négatifs de son travail, il est essentiel que ces résultats dépendent, au premier chef, de ses propres efforts.

- Connaissance des résultats (knowledge of the actual results of the work activities): le degré auquel l'employé est en mesure, sur une base continue, d'évaluer l'efficacité de sa performance. C'est la perception continue des résultats qui permet à l'employé de moduler et d'orienter ses efforts de manière à atteindre les objectifs qui lui sont impartis.

- Conflit de rôle (role conflict): le degré auquel l'employé fait face à des demandes logiquement, politiquement ou temporellement incompatibles entre elles, ou en opposition avec ce que l'employé estime adéquat, ou requérant des ressources qu'il n'a pas à sa disposition. Ce type de conflit risque fort d'amoindrir ou d'entacher sérieusement la qualité de l'expérience vécue au travail, surtout s'il perdure.

- Ambiguïté de rôle (role ambiguity): le degré auquel l'employé ne connaît pas avec certitude l'autorité qui lui est déléguée, les responsabilités qui lui sont confiées, ce qu'il a à faire, ce que l'on attend de lui. Selon le degré de pouvoir attribué à l'employé, l'ambiguïté de rôle peut se révéler un atout ou un handicap.

- Effort déployé: le degré d'effort que l'employé a à fournir pour atteindre les objectifs fixés.

Ce sont les caractéristiques objectives du travail qui induisent le vécu au travail. Leur importance provient du fait qu'elles sont modifiables et qu'elles peuvent être modelées de manière à susciter les réactions psychologiques désirées.

- La variété des habiletés (skill variety): La mesure dans laquelle un emploi fait appel à une dìversité d'habiletés et de talents pour être rempli adéquatement. Cette variable réfère aussi à la diversité des tâches devant être accomplies, de même qu'à l'éventail des équipements et/ou des procédures requis.

- L'importance de l'emploi (task significance): la mesure dans laquelle un emploi donné exerce un impact substantiel et perceptible sur la vie (ou le travail) d'autrui, que ce soit dans l'organisation ou à l'extérieur de celle-ci. En d'autres termes, l'importance réfère au statut et à l'influence qui sont attribués et reconnus à cet emploi.

- La distinction de la contribution au travail (task identity): la mesure dans laquelle la contribution de l'employé est identifiable, parce qu'il réalise la tâche au complet, parce que le produit est facilement observable, parce que la transformation effectuée a suffisamment d'ampleur, etc.

- L'autonomie: le degré de liberté et d'indépendance au travail que permet l'emploi; la latitude d'organiser à sa guise l'exécution du travail et la façon de le faire.

- Le feedback direct: le degré auquel le travail lui-même fournit à l'employé des informations claires et directes sur l'efficacité de sa performance.

- La difficulté des objectifs: le degré de difficulté que l'employé attribue à l'objectif qui lui est confié de par les efforts et/ou les habiletés requises pour l'atteindre.

- La spécificité des objectifs: le degré de clarté, de précision, de spécificité avec lequel l'employé perçoit les objectifs de son emploi.

- Le mode positif du supervision: le degré auquel le supérieur immédiat offre de l'écoute, de l'encouragement, du support en cas de difficulté, et de la reconnaissance, des responsabilités et des promotions en cas de bonnes performances.

- Le mode punitif de supervision: le degré auquel le supérieur immédiat utilise des réprimandes et des mesures punitives en cas de performances insatisfaisantes.

Pour les fins du présent chapitre, seules sont retenues parmi les résultantes affectives et comportementales:

- Satisfaction générale, à savoir le degré auquel l'employé révèle être satisfait en général à son travail.

- Satisfaction vis-à-vis du travail, à savoir le degré auquel l'employé se dit satisfait de son travail.

5.2.4 Un modèle de prédiction de la satisfaction générale au travail

En considérant les variables de la tâche et les variables psychologiques qui présentent un rapport direct avec la satisfaction générale au travail, Maillet (20), par régression multiple, obtient un modèle (figure 5-3) prédictif de la satisfaction générale, modèle expliquant 53,75% de la variance. Cependant l'auteur précise que son modèle, se limitant à étudier les relations unidirectionnelles du système, n'indique aucun lien entre les variables de la tâche entre elles et les variables psychologiques entre elles, quoique la réalité se veuille probablement autre.

FIGURE 5-3

Modèle de prédiction de la satisfaction générale au travail

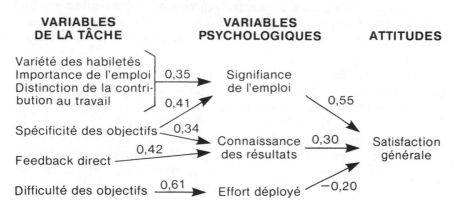

Source: Maillet, L. (1980). Modèle d'analyse et de prévision de la satisfaction et du rendement chez des agents du service correctionnel. Thèse de doctorat inédite. Université de Montréal. P. 211.

Compte tenu de ces restrictions, on peut suggérer que la satisfaction générale est prédite principalement par la signifiance du travail qui découle de la variété des habiletés, de l'importance de l'emploi et de la distinction de la contribution au travail de même que de la spécificité des objectifs. Cette dernière, avec le feedback direct, contribue à la connaissance des résultats, laquelle prédit à son tour la satisfaction générale. Quant à l'effort déployé, déterminé par la difficulté des objectifs, son influence plus faible s'exerce à l'encontre de la satisfaction générale. Ainsi un employé éprouve une satisfaction générale au travail dans la mesure où il a le sentiment que son emploi est signifiant (ce sentiment étant présent si ses objectifs de travail sont spécifiques, si son emploi est important, s'il fait appel à une variété d'habiletés et si sa contribution est aisément identifiable), et dans le mesure où il peut évaluer continuellement l'efficacité de sa performance, cette évaluation dépendant de la spécificité de ses objectifs et du degré de feedback direct en situation de travail. En bref, un employé se dit satisfait en général si ses objectifs sont clairs et précis et si son travail est important, distinct, varié, informateur, ce qui lui permet de voir ses résultats et surtout de trouver un sens à son travail.

5.2.5 Un modèle de prédiction de la satisfaction vis-à-vis du travail

Contrairement à la satisfaction générale qui est prédite par trois variables psychologiques, la satisfaction vis-à-vis du travail est prédite par une seule variable psychologique, à savoir la signifiance du travail. Cette variable explique 43,79% de la variance de la satisfaction vis-à-vis le travail.

Suite à une analyse de régression multiple, Maillet (20) obtient un modèle (figure 5-4) où la satisfaction vis-à-vis du travail est majoritairement déterminée par la signifiance du travail qui médiatise l'influence provenant de la variété des habiletés, de l'importance de l'emploi, de la distinction de la contribution au travail, de la spécificité des objectifs. La puissance de prédiction du feedback direct sur la satisfaction vis-à-vis du travail, quoique sans intermédiaire, est plus faible que celle de la signifiance du travail. En tout, ce modèle explique 47,25% de la variance.

Ainsi, un employé est satisfait vis-à-vis de son travail dans la mesure où il peut évaluer l'efficacité de sa performance et surtout dans la mesure où il trouve un sens à son travail. Ce sens provient d'une part de la spécificité des objectifs et, d'autre part, de la variété des habiletés utilisées, de l'importance de son emploi et de la distinction de sa contribution au travail. Bref, l'employé est satisfait quant à son travail si, premièrement, il trouve que ce travail est important, distinct, varié, clairement orienté, ce qui le rend signifiant à ses yeux, et deuxièmement, s'il peut y voir les résultats de sa performance.

FIGURE 5-4

Modèle de prédiction de la satisfaction vis-à-vis du travail

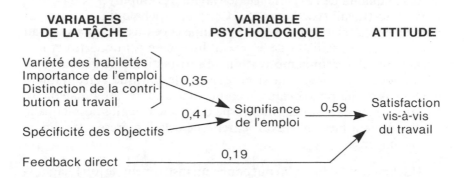

Source: Maillet, L. (1980). Modèle d'analyse et de prévision de la satisfaction et du rendement chez des agents du service correctionnel. Thèse de doctorat inédite. Université de Montréal. P. 214.

La satisfaction générale et la satisfaction vis-à-vis du travail ont en commun un ensemble crucial de variables de la tâche dans leur modèle de prédiction respectif, il s'agit de la diversité des habiletés, de l'importance de l'emploi, de la distinction de la contribution, de la spécificité des objectifs et du feedback direct. Entre ces cinq variables de la tâche et chacune des attitudes, la signifiance du travail agit comme médiateur psychologique privilégié et/ou assise causale majeure. Cependant, dans le cas de la satisfaction générale, il faut ajouter, comme médiateurs, la connaissance des résultats et l'effort déployé, ce dernier servant d'intermédiaire à la difficulté des objectifs.

Ainsi, suite aux résultats empiriques obtenus par Maillet (20), il y aurait lieu de porter l'intervention sur ces dimensions de l'emploi métiatisées par ces variables psychologiques advenant que l'on veuille modifier le niveau de satisfaction des employés. Si la cible "satisfaction" est plus spécifique (c'est-à-dire soit générale, soit vis-à-vis du travail), il est possible de sélectionner les variables psychologiques et de la tâche les plus pertinentes.

5.3 L'intervention sur les variables-clé

Le processus d'intervention sur les variables-clé s'appuie sur la théorie et la pratique de réorganisation du travail (work design) qui

177

réfère à toute activité impliquant la modification d'emplois spécifiques (ou de systèmes interdépendants d'emplois) avec l'intention d'accroître à la fois la qualité de l'expérience de travail des employés et leur productivité au travail (Hackman, 5). Cette approche qui altère fondamentalement la relation entre une personne et ce qu'elle fait au travail est fondée sur le postulat que le travail lui-même peut constituer une puissante influence sur la motivation, la satisfaction et la productivité de l'employé. Elle prend aussi en compte le fait que l'être humain n'exclut pas ses besoins sociaux et émotionnels au travail. Finalement, elle s'appuie sur la motivation interne envers le travail selon laquelle un individu fera bien un travail parce que cela l'intéresse, le stimule et le récompense.

Hackman et Oldham (6) ont conçu un instrument, le job Diagnostic Survey (JDS) qui leur permet de mesurer toutes les variables de leur modèle sauf celles liées au rendement, au roulement et au taux d'absentéisme. Ce questionnaire a été validé auprès de 1500 répondants oeuvrant dans une quinzaine d'organisations différentes et occupant au total plus de 100 emplois divers. Cet instrument a été élaboré dans le but de porter un diagnostic scientifique sur l'état des caractéristiques de l'emploi, des variables psychologiques, des attitudes résultantes de même que sur le niveau du besoin de croissance.

5.3.1   Le processus global d'intervention

Il y a autant de programmes d'enrichissement des tâches qui ont échoué qu'il y en a qui ont réussi. Les causes les plus fréquentes d'échec se retrouvent surtout au moment de l'implantation du programme sans égard aux mérites intrinsèques du programme. Une étude sur le terrain de ces succès et de ces échecs a conduit Hackman (4) à proposer une série de balises pour guider l'implantation et l'application des programmes d'enrichissement des tâches. Voici l'essentiel de ces propositions:

A) NÉCESSITÉ IMPÉRATIVE D'UN DIAGNOSTIC AVANT TOUTE INTERVENTION

Suite à son enquête, Hackman (4) acquiert la conviction que la réorganisation du travail (work design) n'est ni efficace, ni appropriée en toutes circonstances. De plus, il observe que rarement exécute-t-on un diagnostic systématique pour déterminer si une intervention de type enrichissement des tâches est appropriée et faisable compte tenu des circonstances concrètes qui existent dans l'organisation. Ainsi, il rapporte que la sélection des emplois ou des catégories d'emplois à être modifiés relève davantage du hasard que de la science. Ce choix peut provenir d'une décision intuitive d'un gestionnaire, de la situation périphérique de l'emploi dans l'organisation — de sorte que les dégâts seront mineurs advenant que ça tourne mal — ou tout simplement parce que ça va mal dans un emploi donné: on espère ainsi tout régler d'un seul coup.

Hackman (5) préconise que seuls les emplois offrant peu de satisfaction et de motivation intrinsèque au travail (selon leur score au JDS) soient retenus comme cible virtuelle. Cependant un emploi peut être peu motivant ou peu satisfaisant pour d'autres raisons que les caractéristiques mêmes de l'emploi, que ce soit, par exemple, à cause de la technologie employée ou du flux des opérations. D'autre part, certains emplois peu motivants et satisfaisants peuvent être à leur mieux compte tenu de la technologie existante alors que d'autres sont tellement "mal en point" que toute intervention risque d'aggraver la situation. Afin de déterminer si ce sont vraiment les caractéristiques essentielles de l'emploi qui sont la cause initiale du peu de satisfaction et de motivation intrinsèque, il importe d'établir le **Motivating Potential Score** (MPS) de l'emploi et de le comparer au score d'emplois similaires. Si, effectivement, le score MPS est plus faible que celui des emplois comparables, il y a lieu de poursuivre le diagnostic.

"Quels sont les aspects spécifiques de l'emploi qui sont à la source des difficultés?" L'élaboration des profils comparatifs basés sur les échelles du score MPS contribue sérieusement à identifier les dimensions spécifiques les plus durement atteintes dans l'emploi en question. Ces spécifications sont encore plus facilement identifiables quand on dispose des profils d'emplois comparables.

Lorsque les dimensions de l'emploi justifiant une amélioration ont été clairement identifiées, il y a lieu de penser au processus d'implantation proprement dit. Le principal facteur à considérer à ce moment, c'est l'ouverture au changement des personnes concernées, tant les employés-cible que leurs supérieurs immédiats et hiérarchiques. En ce qui concerne les employés-cible, en plus des mesures de satisfaction, il est opportun de considérer les besoins de croissance qui peuvent indiquer ou suggérer leur degré de réceptivité et d'implication future face à des changements de type enrichissement de tâche. Cependant, les résultats obtenus par Maillet (20) jettent le doute sur l'importance des besoins de croissance. Du côté des supérieurs, il y a cette tendance au scepticisme quant au désir et aux capacités des employés à effectuer un emploi enrichi même si, en fait, on retrouve une gamme variée d'attitudes et d'aptitudes en regard de l'enrichissement de tâche chez un groupe d'employés exerçant le même emploi. Il est donc, prudent de tenir compte de l'intérêt réel et de l'implication sincère des supérieurs face au projet d'enrichissement. Ces attitudes seront cruciales lorsque les problèmes surgiront inévitablement et qu'elles devront se traduire en actions de support ou même en défense du projet.

B) LE TRAVAIL: FOYER DE L'ATTENTION ET DES EFFORTS

La réorganisation d'un emploi est une tâche apparemment simple mais fondamentalement complexe. Il suffit de songer à l'inertie bureaucratique qu'il faudra vaincre, aux descriptions de l'emploi qu'il faudra refaire et faire autoriser, aux négociations qu'il faudra mener avec les instances syndicales, aux interfaces à aménager entre l'emploi-cible et ceux avec lesquels il y a interaction fréquente, etc. Mais le principal défi à relever réside dans la modification même de l'emploi. Hackman (5) rapporte une expérience d'enrichissement de tâche en milieu bancaire où l'on avait créé des petits groupes de travail, modifié le type de supervision, changé les appellations des unités de travail et des emplois mais sans changer la nature même de l'emploi. Six mois après l'instauration de ce changement, les auteurs notent sans surprise une légère détérioration de la satisfaction et de la motivation intrinsèque au travail. Ils attribuent cette absence de modification substantielle dans l'emploi lui-même à l'absence d'un cadre théorique ayant pu guider les intervenants tout au long du processus de changement.

5.3.2 Les variables-clé

À cet effet, Hackman (5) propose quelques principes opérationnels visant à effectuer des changements en ce qui concerne le travail lui-même. Ces principes sont mis en relation avec les dimensions fondamentales du travail, tel que l'indique la figure 5-5.

La variété des habiletés

Certains auteurs (Hackman, 5; Sims et Szilagyi, 25 et 26) postulent que la variété des habiletés requises dans un emploi peut être

FIGURE 5-5

Mécanismes de changement des dimensions primordiales de l'emploi

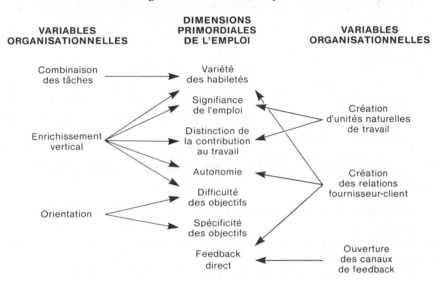

Source: Hackman, J.R. (1977). Work design in Hackman, J.R., Suttle, J.L. Improving life at work. *Santa Monica, CA.: Goodyear Publishing. P. 136.*

accrue à partir de trois types de changement occupationnel, à savoir la combinaison des tâches, l'enrichissement vertical et la création de relations de type fournisseur-client.

La combinaison des tâches réfère à ce que Herzberg identifie sous le vocable élargissement des tâches. Il s'agit en fait de rassembler sous un même emploi un plus grand nombre de tâches appartenant à des fonctions connexes, logiquement et psychologiquement liées: par exemple, permettre aux ouvriers d'assembler un objet au complet plutôt que seulement une de ses composantes.

L'enrichissement vertical constitue la contrepartie, en termes d'autorité et de responsabilité, de l'élargissement des tâches. Il s'agit d'accorder aux employés l'autorité requise pour qu'ils exécutent le travail à leur façon, à leur rythme, selon leurs priorités; de leur accorder le contrôle de la qualité de leur production de sorte qu'ils puissent effectuer les correctifs nécessaires au fur et à mesure des besoins; de les rendre responsables des résultats qu'ils obtiennent par un mécanisme de comptes à rendre envers leur supérieur.

En vue de rendre les employés directement responsables de leur production en regard des utilisateurs et des demandeurs de cette production, il existe une stratégie appelée **la création de relations de type fournisseur-client.** Cette approche assure aux employés le mécanisme de feedback indispensable à l'appréciation (sous forme de critiques ou de louanges directes) et même à la correction de leur production. Comme ces échanges se font la plupart du temps de personne à personne, les employés en arrivent aussi à développer davantage d'habileté dans leurs transactions interpersonnelles. Cette stratégie est très souvent appariée avec la création d'unités naturelles de travail dont elle constitue un sous-système.

L'importance de l'emploi/la distinction de la contribution au travail

L'emploi peut acquérir plus d'importance et parallèlement se distinguer davantage dans l'esprit des employés suite à l'introduction de l'**enrichissement vertical** (dont on a énoncé les composantes précédemment) et suite à la création "d'unités naturelles" de travail. La **création d'unités naturelles** de travail est une réponse contemporaine à la question "comment distribuer le travail à faire parmi des employés". La réponse traditionnelle, découlant de l'analyse scientifique du travail, consiste à fragmenter et à subdiviser le travail de façon à ce que chaque employé ait le maximum d'activités simples et répétitives. La création d'unités naturelles de travail va exactement à l'encontre de la philosophie précédente. Il s'agit par tous les moyens de favoriser le sentiment d'appartenance et de maîtrise de la production. "L'unité naturelle" inclut le demandeur de travail, la prise en charge complète de la demande de concert avec le demandeur, l'établissement de relations stables de travail avec ce demandeur. L'exemple le plus pertinent de ce concept provient du bassin de secrétaires où chacune des secrétaires, au lieu de se voir distribuer n'importe quelle demande par le chef de groupe, est affectée prioritairement au service d'un certain nombre de personnes dont elle remplit personnellement les demandes conformément à sa propre planification de l'ensemble de la charge de travail qui lui incombe.

Le feedback direct

Le feedback direct relève principalement de deux mécanismes dont l'un, la **création de relation de type fournisseur-client**, est aussi un sous-sytème de l'approche qui vise à **ouvrir** au mieux **les canaux** de rétroaction. La raison d'être du feedback est d'informer l'employé des résultats et même des conséquences de sa performance, que ce soit directement de par la réorganisation de la tâche ou indirectement par l'intermédiaire du supérieur immédiat ou à nouveau directement par la relation fournisseur-client. Le chapitre 7 du présent volume développe plus en détail ce concept du feedback. Le feedback vise à corriger, maintenir ou améliorer la performance au travail. Deux des approches fort discutées actuellement consistent au contrôle et à l'amélioration de la qualité inhérents à l'emploi et au contrôle/amélioration provenant du groupe d'employés sous la forme entre autres du "cercle de qualité". Il est indéniable que le feedback provenant de ces mécanismes accroît sensiblement la qualité et même la quantité de la production, réduit le taux de perte, de même que le taux de retour de la marchandise.

Spécificité/difficulté des objectifs

La spécificité et la difficulté des objectifs relèvent directement de l'**orientation** qui découle 1) de la description de poste 2) des rôles généralement attribués à ce poste, 3) des exigences concrètes de la tâche et surtout 4) des directives et commandes en provenance du supérieur immédiat. La recension de Latham et Yukl (14) suggère fortement que des objectifs difficiles et spécifiques entraînent une augmentation du niveau de rendement. Cependant, Steers et Porter (28) constatent que l'effet des objectifs à l'endroit du rendement tend à s'amenuiser avec le temps à moins d'être à nouveau stimulé. Ils constatent aussi que les échecs antérieurs de l'employé le rendent moins réceptif à cette forme de gestion par objectifs et qu'il y a danger de sursaturation et de démotivation lorsque l'employé est confronté à des objectifs trop difficiles (ou à trop d'objectifs simultanés qui, pris un à un, seraient réalisables). D'autre part, la difficulté des objectifs peut être accrue par l'**enrichissement vertical** du fait que l'autorité/responsabilité de l'employé sont augmentées.

L'autonomie

L'autonomie au travail résulterait principalement de l'**enrichissement vertical** des tâches par lequel l'employé acquiert la pleine charge de la planification, de l'organisation, de l'exécution et du contrôle de ce qu'il a à faire, et aussi de la **création de relation de type fournisseurs-clients** par lesquelles l'employé est doté d'un mécanisme de feedback direct en plus d'avoir à régler lui-même les problèmes de production avec ses clients.

5.4 Conclusion

On peut difficilement ignorer l'importance de hausser les dimensions primordiales de l'emploi à un niveau suffisamment stimulant pour l'être humain au travail. Beaucoup d'emplois présentent davantage de problèmes de sous-utilisation des habiletés que de surcharge qualitative. Gardell (3) rapporte une série de recherches sur le terrain effectuées dans des entreprises manufacturières, de pulpe et papier, et des scieries en Suède. Dans les entreprises manufacturières et de pulpe et papier, l'appréciation subjective de la monotonie était reliée à une estime de soi faible, à moins de satisfaction dans la vie et à la fréquence de symptômes nerveux. Dans les scieries, les mesures subjectives des caractéristiques de l'emploi (qui reflétaient sensiblement les mesures objectives) étaient reliées à l'épuisement physique et mental en fin de journée, aux inquiétudes concernant la santé, aux taux d'absentéisme attribués à divers symptômes physiques.

Il semble bien que l'approche de réorganisation des emplois centrée sur la modification des dimensions primordiales de l'emploi puisse effectivement affecter l'expérience subjective du travail de manière à entraîner plus de satisfaction au travail qui, on le sait, est associée à des tensions négatives réduites.

Bibliographie et références

(1) Caplan, R.D. (1971). Organizational stress and individual strain: A social psychological study of risk factors in coronary heart disease among administrators, engineers, and scientists. Unpublished doctoral dissertation, University of Michigan.

(2) French, J.R.P., Jr. Caplan, R.D. (1970). Psychosocial factors in coronary heart disease. *Industrial Medicine.* Vol. 39, 9, Septembre.

(3) Gardell *et al.* (1976). Differentiation of occupational stressors in Work and Health.

(4) Hackman, J.R. (1975b). On the coming demise of job enrichment in Cass, E.L., Zimmer, F.G. *Man and work in society.* New York: Van Nostrand-Reinhold.

(5) Hackman, J.R. (1977). Work design in Hackman, J.R., Suttle, J.L. *Improving life at work.* Santa Monica, Ca.: Goodyear Publishing.

(6) Hackman, J.R., Oldham, G. (1975). Development of the Job Diagnostic Survey. *Journal of Applied Psychology, 60,* 159-170.

(7) Hackman, J.R., Morris, C.G. (1975). Group tasks, group interaction process, and group performance effectiveness: a review and proposed integration in Berkowitz, L. *Advances in experimental social psychology,* Vol. 8. New York: Academic Press.

(8) Hackman, J.R., Oldham, G. (1976). Motivation through the design of work: test of a theory. *Organizational Behavior and Human Performance, 16,* 250-279.

(9) Herzberg, F., Mausner, B., Snyderman, B. (1959). *The motivation to work.* New York: Wiley.

(10) Jenkins, C.D. (1971). Psychological and social precursors of coronary disease. *New England Journal of Medecine,* Vol. 284.

(11) Kahn, R.L., Wolfe, O.M., Snoek, J.E., Rosenthal, R.A. (1964). *Organizational stress: Studies in role conflict and ambiguity.* New York: John Wiley.

(12) Kasl, S.V., Cobb, S. (1970). Blood pressure changes in men undergoing job loss: A preliminary report. *Psychosomatic Medicine, 32,* No. 1, 19-38.

(13) Kornhauser, A. (1965). *Mental health of the industrial worker.* New York: Wiley, 1965.

(14) Latham, G.P., Yukl, G.A. (1975a). A review of research on the explication of goal setting in organizations. *Journal of Applied Psychology, 18,* 824-845.

(15) Lawler, E.E. III, Damman, C. (1972). What makes a work group sucessful in Marrow, A.J. (Ed.). *The failure of success.* New York: AMACOM.

(16) Lefebvre, G. Extrait d'une allocution prononcée au colloque COSE portant sur la formation en milieu de travail. 9 novembre 1977.

(17) Locke, E.A. (1968). Toward a theory of task motivation and incentives. *Organizational Behavior and Human Performance. 3,* 157-189.

(18) Locke, E.A. (1976). The nature and causes of job satisfaction in Dunnette, M.D.

185

(Ed.). *Handbook of Industrial and Organizational Psychology.* Chicago: Rand McNally.

(19) Locke, E.A., Cartledge, N., Knerr, C.S. (1970). Studies of the relationship between satisfaction, goal-setting, and performance. *Organizational Behavior and Human Performance, 5,* 135-138.

(20) Maillet, L. (1980). Modèle d'analyse et de prévision de la satisfaction et du rendement chez des agents du service correctionnel. Thèse inédite de doctorat. Université de Montréal.

(21) McGrath, J.E. (1976). Stress and behavior in organizations **in** Dunnette, M.D. (Ed.). *Handbook of Industrial and Organizational Psychology,* Chicago: Rand McNally.

(22) Mintzberg, H. (1973). *The nature of managerial role.* New York: Harper and Row.

(23) Palmore, E., Jeffers, F. (Eds.) (1971). *Prediction of life span.* Lexington, Mass.: D.C. Heath.

(24) Sales, S.M., House, J. (1971). Job dissatisfaction as a possible risk factor in coronary heart disease. *Journal of Chronic Disease,* Vol. 23.

(25) Sims, H.P., Szilagyi, A.D. (1975). Leader reward behavior and subordinate satisfaction and performance. *Organizational Behavior and Human Performance, 14,* 423-438.

(26) Sims, H.P., Szilagyi, A.D. (1976). Leader structure and subordinate satisfaction for two hospital administrative levels: A path analysis approach. *Journal of Applied Psychology, 60,* 194-197.

(27) Steers, R.M. (1976). Factors affecting job attitudes in a goal-setting environment. *Academy of Management Journal, 19,* 6-16.

(28) Steers, R.M., Porter, L.W. (1974). The role of task-goal attributes on employee performance. *Psychological Bulletin, 81,* 434-452.

CHAPITRE **VI**

La facilitation de la participation au travail

À première vue, on n'est pas porté à considérer que la participation puisse avoir quelque relation que ce soit avec le stress. L'idée et le concept de participation ont tellement été diffusés, souvent avec une certaine notion de panacée universelle et de facilité, que le changement d'attitude impliqué dans une telle approche en est venu à passer inaperçu et que les échecs subséquents ont significativement contribué à la perte de crédibilité de ce concept.

6.1 Participation et stress

À la lecture des résultats mettant en rapport participation et stress, un doute similaire nous envahit. Se peut-il que la participation soit associée d'aussi belle façon à la réduction de phénomènes couramment apparentés au stress. Une des premières études préoccupées par les répercussions de la participation, celle de Coch et French (7), mesurait les résultantes de trois degrés très différents de participation utilisés pour implanter des changements majeurs dans les procédures de travail d'une usine de couture. Les résultats obtenus se résument de la manière suivante: plus le degré de participation est élevé, meilleures sont la productivité subséquente, la satisfaction au travail, les relations patron-employés et plus faible est le roulement. Des résultats comparables ont été obtenus par French *et al.* (9) dans une usine norvégienne. Une étude effectuée par Levitan (20) dans les kibbutz d'Israël révèle qu'un niveau élevé de participation est associé à un degré élevé de satisfaction vis-à-vis le travail et l'organisation, à une estime de soi forte, à un faible degré d'aliénation, à une forte implication au travail, à un absentéisme plus faible, à plus de travail en extra, à plus de lectures reliées au travail et à une évaluation plus élevée de la performance par le supérieur immédiat.

Dans la recherche effectuée à la Goddard Space Flight Center (Kahn *et al.,* 17), la participation s'accompagne de meilleures relations entre l'individu-cible et son supérieur immédiat, ses collègues et ses subordonnés (r = 0,24 à 0,52). Les individus ayant un niveau élevé de participation disent éprouver un faible degré d'ambiguité de rôle (r = 0,55). Ils rapportent faire grand usage de leurs habiletés tant administratives qu'autres (r = 0,50 à 0,52), et aussi avoir plus de responsabilités de tout genre (r = 0,61) et ce, indépendamment de leur niveau salarial. Ils ont tendance à préférer plus de travail que moins en regard de leur charge actuelle (r = 0,34) et perçoivent davantage de chances d'avancement (r = 0,47) que n'en perçoivent ceux qui participent peu. Au plan psychologique, ces individus qui déclarent un degré élevé de participation dans les décisions concernant leur travail ont aussi tendance à éprouver beaucoup de satisfaction (r = 0,50), peu d'anxiété au travail (r = - 0,51) et une forte estime de soi (r = 0,32).

D'autre part, certaines façons d'utiliser la participation n'engendrent pas d'effet significatif ou même peuvent créer plus de tensions et de problèmes. Les recherches de French *et al.* (9, 10) suggèrent certaines précautions à prendre en ce sens. En effet, ils observent que la participation est plus fonctionnelle quand l'employé se sent supporté plutôt que menacé par son supérieur. À partir de ce constat, ils proposent premièrement que toute tentative de réduire le stress par un accroissement de la participation soit aussi accompagnée de support de la part du supérieur et de support et cohésion de la part du groupe de travail. Ces appuis réduiront la tension psychologique et accroîtra l'efficacité de la participation.

Deuxièmement, il vaut mieux qu'il s'agisse d'une participation réelle, non pas simulée, sinon les employés vont conclure à la manipulation psychologique et peuvent développer de la non-confiance à l'endroit de la direction.

Troisièmement, la participation des employés à des décisions triviales n'a pas vraiment d'impact sur la tension au travail.

Quatrièmement, la participation se doit d'être pertinente à la tension éprouvée. Si le stress est relié à la charge de travail, la participation à des décisions sans rapport à la charge de travail est peu susceptible de réduire la tension associée à cette charge.

Cinquièmement, les décisions auxquelles participent les employés ont intérêt à être perçues par ces derniers comme appartenant légitimement à leur zone de juridiction, sinon il y a risque de susciter de l'anxiété et de l'insécurité.

6.2   Le concept de participation

La participation réfère au degré d'influence qu'exerce un individu sur le processus de décision dans une organisation. En milieu nord-américain, il est implicite qu'il s'agit de décisions qui concernent l'individu, telles que des décisions en regard de la façon de faire son travail. En Europe, le concept de participation reporte plus fréquemment à la participation des travailleurs à la gestion de l'entreprise par les comités d'entreprise ou tout autre **organisme formel** via lequel les représentants des travailleurs influencent les décisions affectant l'organisation. dans son entier. En Amérique du Nord, la participation est surtout entendue dans le sens d'un **style de gestion** des dirigeants qui laisse aux subordonnés la possibilité d'influencer les décisions sur des sujets qui leur importent, particulièrement en regard du travail qu'ils ont à faire. Globalement, si en Europe les mécanismes de participation sont institutionnalisés, en Amérique du Nord, ils dépendent des modes de gestion du gestionnaire.

Toutefois, dans ces deux continents, la façon de mesurer la participation est la même, à savoir le **degré d'influence réelle que détiennent les employés** sur les facteurs directement associés à leur emploi (en Amérique) ou sur l'ensemble de l'organisation (en Europe).

La possibilité d'influencer et le résultat qui s'ensuit en termes d'influence constituent en fait la raison d'être de la participation. On appelle cette influence "participation" à cause du processus qui consiste, pour les subordonnés à prendre part ou à prendre en main certaines décisions. De par sa définition, la participation exclut toute forme de simulacre qui vise à manipuler les employés en leur donnant l'impression qu'ils ont leur mot à dire sans leur accorder l'influence réelle. Dans cette dernière perspective, il s'agit davantage de techniques d'apaisement, de dédramatisation, de catharsis, qui peuvent être utiles et même bénéfiques lorsqu'il s'est produit une certaine accumulation de tension émotionnelle. Mais, en aucun cas, ces techniques ne doivent être assimilées à la participation.

TABLEAU 6-1

RÉSULTANTE / PROCESSUS	Influence réelle des subordonnés	
	FAIBLE	FORTE
DIRECTION UNILATÉRALE	Le supérieur prend les décisions sans se préoccuper des points de vue des subordonnés	Le supérieur prend les décisions qu'il croit attendues par les subordonnés.
CONSULTATION	Le supérieur s'entretient avec ses subordonnés tout en ayant déjà arrêté sa décision.	Le supérieur consulte ses subordonnés en vue d'avoir d'autres points de vue pour prendre sa décision.
DÉLÉGATION	Le subordonné a apparemment carte blanche pour prendre les décisions qui le concernent tout en sachant qu'il sera pénalisé s'il s'écarte des attentes de son supérieur.	Le subordonné a l'autorité requise pour prendre lui-même les décisions relevant de ses aires de responsabilité.

La participation définie par l'interaction du processus et de sa résultante
Source: Strauss, G. (1977). Managerial practices in Hackman, J.R., Suttle, J.L. *Improving life at work*. Santa Monica, CA.: Goodyear Publishing, p. 328.

Donc la participation se présente comme une résultante (influence réelle) et comme un processus (les modalités d'exercice conduisant à cette influence réelle). Strauss (28) résume les rapports entre la résultante et le processus de participation au tableau 6-1.

Comme on le voit dans le tableau de Strauss, le processus ne suffit pas à identifier le degré de participation, la mesure ultime de la participation réside dans le degré d'influence réelle des subordonnés en interaction avec le processus utilisé.

Les relations qui unissent la participation aux conséquences personnelles et organisationnelles sont encore nébuleuses. La plupart des études sur le terrain font état du sentiment d'appropriation comme étant la variable explicative majeure. Parmi les autres explications suggérées, mentionnons une meilleure compréhension du problème découlant du partage de l'information, une perception plus claire des efforts requis en regard des résultats attendus, un meilleur appariement des objectifs personnels aux objectifs organisationnels, un sentiment accru de pouvoir et de compétence personnels, un sentiment plus intense de cohésion et d'appartenance chez les membres du groupe.

Certains auteurs se sont aussi penchés sur les conséquences dysfonctionnelles possibles du processus décisionnel participatif. Par exemple, tous n'ont pas les habiletés ou le désir d'appartenir à des groupes participatifs. Ce processus peut accroître le différentiel de pouvoir plutôt que le restreindre (Mulder, 25). Les travailleurs peuvent s'emparer des prérogatives appartenant aux supérieurs. Les supérieurs peuvent n'avoir ni le désir, ni les habiletés de participation.

À noter que les conséquences dysfonctionnelles tout comme les facteurs explicatifs de succès demeurent encore à l'état spéculatif. Cependant, les recherches sur le terrain démontrent plus souvent des améliorations que des échecs et plus souvent des améliorations de performance que des améliorations d'attitude suite à l'introduction de la participation (Henson et Camp, 15).

6.3 La gestion de la participation

Nous savons que la participation, en certaines circonstances, a un effet positif sur la qualité de la vie au travail. Tout le problème repose dans l'identification de ces circonstances, à savoir **quand** et **comment** un processus donné de participation entraîne des effets positifs. Quand et comment choisir le degré et le mode de participation des subordonnés?

En regard de cette problématique de fond, à savoir la modulation du degré de participation selon les circonstances, trois contributions s'avèrent particulièrement intéressantes : celle de Vroom et Yetton (29) qui ont mis au point un arbre de décision permettant, entre autres, d'allouer à la participation l'ampleur qui lui convient selon les caractéristiques du problème à résoudre ; l'autre, celle de Rensis Likert (21, 22) fournit une théorie et un instrument de mesure du climat organisationnel dont la forme participative est considérée la plus avantageuse ; la dernière, celle de Hackman et Morris (12) propose la réorganisation des tâches pour des équipes.

6.3.1 Choisir le degré approprié de participation

Pour satisfaire leur objectif de faciliter la tâche du gestionnaire en ce qui concerne le degré de participation optimal à allouer aux subordonnés, — il s'agit, bien sûr, de la participation entendue dans le sens nord-américain du terme —, Vroom et Yetton (29) ont élaboré une taxonomie des différents processus de prise de décision allant de la prise de décision par le supérieur seul jusqu'à la prédominance des subordonnés dans la prise de décision. Le tableau 6-2 présente cette taxonomie des processus de décision.

TABLEAU 6-2

Taxonomie des processus de décision

AI: AUTOCRATIE I

Résoudre le problème ou prendre la décision **seul**, en utilisant l'information disponible à ce moment-là.

AII: AUTOCRATIE II

Obtenir l'information des subordonnés puis, **seul**, décider de la solution. Informer ou non les subordonnés de la nature du problème pendant la cueillette de l'information. Le rôle des subordonnés consiste à fournir l'information, non pas à chercher ou à évaluer des solutions.

CI: CONSULTATION I

Partager le problème avec les subordonnés **individuellement** en retenant leurs idées et leurs suggestions. Puis, **seul**, prendre une décision, laquelle peut ou non refléter l'influence des subordonnés.

CII: CONSULTATION II

Partager le problème avec les subordonnés **en groupe** en retenant leurs idées et leurs suggestions. Puis, **seul**, prendre une décision, laquelle peut ou non refléter l'influence des subordonnés.

GII: PARTICIPATION DE GROUPE

Partager le problème avec les subordonnés **en groupe**. **Ensemble**, trouver et évaluer les diverses solutions en essayant d'obtenir un consensus. Le rôle du supérieur est celui d'un président d'assemblée : il n'essaie pas de forcer l'acceptation de sa solution. Il a la volonté d'accepter et d'implanter la solution du groupe.

Source : Vroom, J.H. (1976). Leadership in Dunnette, J.D. (Ed.). *Handbook of industrial and organizational psychology*. Chicago : Rand McNally. p. 1539.

A) LES PARAMÈTRES DU CHOIX

Conscients des limitations opérationnelles d'une telle taxonomie, quelque plausible qu'elle puisse être, Vroom et Yetton (29) ont mis au point une procédure d'exploitation destinée à déterminer le(s) processus décisionnel(s) le(s) plus approprié(s) à une situation donnée. Selon ces auteurs, la pertinence et l'à-propos d'un processus décisionnel donné dans une perspective d'efficience organisationnelle dépendent des paramètres du problème à résoudre et de son contexte. Ils définissent ces paramètres à partir de trois critères, à savoir: 1) la qualité de la décision; 2) l'acceptabilité de la décision ou l'engagement des subordonnés à l'exécution ultérieure de la décision; 3) la durée du processus décisionnel. En pratique cependant, ils ne s'attachent qu'aux deux premiers critères, laissant le critère "durée" à la discrétion du gestionnaire. Le tableau 6-3 illustre ces différents paramètres, de même que leur rôle respectif en regard des critères "efficacité" et "acceptabilité" de la décision.

TABLEAU 6-3

PARAMÈTRES À INVENTORIER	RÔLE DE CES PARAMÈTRES
SELON LE CRITÈRE EFFICACITÉ	
a. Les exigences de qualité en regard de la décision laissent-elles penser que certaines solutions seraient supérieures à d'autres?	déterminer s'il y a lieu de sélectionner un processus décisionnel particulier compte tenu de la nature et de la localisation de l'information/expertise nécessaires à l'identification et à l'évaluation de diverses solutions.
b. Le supérieur possède-t-il suffisamment d'information/expertise pour prendre seul une décision de haute qualité?	déterminer s'il y a nécessité de choisir un processus décisionnel qui accroît l'ampleur de la base informative du supérieur.
c. Le problème est-il structuré, i.e., facile à comprendre et à analyser?	déterminer s'il y a nécessité de faire appel à un processus complexe de résolution de problème.
SELON LE CRITÈRE ACCEPTABILITÉ	
d. L'acceptation de la décision par les subordonnés est-elle critique pour l'implantation de la solution?	déterminer l'importance de la participation des subordonnés en vue de l'implantation de la solution.
e. Est-il probable qu'une décision prise par le supérieur seul soit acceptée par les subordonnés?	déterminer si la participation est nécessaire pour s'assurer de l'acceptation de la décision.
f. Les subordonnés partagent-ils les buts organisationnels visés par la résolution du problème?	déterminer le risque potentiel encouru en termes de qualité de la décision si le processus décisionnel retenu est la participation.
g. Y a-t-il des divergences entre les subordonnés quant aux solutions préférées?	déterminer l'impact d'un processus participatifs sur la cohésion des subordonnés.

Nature et rôle des paramètres guidant le choix du/des processus décisionnel(s) optimal(aux).

Source: Vroom, J.H., Yetton, P.W. (1973). *Leadership and décision-making.* Pittsburg: University of Pittsburg Press. Adaptation.

194

Et finalement, afin d'établir une jonction systématique entre les propriétés du problème à résoudre (tableau 6-3) et les cinq modalités du processus de prise de décision (tableau 6-2), Vroom et Yetton (29) proposent un ensemble de règles qui ont pour fonction de protéger la qualité et l'acceptabilité de la décision par l'élimination des processus de décision non pertinents. Les symboles alphabétiques réfèrent aux propriétés de la situation alors que les représentations alphanumériques identifient les processus de résolution de problème.

La règle de l'information

Si la qualité de la décision est importante (a) et si le leader **ne** possède **pas** suffisamment d'information ou d'expertise pour résoudre seul le problème (b), alors le processus A1 est éliminé de l'ensemble des possibilités parce que ce processus exclut l'appel à toute source d'information autre que le gestionnaire lui-même.

La règle de la congruence des buts organisationnels

Si la qualité de la décision est importante (a) et si les subordonnés ne partagent pas les buts organisationnels visés par la résolution du problème (f), alors le processus GII ne peut être retenu puisque ce processus accorde préséance au point de vue du groupe des subordonnés.

La règle du problème non structuré

Si la qualité de la décision est importante (a), si le leader **ne** possède **pas** suffisamment d'information ou d'expertise pour résoudre seul le problème (b) et si le problème **n'est pas** structuré, i.e. n'est pas facilement compréhensible (c), alors les processus AI, AII et CI ne peuvent être retenus. Dans cette situation précise, il est indispensable que ceux qui possèdent l'information critique soient appelés à intervenir dans le processus.

La règle de l'acceptation

Si l'acceptation de la décision par les subordonnés est cruciale pour l'implantation de la solution (d) et s'il **n'est pas** certain qu'une décision autocratique soit acceptée par les subordonnés (e) alors les processus AI et AII sont à écarter puisqu'ils excluent toute forme d'influence dynamique des subordonnés dans la prise de décision, si ce n'est à titre d'informateurs.

La règle du conflit

Si l'acceptation de la décision par les subordonnés est cruciale (d), s'il n'est **pas** certain qu'une décision autocratique leur soit acceptable (e) et si les subordonnés sont en désaccord ou en conflit quant à la solution appropriée (g), alors les processus AI, AII et CI sont à éliminer. Ces processus qui n'impliquent pas vraiment d'échanges compréhensifs, ne permettent pas à ceux qui sont en désaccord de résoudre leurs différends en pleine connaissance du problème; ce qui risque de compromettre l'engagement ultérieur des subordonnés en regard de la décision qui sera prise.

La règle de l'impartialité

Si la qualité de la décision **n'est pas** importante (a), si l'acceptation de la décision est cruciale (d) et s'il **n'est pas** certain qu'une décision autocratique soit acceptée par les subordonnés (e), alors le processus GII est à retenir. Ce processus maximise les chances d'acceptation de la décision qui, dans ce contexte, se révèle le seul critère déterminant de l'efficacité de cette décision.

La règle de la priorité de l'acceptation

Si l'acceptation par les subordonnés est critique (d), s'il **n'est pas** certain qu'une décision autocratique soit acceptée par les subordonnés (e) et si les subordonnés partagent les buts organisationnels visés par la solution (f), alors le processus GII est à retenir. Puisque les subordonnés partagent les buts organisationnels, tout processus autre que GII élève inutilement les risques de non-acceptation de la décision, ce qui compromettrait l'atteinte des objectifs.

C) L'ARBRE DE DÉCISION

L'applicabilité de ces règles découlant des paramètres de la situation dans laquelle baigne le problème est résumée sous la forme d'un arbre de décision tel qu'illustré à la figure 6-1. Les paramètres de la situation, coiffés d'un symbole alphabétique, sont localisés sur une ligne horizontale au haut de la figure. Chaque case réfère à l'activation du paramètre sous lequel elle est verticalement localisée. À chaque case, la réponse "oui" ou "non" détermine, et indique par une flèche,

196

le prochain paramètre devant être investigué. L'ensemble du questionnement va de la gauche vers la droite. Ainsi tout problème à résoudre déclenche l'activation du paramètre (a), à savoir la prédominance de certaines solutions eu égard aux exigences de qualité de la décision. Si la réponse est "oui", ce sera le paramètre (b) qui sera activé. Par contre, si la réponse est "non", ce sera au paramètre (c) d'être mis en branle. Et ainsi de suite...

FIGURE 6-1

Arbre de décision illustrant le choix du/des processus décisionnel(s) approprié(s)

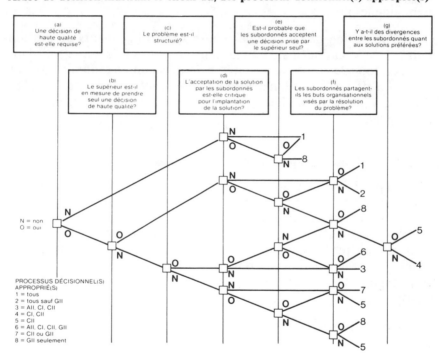

Source: Vroom, J.H., Yetton, P.W. (1973). *Leadership and décision-making.* Pittsburg: University of Pittsburg Press. Adaptation.

Chacune de ces multiples ramifications aboutit à la catégorie (identifiée par un symbole numérique) de processus décisionnels les plus pertinents à la situation, selon l'analyse qu'en a fait le gestionnaire. Par convention, les processus de prise de décision AI, AII, CI, CII, GII sont rangés de gauche à droite par ordre croissant du

197

sont mises de l'avant et utilisées et, en même temps, il/elle est susceptible d'intervenir en tant que membre ordinaire. Comme on l'imagine aisément, la frontière qui sépare les comportements facilitateurs des temps requis pour prendre une décision. Un gestionnaire soucieux de respecter les propriétés de la situation et désirant employer le processus qui prend le moins de temps possible pourrait utiliser le premier processus acceptable parmi l'ensemble approprié. Par contre, si un gestionnaire désire développer les processus participatifs chez ses subordonnés, il aurait intérêt à choisir ceux qui impliquent les subordonnés dans la prise de décision; le dernier de chaque ensemble en demande le plus.

L'utilisation de ce modèle repose sur les jugements du gestionnaire. Une situation mal définie peut conduire à la violation d'une règle du modèle et, par le fait même, la décision ne répondra pas aux critères d'efficacité et/ou d'acceptabilité énoncés au tableau 6-3. L'utilité et la validité du modèle dépendent de la qualité des jugements du gestionnaire.

6.3.2 Conditions assujettissant les processus participatifs

La participation entendue dans le sens du GII de Vroom et Yetton (29) pourrait se traduire ainsi : un type de processus décisionnel établi entre un supérieur et ses subordonnés considérés en tant que groupe, processus par lequel sont formulées et évaluées des hypothèses visant à résoudre un problème donné et au terme duquel un consensus est atteint quant aux actions à prendre. Le groupe lui-même peut ou non être responsable de l'implantation des actions à prendre (Henson et Camp, 15).

Dans certaines circonstances, la participation des employés ou de leurs représentants est absolument requise lorsque, par exemple, elle est prévue et entérinée par une convention collective. Dans d'autres cas, la participation pourrait être contre-indiquée lorsque, par exemple, le supérieur fait face à une situation d'urgence exigeant une décision immédiate.

Nonobstant ces situations particulières, il semble exister des conditions qui affectent le succès des processus participatifs. Certaines de ces conditions proviennent du problème à résoudre, d'autres du supérieur immédiat, d'autres du climat organisationnel et d'autres de l'organisation même du travail.

A) LES CARACTÉRISTIQUES DU PROBLÈME À RÉSOUDRE

Les caractéristiques mêmes du problème à résoudre peuvent modérer l'efficacité du processus décisionnel participatif. À titre d'exemple, mentionnons le degré de structure du problème (Vroom et Yetton, 29), son degré de pertinence (Henson et Camp, 15), sa nature unifiée ou disparate ou même contradictoire.

B) LE RÔLE DU SUPÉRIEUR

Le rôle du supérieur devient complexe dans cette approche participative. Ainsi, c'est à lui ou à elle que revient la tâche de définir le problème, du moins dans sa perspective organisationnelle; de même, il/elle est appelé(e) à s'assurer que toutes les contributions pertinentes sont mises de l'avant et utilisées et, en même temps, il/elle est susceptible d'intervenir en tant que membre ordinaire. Comme on l'imagine aisément, la frontière qui sépare les comportements facilitateurs des comportements inhibiteurs peut être vite franchie à l'insu même du supérieur.

Strauss (28) suggère que les processus participatifs n'auront pas grand succès — du moins sur une longue période — à moins que le supérieur ait foi en ces processus. Ainsi, si le supérieur croit en l'avènement de résultats positifs par l'approche participative, il est davantage enclin à accepter ou tout au moins à accorder beaucoup d'attention aux suggestions de ses subordonnés. Dans leur étude de 1970, Ritchie et Miles (26) ont découvert que les attitudes des supérieurs à l'endroit de leurs subordonnés influencent davantage la satisfaction au travail des subordonnés que ne le fait la simple quantité de consultation participative. Quand les supérieurs font confiance aux capacités de leurs subordonnés, la satisfaction tend à être élevée et la participation est perçue comme authentique. Quand cette confiance est absente (lorsque, par exemple, le supérieur conçoit la participation surtout comme un instrument pour hausser le moral des troupes) les parties s'engagent dans "un simulacre de participation" Heller, 14). À moins que les supérieurs ne fassent confiance à leurs subordonnés, ces derniers sont peu enclins à avoir confiance en leur supérieur ou à croire que le processus participatif puisse leur accorder la moindre influence. Selon Maier et Hoffman (23), les subordonnés sont beaucoup plus susceptibles d'exprimer leurs points de vue en toute honnêteté s'ils se sentent en confiance.

Même si le supérieur a confiance dans ce processus participatif de prise de décisions ainsi que dans la capacité et la volonté de ses subordonnés à arriver à de "bonnes" décisions, des variables situationnistes peuvent fort bien annuler ou atténuer ses orientations personnelles : que ce soit, par exemple, des pressions exercées sur le supérieur pour l'émergence de décisions rapides ou bien un système implacable de comptes à rendre auquel est soumis ce supérieur.

Ces attitudes de confiance du supérieur à l'endroit des subordonnés ne semblent pas aussi répandues que l'on pourrait le croire. De plus, elles apparaissent liées au style de gestion préconisé par le supérieur. Si les supérieurs, des cadres scolaires dans la recherche de Savoie (27), endossent sans réserve l'existence de besoins de valorisation et d'appréciation chez les employés, ils se montrent nettement moins enclins à reconnaître, chez ces mêmes subalternes, des intentions à faire bien, à faire mieux et à faire davantage ; finalement, ces cadres sont encore moins confiants quand il est question de l'implication et de la coopération des employés au travail. De fait, les cadres scolaires dans cette étude ont davantage confiance dans la non-opposition des employés au fonctionnement de l'organisation que dans leur engagement personnel au travail, sans pour autant les taxer de paresse et d'oisiveté. Ces résultats sont conformes à ceux de Haire *et al.* (13), de Clark et McCabe (6), de Cummings et Schmidt (8) à l'effet que les cadres, tout en prônant ouvertement des principes libéraux, se montrent moins confiants vis-à-vis le comportement réel de leurs employés au travail.

Ces attitudes réservées de confiance ont tendance à se traduire dans le style de gestion favorisé par le supérieur. Ainsi, la reconnaissance de besoins de valorisation chez ses employés est le meilleur prédicteur de son intérêt pour leur développement, de ses relations de support au travail, de sa bienveillance face à leurs problèmes et même de ses relations amicales avec eux. Quant à son ouverture à la discussion et au travail en équipe, à son utilisation souple du statut et à son souci d'impartialité, c'est l'ensemble de ses attitudes de confiance qui en est le meilleur prédicteur. Par contre, seul le degré de confiance dans l'implication et la coopération des employés au travail arrive quelque peu à prédire la propension du supérieur au contrôle et à la surveillance (Savoie 27).

C) LE RÔLE DU CLIMAT ORGANISATIONNEL

Un certain consensus commence à émerger en ce qui concerne la nature du climat organisationnel que l'on définit comme une mesure perceptive des attributs organisationnels. Ces attributs descriptifs d'une organisation la distinguent des autres organisations, sont relativement stables dans le temps et influencent le comportement de ses membres.

Campbell *et al.* (5) ont mis en évidence certaines dimensions communes aux instruments mesurant le climat organisationnel: l'autonomie individuelle au travail, le degré de structuration provenant du poste, les types de récompenses organisationnelles, la considération/ support en provenance du supérieur immédiat. Quant à Waters *et al.* (31), ils identifient la structure organisationnelle, l'autonomie au travail, le contrôle, l'environnement et le degré de considération pour l'employé. On peut affirmer, à la suite d'Ivancevich *et al.* (16), que le concept de climat organisationnel est habituellement composé des éléments structures, rémunération, autonomie, conflit, chaleur émotive.

Likert (21, 22), après un quart de siècle de recherche, propose une classification des climats organisationnels s'étalant sur un continuum autoritaire-participatif. Cette typologie est particulièrement éclairante en regard du sujet qui nous préoccupe, à savoir: quelles sont les conditions qui affectent l'émergence et le maintien des processus participatifs dans l'organisation? Selon Likert, certains climats annihilent complètement toute velléité participative alors que d'autres constituent des supports privilégiés à la participation. Dans son article intitulé "le climat organisationnel: mythe ou réalité", Brunet (4) présente une description de ces quatre types de climat organisationnel.

a) *Le climat d'autoritarisme exploiteur*

Dans ce type de climat, la direction ne fait pas confiance aux employés, même si ces derniers peuvent être impliqués dans la prise de décision. La majeure partie des décisions et des objectifs proviennent du sommet de l'organisation et suivent une trajectoire presque uniquement descendante. Les employés travaillent dans une atmosphère de crainte, de punitions, de menaces, occasionnellement de récompenses; dans un tel climat, ce sont surtout les besoins physiologiques et de sécurité qui peuvent être satisfaits. Le peu d'interactions qui existent entre supérieurs et subordonnés sont établies sur une base de peur et de méfiance. Quoique le processus de contrôle est fortement centralisé au sommet, généralement il se développe une organisation informelle qui s'oppose aux buts de l'organisation formelle.

b) *Le climat d'autoritarisme paternaliste*

La direction a une confiance condescendante dans ses employés, tel un maître envers son serviteur. La majeure partie des décisions sont prises au sommet mais certaines décisions sont confiées à des échelons inférieurs. Les récompenses et quelquefois les punitions sont les méthodes par excellence utilisées pour motiver les travailleurs. Les interactions entre supérieurs et subordonnés sont établies avec condescendance par les supérieurs et avec précaution par les subordonnés. Quoique le processus de contrôle demeure toujours centralisé au sommet, il est quelquefois délégué aux niveaux intermédiaires et inférieurs. Une organisation informelle se développe parfois, mais elle ne résiste pas toujours aux buts formels de l'organisation.

c) *Le climat consultatif*

La direction a plutôt confiance dans ses employés. Les politiques et les décisions générales sont prises au sommet mais on permet aux subordonnés de prendre des décisions plus spécifiques à des niveaux inférieurs. La communication est de type descendante. Les récompenses, les punitions occasionnelles et certaines formes d'implication sont utilisées pour motiver les travailleurs. Il y a une quantité modérée d'interactions du type supérieur-subordonné, souvent avec un niveau de confiance assez élevé. Les aspects importants du processus de contrôle sont délégués de haut en bas avec un sentiment de responsabilités aux échelons supérieurs et inférieurs. Une organisation informelle peut se développer, mais elle peut partiellement supporter ou résister aux buts de l'organisation.

d) *Le climat de participation de groupe*

La direction fait fortement confiance à ses employés. La structure de prise de décision est disséminée dans toute l'organisation tout en étant très bien intégrée. La communication ne se fait pas seulement de manière ascendante ou descendante, mais aussi de façon latérale. Les employés sont motivés par la participation et l'implication, par l'établissement d'objectifs, par l'amélioration des méthodes et par l'évaluation du rendement en fonction des objectifs. Il existe une relation amicale et confiante entre les supérieurs et les subordonnés. Les échelons inférieurs bénéficient de beaucoup d'autorité sur les contrôles et s'impliquent énormément. Les dimensions informelles et formelles de l'organisation ont tendance à se fondre. Bref, tout le monde fonctionne ensemble pour atteindre les buts et les objectifs de l'organisation.

Dans la perspective de Likert, plus le climat d'une organisation est proche de la participation de groupe, meilleurs sont les rapports entre la direction et le personnel d'une entreprise et, à l'inverse, plus le climat s'approche de l'autoritarisme exploiteur, plus mauvaises sont les relations.

D) LE RÔLE DE L'ORGANISATION DU TRAVAIL

Il peut être plus approprié et même plus facile, compte tenu de la nature et du contexte d'un travail donné, de concevoir le travail en termes d'équipes plutôt qu'en termes d'individus. Jusqu'à présent, l'organisation du travail pour des équipes s'est fortement inspirée de l'approche socio-technique en créant des groupes de travail autonomes ou semi-autonomes. De manière générale, les groupes de travail étaient dotés de caractéristiques suivantes (Hackman, 11) :

1- On assigne au groupe une mission distincte et définie, et suffisamment signifiante pour que les membres du groupe s'y identifient.

2- On porte une attention particulière à la souplesse de fonctionnement du groupe en s'assurant que chaque membre possède ou acquera un certain nombre d'habiletés qui vont permettre la mobilité au sein du groupe.

3- On accorde au groupe l'autonomie requise quant au choix des méthodes de travail, quant à l'organisation temporelle du travail, quant à la répartition des tâches entre les membres et quelquefois quant à la sélection des futurs équipiers.

4- La rémunération se fonde sur la performance du groupe dans son ensemble plutôt que sur les contributions individuelles.

Il va sans dire que, selon les circonstances, ces caractéristiques peuvent être ni suffisantes, ni même toutes nécessaires au travail par équipe, bien que ce soit celles que l'on observe le plus souvent dans de telles expériences. À ces caractéristiques du groupe s'ajoute le répertoire de comportements du supérieur immédiat. Celui-ci ne peut, phylosophiquement et politiquement, intervenir dans les opérations internes courantes de production puisque dorénavant il supervise des équipes de travail autonomes ou semi-autonomes. Ses rôles gravitent désormais autour de ceux d' "agent de liaison" entre son groupe et les autres groupes incluant les instances supérieures, de "porte-parole" des options de l'équipe vis-à-vis les instances supérieures (Mintzberg, 24).

De même, pour qu'il soit de l'intérêt des équipiers de collaborer effectivement et même pour qu'il soit possible de le faire, il est important de susciter et de renforcer surtout les comportements de coopération. À ce niveau interviennent le système de rémunération et le mode de supervision. Presque toutes les expériences qualifiées de réussite avec des équipes autonomes ou semi-autonomes avaient en commun un système de rémunération basé sur la performance du groupe de sorte que la paie individuelle était contingente au rendement de son groupe. Comme telle, la rémunération fondée sur la performance globale du groupe accroît les probabilités de coopération et de cohésion entre les équipiers en vue d'atteindre les objectifs organisationnels de productivité. Cependant ce mode de rémunération n'élimine pas la possibilité que le groupe se fixe des normes sous-optimales de productivité surtout si le groupe a des raisons de croire que la direction puisse hausser de manière indue les normes de rendement. En d'autres termes, malgré l'adoption d'un système de rémunération fondé sur la performance globale du groupe, celui-ci peut restreindre ses normes de productivité dans une situation de non-confiance à l'endroit de la direction.

Ce qui nous amène à formuler deux conditions minimales devant exister pour qu'une équipe de travail atteigne à la fois une productivité élevée et une satisfaction optimale chez ses membres.

1- Il est essentiel que soient suscitées (stimulées) et renforcées (récompenses) des normes élevées de productivité au sein de l'équipe de travail. La stimulation et le renforcement de normes élevées de production relèvent principalement du système de rémunération en place et du type de supervision accompli par le supérieur immédiat.

2- Il est crucial que l'équipe de travail forme un groupe cohésif dans lequel les équipiers se sentent commis aux objectifs du groupe et dans lequel les interactions entre les coéquipiers s'avèrent positives et satisfaisantes. Dieu sait que nos expériences en groupe sont souvent décevantes et peu productives.

Dans un groupe très cohésif, les membres valorisent beaucoup les rapports interpersonnels avec les autres coéquipiers. Par le fait même, un groupe cohésif a beaucoup d'influence sur ses membres via la conformité aux normes du groupe. En effet, comme les membres du groupe valorisent beaucoup les récompenses (acceptation, attention, support, entraide) détenues par les coéquipiers, ils sont éminement susceptibles d'adopter des comportements qui sont conformes aux normes du groupe.

Le problème majeur réside dans le fait suivant : bien qu'un groupe cohésif entraîne généralement beaucoup de conformité comportementale à l'égard des normes, rien ne permet de prédire que ces normes seront orientées vers l'atteinte des objectifs organisationnels (Lawler et Dammann, 19).

À cet effet, il est apparu que les interventions psycho-sociales destinées à créer un esprit de corps dans un groupe (team-building), que ce soit en "travaillant" les relations entre les membres et/ou le climat social, n'entraînent pas (et même peuvent handicaper) une efficacité accrue du groupe en regard de la tâche (Hackman et Morris, 12). Par contre, il est indispensable que le groupe soit de taille relativement restreinte (habituellement moins d'une quinzaine de membres) et que leur travail les amène à être en contacts relativement fréquents (de préférence dans un même lieu de travail ou dans des lieux contigus).

6.4 Conclusion

En dépit des résultats qui relient participation, productivité, satisfaction, tension réduite, en dépit des succès de l'approche coopérative japonaise, il est navrant de constater le nombre réduit d'études scientifiques sur le sujet de la participation. Il faut cependant reconnaître qu'au cours des dernières années, il y a eu un brassage d'idées probablement excessif, concernant le bien-fondé et l'excellence de la participation. Cette philosophie pro-participative a peut-être trop mis en sourdine les dangers et les pièges de cette approche qu'il est plus difficile d'appliquer que de promouvoir. Par contre, on ne peut espérer être vraiment compétitif sans l'appui, la collaboration, la coopération de tous les membres de l'organisation. D'autant plus que ces comportements entraînent, à la lumière des informations disponibles, des conséquences qui peuvent être fort bénéfiques en termes de tension au travail. C'est là la raison d'être de ce chapitre dans la prévention du stress au travail.

Bibliographie et références

(1) Berlew, D.E. (1970). Leadership and organizational excitement in Kolb, D.A., Rubin, I.M., McIntyre, J.M. *Organizational Psychology.* Englewood Cliffs, N.J.: Prentice-Hall.

(2) Bowers, D.G. (1976). *Systems of organization: Management of the human resources.* Ann Arbor: University of Michigan Press.

(3) Bordeleau, Y. (1977). *Le questionnaire Style de Gestion du Personnel.* Montréal: IRCO.

(4) Brunet, L. (1982). Le climat organisationnel: mythe ou réalité. *Repères, 1,* 1-34.

(5) Campbell, J.P., Dunette, M.D., Lawler, E.E., Weick, K.E. (1970). *Managerial behavior, performance and effectiveness.* New York: McGraw-Hill.

(6) Clark, A.W., McCabe, S. (1970). Leadership beliefs of australians managers. *Journal of Applied Psychology, 54,* 1-6.

(7) Coch, L., French, J.R.P., Jr. (1948). Overcoming resistance to change. *Human Relations, 1,* 512-532.

(8) Commungs, L.L., Schmidt, S.M. (1972). Managerial attitudes of Greeks: The role of culture and industrialization. *Administrative Sciences Quarterly,* Vol. 17, No. 2, June, 265-272.

(9) French, J.R.P., Jr., Israel, J., As, D. (1960). An experiment on participation in a norvegian factory. *Human Relations, 13,* 3-20.

(10) French, J.R.P., Jr., Caplan, R.D. (1973). Organizational stress and individual strain in Marrow, A.J. (Ed.). *The failure of success.* Amacom.

(11) Hackman, J.R. (1977). Work design in Hackman, J.R., Suttle, J.L. *Improving life at work.* Santa Monica, CA.: Goodyear Publishing.

(12) Hackman, J.R., Morris, C.G. (1975). Group tasks, group interaction process, and group performance effectiveness: A review and proposed integration in Berkowitz, L. *Advances in experimental social psychology,* Vol. 8. New York: Academic Press.

(13) Haire, M., Ghiselli, E., Porter, L.W. (1966). Cultural patterns in the role of the manager. *Industrial Relations,* February, 95-117.

(14) Heller, R.A. (1971). *Managerial decision-making.* London: Tavistock.

(15) Henson, R., Camp, R. (1977). Participative decision making: An annotated bibliography. *SSAS, 7* (1).

(16) Ivancevich, J.M., Szilagyi, A.D., Wallace, M.J. (1977). *Organizational behavior and performance.* Santa Monica, CA.: Goodyear Publishing.

(17) Kahn, R.L., Wolfe, D.M., Quinn, R.P., Snoek, J.D., Rosenthal, R.A. (1964). *Organizational stress: Studies in role conflict and ambiguity.* New York: John Wiley.

(18) Laflamme, M. (1976). *Dix approches pour humaniser et développer les organisations.* Chicoutimi, Qué.: Gaétan Morin.

(19) Lawler, E.E. III, Damman, C. (1972). What makes a work group successful in Marrow, A.J. (Ed.). *The failure of success.* New York: Amacom.

(20) Levitan, V. (1970). Status un human organization vs a determinant of mental health and performance. Unpublished Ph.D. dissertation. University of Michigan.

(21) Likert, R. (1961). *New patterns of management.* Toronto: McGraw-Hill.

(22) Likert, R. (1967). *The human organization.* Toronto: McGraw-Hill.

(23) Maier, N.R.F., Hoffman, L.R. (1965). Acceptance and quality of solutions as related to leaders' attitudes toward disagreement in group problem solving. *Journal of Applied Behavioral Science, 1,* 373-386.

(24) Mintzberg, H. (1973). *The nature of managerial role.* New York: Harper and Row.

(25) Mulder, M. (1971). Power equalization through participation? *Administration Science Quarterly, 16* (1), 31-38.

(26) Ritchie, J.B., Miles, R.E. (1970). An analysis of quantity and quality of participation as mediating variables in the decision-making process. *Personnel Psychology, 23,* 347-359.

(27) Savoie, A. (1978). La relation de confiance et le style de gestion des cadres scolaires. Thèse de doctorat inédite. Université de Montréal.

(28) Strauss, G. (1977). Managerial practices in Hackman, J.R., Suttle, J.L. *Improving life at work.* Santa Monica, CA.: Goodyear Publishing.

(29) Vroom, J.H., Yetton, P.W. (1973). *Leadership and decision-making.* Pittsburg: University of Pittsburg Press.

(30) Vroom, J.H. (1976). Leadership in Dunnette, J.D. (Ed.). *Handbook of Industrial and Organizational Psychology.* Chicago: Rand McNally.

(31) Waters, L.K., Roach, D., Batlis, N. (1974). Organizational climate dimensions and job-related attitudes. *Personnel Psychology, 27,* 465-476.

La prévention du stress
du gestionnaire

Pour Kahn *et al.* (3), la responsabilité à l'égard des personnes porte sur le travail, la carrière, le développement professionnel et la sécurité d'emploi de ces personnes. La responsabilité à l'endroit des objets concerne les budgets, les projets, les équipements et autres biens matériels. La gestion des personnes apparaît être plus largement reliée au stress que la gestion des choses.

Caplan (1), dans une recherche portant sur la charge de travail telle qu'incarnée par la responsabilité à l'égard de personnes par opposition à la responsabilité à l'endroit d'objets note que les deux types de responsabilité sont associés à la consommation de cigarettes et que la responsabilité à l'égard de personnes est reliée à la pression sanguine et au niveau de cholestérol. Mais ces résultats ne valent que pour les répondants ayant les caractéristiques du "type A".

Les postes de responsabilité sont associés à différents symptômes de stress, mais sans que l'on ait pu identifier la responsabilité comme stresseur pertinent. Par exemple, dans certaines études rapportées par Cobb (2), les superviseurs et les officiers d'entreprise en Angleterre ont plus de lésions ulcéreuses que les employés qu'ils dirigent. Les contremaîtres et les assistants-contremaîtres en Hollande ont plus d'ulcères peptiques que leurs employés. Des résultats semblables sont rapportés ailleurs en Europe. De son côté, Snoek (6) observe que le J.R.T. (Job Related Tension) entretiendrait des liens très significatifs avec le nombre de relations de rôle différentes que comporte l'emploi du répondant. Dans l'ensemble, le pourcentage des cas de haute tension est plus élevé chez ceux qui ont des responsabilités de supervision que chez les autres, même lorsque la diversité des relations de rôle est maintenue. statistiquement constante. De plus, la diversité des relations de rôle et des responsabilités de supervision explique une bonne partie des différences observées au J.R.T. entre les supérieurs de petites et de grandes organisations.

Dans leur étude à la Goddard Space Flight Center, Kahn *et al.* (3) découvrent que les gestionnaires qui ont de grandes responsabilités à l'égard de personnes passent beaucoup de temps à interagir avec les gens au téléphone ou lors de rencontres, et moins de temps à travailler seul. Ils subissent aussi beaucoup de pression en regard des échéances au point où ils arrivent avec peine à respecter leur calendrier. La responsabilité à l'endroit d'objets n'a que peu ou pas de relations avec ces items. De plus, plus les gestionnaires ont de responsabilités à l'égard des personnes, plus ils fument, plus leur pression sanguine est élevée.

211

Par contre, plus ils ont de responsabilités à l'endroit d'objets, moins leur pression sanguine est élevée.

Dans une étude effectuée en 1979 auprès de 1422 cadres supérieurs et 1237 cadres intermédiaires membres de A.M.A., Kiev et Kohn (4) rapportent que les deux groupes considèrent les quatre facteurs suivants comme leurs principaux stresseurs au travail.

- lourdeur de la charge de travail / pressions temporelles / échéances irréalistes

- "disparité entre ce que j'ai à faire au travail et ce que je voudrais faire"

- le climat "politique" de l'organisation en général

- le manque de feedback sur la performance au travail

En termes de sévérité de la tension éprouvée, les deux groupes s'entendent sur les trois premiers facteurs mentionnés précédemment. Par la suite, leur évaluation diverge. Les cadres supérieurs se sentent plus atteints par le manque de feedback sur la performance et par l'incertitude en regard de l'avenir de l'organisation (ou de l'industrie dont elle fait partie) alors que les cadres intermédiaires sont plus touchés par l'écart entre l'autorité qui leur est conférée et les responsabilités qui leur sont attribuées et finalement par le manque de feedback sur la performance.

Dans cette étude de Kiev et Kohn (4), il apparaît clairement que les cadres supérieurs et intermédiaires souffrent surtout de surcharge de travail, de conflit de rôle et d'ambiguïté en regard du climat de l'organisation et de l'appréciation de leur performance au travail.

Tung et Koch (7), suite à leur analyse du stress chez des administrateurs scolaires, rapportent quatre sources distinctes de stress:

- Un premier ensemble réfère explicitement à la charge de travail sous la forme de multiples interruptions, de trop nombreuses responsabilités et obligations, d'échéances difficiles à satisfaire, (compte tenu des facteurs précédents), et d'attentes trop fortes de leur part.

- Un second groupe met en évidence les problèmes de conflit de rôle (manque d'information, demandes inconciliables, disparité autorité, responsabilité, effort de résolution de ces conflits) et

212

les problèmes d'ambiguité de rôle (nature et étendue des responsabilités, appréciation inconnue de la performance).

- Le troisième ensemble concerne la résolution de conflits mettant
aux prises différents groupes ou individus appartenant, au sens
large, à l'institution scolaire.

- Le dernier facteur réfère aux activités de négociation, de représentation, de promotion qui découlent directement de la position frontière des cadres scolaires à l'égard de diverses instances
organisationnelles (syndicats, groupes professionnels) et extra-
organisationnelles (gouvernements, communautés, parents).

Là aussi, il apparaît clairement que les expériences provoquant de
la tension chez les cadres proviennent principalement de la surcharge
de travail, de conflits et d'ambiguités de rôle, de même que d'activités
directement reliées à leur position frontière dans l'organisation. Ces
résultats sont conformes aux observations de Wardwell *et al.* (8) à l'effet
que les fonctions de responsabilités envers des personnes accroissent
l'incidence des maladies coronariennes. Ils s'apparentent aussi aux résultats obtenus par Mettlin et Woelfel (5) concernant les emplois
impliquant l'usage d'un réseau diversifié et étendu de communication
interpersonnelle: ces emplois sont fréquemment associés à des
symptômes de stress physique et mental.

Cette section traitant du rapport stress et responsabilité à
l'endroit de personnes se subdivise en deux volets. Le premier porte sur
"la gestion de la performance des subordonnés". L'objet de ce chapitre
est d'outiller le gestionnaire à l'intervention éclairée et délibérée en cas
de performance insatisfaisante chez ses subalternes. "La gestion des
conflits au travail" dont traite le dernier chapitre de ce volume expose
systématiquement en quoi consiste le processus conflictuel et suggère
des approches pour résoudre ou contrôler les conflits.

Nous croyons que plus les gestionnaires se sentiront réellement
capables d'affronter les défis inhérents à leur poste et sauront comment
s'y prendre pour manier ces problèmes, moins ils éprouveront les tensions attribuées à la "responsabilité de personnel".

Bibliographie et références

(1) Caplan, R.D. (1971). Organizational stress and individual strain: A social psychological study of risk factors in coronary heart disease among administrators, engineers and scientists. Unpublished doctoral. University of Michigan.

(2) Cobb, J. (1974). Role responsability: The differentiation of a concept in McLean, A. *Occupational stress*. Springfield, III.: Charles C. Thomas.

(3) Kahn, R.L., Wolfe, D.M., Quinn, R.P., Snoek, J.D., Rosenthal, R.A. (1964). *Organizational stress: Studies in role conflict and ambiguity*. New York: John Wiley.

(4) Kiev, A., Kohn, V. (1979). *Executive stress*. American Management Association: an AMA Survey Report.

(5) Mettlin, C., Woelfel, J. (1974). Interpersonal influence and symptoms of stress. *Journal of Health and Social Behavior, 15* (4) 311-319.

(6) Snoek, J. (1966). Rose strain in diversified role sets. *American Journal of Sociology, 71,* 363-372.

(7) Tung, Rosalie L., Koch, J.L. (1980). School administrators: Sources of stress and ways of coping with it. in Cooper, C.L., Marshal, Judi. *White collar and professional stress*. New York: John Wiley.

(8) Wardwell, N.I., Hyman, M.M., Bahnson, C.B. (1964). Stress and coronary heart disease in three field studies. *Journal of Chronic Disease, 24,* 453-468.

La prévention du stress
du gestionnaire

CHAPITRE VII

La gestion de la performance des subordonnés

Il apparaît qu'une des préoccupations majeures des gestionnaires en poste de responsabilité à l'égard de personnes est d'amener les subordonnés à faire ce qu'ils ont à faire dans la perspective du gestionnaire (Herzberg, 19).

Le gestionnaire aux prises avec des rendements insatisfaisants de la part de ses employés est souvent porté, après quelques tentatives de correction plus ou moins infructueuses, de faire porter le blâme sur le manque de motivation de ces employés. À tel point que le manque de motivation est devenu la principale échappatoire pour justifier les échecs à faire travailler adéquatement les employés.

Cette hypertrophie de la motivation comme cause explicative du non-rendement apparaît reliée à une vision trop simplifiée du rapport motivation—rendement. En fait, il serait plus exact de dire que les gestionnaires postulent plus souvent un lien direct entre rendement inapproprié et manque de motivation qu'entre rendement approprié et forte motivation. À cet effet, il semble que les rendements appropriés sont plutôt attribués aux talents du subordonné et à l'à-propos de la gestion de son supérieur.*

Cette vision simplifiée du rapport motivation—rendement apparaît provenir d'une méconnaissance des facteurs qui affectent la performance au travail. Aussi le but de cet article est de proposer aux gestionnaires un modèle des facteurs composant ce qu'il est convenu d'appeler le système de la performance au travail, d'exposer le rôle et l'utilisation de chacun de ces facteurs et de fournir un instrument permettant aux gestionnaires de diagnostiquer les problèmes de rendement et d'intervenir à bon droit.

7.1 Un modèle de système de la performance au travail

Le modèle s'inscrit dans la perspective suivante : le comportement d'un individu au travail ne peut être considéré isolément de l'environnement organisationnel dans lequel il se trouve. La proposition de Lewin (30) à l'effet que le comportement (C) est fonction de la personnalité (P) et de l'environnement (E) est illustré par la formule $C = f(P \times E)$ qui en constitue le principe de base. Ainsi la performance fournie par un individu au travail n'est pas seulement fonction de ses aptitudes, de ses habiletés, de sa motivation intrinsèque ou d'autres

Le matériau original de ce chapitre provient des travaux de A. Savoie et L. Brunet, professeurs à l'Université de Montréal, avec qui a collaboré José Daigle au cours de l'été 1982.

caractéristiques personnelles, elle est aussi fonction de ses objectifs de travail, des informations qu'on lui donne, des ressources à sa disposition, des résultats qu'il est à même de constater, de la supervision qui lui est accordée, des conséquences qu'il assume, etc.

7.1.1. Les fondements du modèle

Le modèle du système de la performance au travail repose sur une combinaison de l'approche systémique et de l'approche behaviorale.

Considérée comme un ensemble de facteurs en interaction formant un tout relativement intégré, la performance de l'individu au travail peut être analysée d'un point de vue systémique. On y retrouve un intrant (le stimulus, les informations), un processus d'accomplissement de la tâche (les ressources, l'employé, ses comportements) et un extrant (les résultats, les conséquences). À cela s'ajoutent les mécanismes de contrôle ou de rétroaction entre, d'une part, l'employé et, d'autre part, ses comportements, les résultats, les conséquences. Ce mécanisme de rétroaction maintient le système en alerte quant au déroulement des opérations et permet la mise en oeuvre d'interventions appropriées. L'approche systémique s'avère importante dans l'analyse de la performance au travail car elle permet d'expliquer la causalité et/ou la finalité du rendement observé en mettant l'accent sur l'étude des composantes et de leur interaction (Gibson *et al.,* 14).

L'approche behaviorale apporte une contribution théorique et technique supportant opérationnellement cette préoccupation d'intégration. Essentiellement, d'après McGehee (33), cette approche considère que le comportement de l'individu s'inscrit au coeur d'un processus de stimulation, de réponse et de renforcement. Brown et Presbie (6) effectuent leur analyse behaviorale selon la formule ABC qui suggère d'identifier le comportement (Behavior), de voir ce qui le précède (Antecedent) et ce qui le suit (Consequence). Côté et Plante (10) proposent, pour bien décrire les influences réciproques entre un individu et son milieu, de définir la réponse (R) de l'individu, le stimulus (S) influençant le moment d'apparition de cette réponse, les dispositions que doit posséder cet individu (0) pour émettre la réponse attendue, la relation de dépendance (K) entre l'apparition de la réponse et l'application d'une conséquence (C). Ce qui donne le schéma de base suivant:

Au plan théorique, la modification du comportement au travail est issue de deux écoles contemporaines de la psychologie de l'apprentissage : l'approche opérante née de la tradition skinnérienne (40) et la théorie de l'apprentissage social (Bandura, 2, 3, 4). L'approche opérante orthodoxe ne prend nullement en compte les "processus cognitifs, affectifs, motivationnels..." internes à la personne pour expliquer, changer ou prévoir le comportement (Schneier *et al.,* 38). Elle repose fondamentalement sur les variables de l'environnement en aménageant les contingences de renforcement. Par contre, la théorie de l'apprentissage social reconnaît le rôle des déterminants personnels, surtout de nature cognitive — pensée, anticipation, imagination, attentes —, dans la production et le contrôle du comportement (Luthans et Davis, 29; Wehrenberg et Kuhnle, 42).

Néanmoins, Locke (26) souligne que de plus en plus de chercheurs et d'intervenants en modification de comportement introduisent dans leur schème des concepts cognitivistes telles la fixation d'objectifs et la rétroaction d'information. **En pratique,** les divergences de vue entre l'approche exclusivement opérante et les théories de l'apprentissage social ont tendance à s'estomper.

7.1.2 Les composantes du modèle

La figure 7-1 présente un modèle du système de la performance au travail intégrant l'approche behaviorale (au sens élargi du terme) à l'approche systémique. Ce modèle de la performance se compose de huit variables et de quatre boucles de rétroaction. Les variables, encadrées dans la figure 7-1, se subdivisent en deux catégories:

Variables de base

Stimulus (déclencheur)

Employé

Comportement

Résultats

Conséquences personnelles

Conséquences organisationnelles

Variables modératrices

Informations

Ressources disponibles

Les boucles de rétroaction, en pointillé dans la figure 7-1, sont au nombre de quatre.

Boucles de rétroaction

Perception des résultats et des conséquences organisationnelles
Feedback situationniste
Feedback par supervision
Feedback du groupe

Selon le modèle présenté à la figure 7-1, le schème-type du système de la performance au travail se déroule ainsi: un événement quelconque, en situation de travail, se produit. Cet événement est perçu par l'employé qui, selon les ressources et les informations qu'il possède, réagit en adoptant un comportement particulier. Ce comportement produit des résultats qui sont suivis de conséquences pour l'organisation et pour l'employé. Le comportement adopté par l'employé est plus ou moins pertinent selon les résultats et les conséquences organisationnelles qu'il est en mesure de percevoir, selon les conséquences personnelles qu'il assume en situation de travail, selon la supervision qu'il reçoit de la part de son supérieur et selon le feedback de son groupe de travail.

FIGURE 7-1

Un modèle du système de la performance au travail

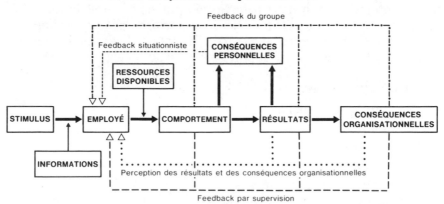

Par exemple, après un plantureux repas, un client présente au caissier d'un restaurant une carte de crédit (STIMULUS). Le caissier a comme directives de vérifier la solvabilité des détenteurs de cartes de

222

crédit (INFORMATIONS). Il (EMPLOYÉ) dispose d'un téléphone et du temps nécessaire (RESSOURCES). Le caissier téléphone donc au centre de vérification des cartes de crédit (COMPORTEMENT) et il obtient la confirmation de la solvabilité du client (RÉSULTATS). La facture du client est dûment réglée par l'intermédiaire de la carte de crédit (CONSÉQUENCES ORGANISATIONNELLES) et le client manifeste son irritation à l'employé (FEEDBACK SITUATION-NISTE) devant ce manque de confiance et ce contretemps. De plus, l'employé peut recevoir du feedback renforçant ou punitif tant de la part de son supérieur (FEEDBACK DE SUPERVISION) que de la part de son groupe de travail (FEEDBACK DU GROUPE).

A. **Les variables du modèle**

Voyons maintenant la nature et les caractéristiques de chacune des composantes de ce modèle du système de la performance du travail.

LE STIMULUS

Plusieurs auteurs (Bandura, 2; Komaki *et al.,* 21; Brown et Presbie, 6) spécifient que le comportement est aussi fonction de ce qui le précède, les antécédents. En termes de conditionnement opérant, Côté et Plante (10) considèrent le stimulus comme tout événement ou changement se produisant dans l'environnement d'un individu avant ou au moment de l'apparition d'une réponse suivie d'une conséquence, et qui influence la tendance de l'individu à émettre cette réponse. Skinner (40) avait écrit que l'employé émet des comportements face à la réalité extérieure qui est composée des exigences de sa tâche. Les stimuli sont donc les aspects de la tâche qui nécessitent de la part de l'employé l'émission de certaines formes de comportement, par exemple: une commande reçue, un signal de bris de machinerie, l'arrivée du courrier, la sonnerie de retour au travail, l'approche d'une échéance, etc.

LES INFORMATIONS

Ce sont les formes de savoir (savoir, savoir-être, savoir-faire) trans-mises explicitement au subordonné à l'effet qu'un événement donné requiert tel comportement ou ensemble de comportements devant être exécuté d'une certaine façon. L'information a essentiellement pour objet de réduire l'incertitude (Annett, 1). Comme l'information pro-vient principalement du supérieur ou des pairs, elle exclut par défini-tion les connaissances ou apprentissage résultant de l'expérience même de l'employé à son travail.

Les informations les plus générales réfèrent à la **mission**, aux **valeurs** et **politiques** de même qu'aux **objectifs** préconisés par l'organisation et/ou le département concerné. Cette première catégorie d'informations réfère à ce que Laflamme (22) appelle le système d'orientation, à savoir les perspectives d'ensemble et le devenir de l'organisation.

Une seconde classe d'informations, centrée prioritairement sur l'employé, concerne les **rôles** qui lui sont dévolus. Les rôles comprennent tout autant les fonctions et les tâches les composant que la façon de remplir ces fonctions et tâches (Kahn et Quinn, 20). Cette deuxième catégorie informe dont l'employé de ce qu'il a à faire et de la façon de le faire. Le chapitre 4 de ce volume traite plus à fond des rôles.

Finalement, la variable information inclut les **objectifs spécifiques** que l'employé est responsable d'atteindre à l'intérieur d'une période précise (Steers et Porter, 41). Les objectifs se traduisent souvent sous la forme de directives, d'échéanciers, de procédures, etc. La spécialité de l'objectif permet à l'employé, dans un premier temps, d'évaluer l'ampleur des efforts requis pour l'atteindre et, dans un second temps, d'apprécier lui-même les résultats obtenus en regard de l'objectif poursuivi. Concernant cette spécificité des objectifs, Steers et Porter (41) s'estiment relativement convaincus, suite à leur recension de la documentation, que le fait de fournir aux employés des objectifs clairs et précis a tendance à contribuer à un meilleur rendement que l'absence de tels objectifs. D'autre part, Maillet (31) a démontré que le rendement est déterminé par la difficulté des objectifs dans la mesure où les objectifs sont perçus réalisables. Au-delà d'un seuil subjectif de difficulté, l'employé risque de diminuer sa performance en l'absence de stimulation ou de renforcement.

L'EMPLOYÉ

C'est l'individu occupant un poste de travail donné et qui doit répondre aux demandes (stimuli) de sa tâche. Pour les besoins du modèle du système de la performance, la variable employé réfère plus précisément aux **habiletés mentales** et/ou **physiques** et/ou **sociales** que doit déployer l'individu pour satisfaire aux exigences de son poste. Elle n'inclut pas la dynamique motivationnelle avec son cortège de besoins, d'attentes et de valences.

LES RESSOURCES

Ce sont les **moyens monétaires, matériels, temporels** et **humains** qu'une organisation met à la disposition du titulaire d'un poste pour que celui-ci accomplisse adéquatement les tâches qui lui sont dévolues (Meager et Pipe, 34). Étant donné le rôle de "dispensateur de ressources" identifié par Mintzberg (35) chez les gestionnaires, cette variable entre dans la sphère d'influence du supérieur, quelques maigres que soient ces ressources.

LE COMPORTEMENT

Le comportement est le concept central de la théorie behaviorale. On le définit comme tout mouvement observable ou mesurable d'un organisme ou d'une partie d'organisme (Côté et Plante, 10). Dans un environnement de travail, le comportement s'exprime par des paroles, des gestes, des actions de la part de l'employé en réponse aux demandes de sa tâche. On peut faire référence au savoir, savoir-être ou savoir-faire en autant qu'ils s'expriment par un comportement observable.

LES RÉSULTATS

Le comportement émis suite au stimulus entraîne des résultats. La variable résultats réfère aux résultats **immédiatement perceptibles** ou **directement observables** par l'employé. Cet aspect d'immédiateté ou de feedback direct est fort important car il permet à l'employé de corriger son comportement selon les résultats obtenus (Skinner, 40; Luthans et Kreitner, 28). La prise en compte des résultats s'effectue selon un plan comparatif, soit en regard de normes de rendement, soit à partir d'objectifs bien établis.

L'approche par le truchement des normes de rendement s'applique davantage aux postes de production directe et demande une analyse soignée des normes de qualité et de quantité acceptables pour un emploi donné (Haynes, 18). L'approche par l'intermédiaire des objectifs nécessite au préalable l'établissement d'objectifs à atteindre et une formulation de ceux-ci en termes observables. Des dates de réalisation y sont souvent précisées (Drake, 11).

LES CONSÉQUENCES

Les conséquences réfèrent aux événements qui découlent des actions de l'employé et/ou des résultats obtenus. Deux types de conséquences sont retenus dans le modèle : des conséquences organisationnelles qui affectent en positif ou en négatif l'organisation et des conséquences personnelles qui atteignent directement l'employé dans son travail (Luthans et Kreitner, 28).

a. Les conséquences personnelles

L'exercice d'une action donnée et/ou l'obtention d'un certain résultat entraînent des conséquences pour celui qui pose le geste donné. Ces conséquences appartiennent à trois domaines différents. Il peut s'agir de conséquences d'ordre **physique/physiologique** tels la fatigue, la douleur musculaire, le bien-être corporel, etc. Elles peuvent également comprendre les **réactions et les commentaires** des interlocuteurs (clients, pairs, etc.) avec qui transige l'employé pour exécuter sa tâche. Il peut aussi s'agir de l'**évaluation affective** (bon/pas bon; correct/pas correct; honnête/malhonnête) que l'employé lui-même fait de ses actions et résultats. Quelle que soit la nature de ces conséquences personnelles, elles découlent de l'exercice de sa tâche.

b. Les conséquences organisationnelles

Par conséquences organisationnelles, on entend les effets provoqués par les résultats et les comportements individuels sur la dynamique même de l'organisation. Elles réfèrent aux notions de productivité, d'acceptabilité sociale, de compatibilité organisationnelle, de rentabilité économique, de renom, de moral, de croissance, etc.

B. Les boucles de rétroaction du modèle

À ces huit variables de base et modératrices s'ajoutent quatre boucles de rétroaction (feedback) qui complètent le système de performance. Actuellement, que ce soit sous la forme de la prise directe de connaissance des résultats par l'employé lui-même ou sous la forme de feedback en provenance du supérieur immédiat ou d'autres individus, le feedback sur la performance constitue la stratégie béhaviorale de changement la plus utilisée dans les organisations (Prue *et al.*, 36).

LE PRINCIPE DU FEEDBACK

Les quatre boucles de rétroaction s'inscrivent dans la dynamique du modèle de la performance selon le principe suivant: d'après la loi de l'effet formulée par Thorndike, l'homme tend à éviter les comportements qui entraînent des conséquences défavorables (punition) et à adopter les comportements qui sont suivis de conséquences favorables (renforcement). Cependant, c'est l'individu-cible qui, en dernière analyse, détermine pour lui-même l'importance et le sens (favorable/défavorable) de ces conséquences, alors que, pour l'observateur, la valeur renforçante ou punitive d'une conséquence se mesure par l'effet qu'elle aura sur la fréquence d'apparition du comportement.

Malcuit et Pomerleau (32) distinguent deux types de renforcement: le renforcement positif et le renforcement négatif. Suite à l'émission du comportement-cible, le renforcement **positif** consiste à **ajouter** une conséquence agréable pour l'employé et le renforcement **négatif**, à **soustraire** une conséquence qui lui est aversive. Par exemple, un bonus qui vient souligner adéquatement l'effort d'un gérant des ventes au cours des derniers mois peut constituer un renforcement positif. D'autre part, un patron optant pour le renforcement négatif du bon rendement de sa secrétaire, peut décider de lui épargner les tâches fastidieuses de photocopie, sachant que ces tâches l'horripilent. Il est même possible de combiner les renforcements positifs et négatifs : en plus de soustraire l'employé à une situation qui lui déplaît, on fait suivre le comportement-cible d'une conséquence désirable. À titre d'exemple, suite à l'accomplissement consciencieux et efficace d'un travail pénible et ennuyant, un employé est promu à un emploi plus stimulant (renforcement positif), ce qui le soustrait du même coup à son astreignant travail antérieur (renforcement négatif).

Cependant, qu'il y ait retrait ou addition d'un stimulus à un comportement, il s'agit à coup sûr d'un **renforcement** si la fréquence d'apparition du comportement **augmente.** D'autre part, le renforcement contribue aussi à maintenir le taux actuel de comportement jugé approprié car, dans son sens plus générique, le renforcement ne fait qu'augmenter la **probabilité** que le comportement se produise à nouveau. C'est pourquoi, selon leur ratio d'utilisation, les renforcements peuvent servir à soutenir une conduite appropriée tout comme ils peuvent être utilisés pour améliorer une conduite inappropriée en renforçant seulement les comportements corrects. D'autre part, bien que le fait de renforcer toutes les réponses correctes accélère l'apprentissage, il vaut mieux émettre les renforcements selon un rythme variable plutôt que continu, de façon à rendre le comportement plus résistant à l'extinction advenant une cessation ou une réduction substantielle du renforcement.

Si la fréquence d'apparition d'un comportement **diminue,** il s'agit soit d'un processus de **punition**, soit d'un processus d'**extinction.** La punition consiste à ajouter une conséquence aversive ou à enlever une conséquence attrayante pour l'employé suite à l'émission du comportement non désiré. De manière globale, on peut dire que la punition est moins efficace que le renforcement parce que, entre autres, elle ne fait que sanctionner des comportements déjà émis sans indiquer les comportements attendus.

Une autre façon de diminuer un comportement est l'extinction. L'extinction consiste à cesser de renforcer un comportement (Malcuit et Pomerleau, 32). Lorsqu'un individu émet un comportement qui fut renforcé positivement (addition d'une conséquence attrayante), il suffirait de retirer cette conséquence pour que le taux de réponse décline.

LA PERCEPTION DES RÉSULTATS ET DES CONSÉQUENCES

La possibilité de prendre connaissance des résultats obtenus et des conséquences organisationnelles constitue la forme de feedback informatif la plus fondamentale et la plus ancienne. Le tailleur de silex pouvait non seulement façonner et voir la forme de ses pointes de lance (résultats), il pouvait aussi se faire une idée de leur efficacité et de leur résistance au retour des chasseurs (conséquences organisationnelles). L'accès rapide, si ce n'est immédiat, aux résultats offre la possibilité à l'employé de suivre pas à pas le déroulement des opérations et d'effectuer, si nécessaire, les ajustements au fur et à mesure des événements (Bandura, 4). Cet ajustement n'est possible que si l'employé peut comparer ses résultats à un certain modèle idéal prenant la forme d'objectifs à atteindre, de normes (Goldstein, 15; Locke, 27), de plan de travail, puisqu'il s'agit d'un feedback de nature essentiellement cognitive. La perception des résultats et leur comparaison à une norme quelconque sont des conditions nécessaires à l'employé pour que, de lui-même, il maintienne ou améliore sa performance (Erez, 12). Cependant, il arrive que ces conditions ne suffisent pas puisque c'est l'usage qu'il fera de cette connaissance qui sera déterminante sur sa performance (Cartledge et Koeppel, 9). En effet, étant donné la nature surtout informative du feedback fondé sur la perception des résultats, l'utilisation qu'il en fera dépend, d'une part, du caractère renforçant, neutre ou punitif qu'il attribuera à cette information, une fois comparée à une norme quelconque, et, d'autre part, des habiletés dont il est pourvu pour effectuer sa tâche.

LE FEEDBACK SITUATIONNISTE

Cette seconde boucle de rétroaction véhicule les trois types de conséquences personnelles que l'employé est susceptible d'assumer lors ou suite à l'exécution de sa tâche. Ainsi, les conséquences de nature physique/physiologique vont se traduire par différentes manifestations de stress (détresse et eustresse) au niveau de la santé, au sens médical du terme, de l'individu au travail. Quant aux conséquences reliées aux réactions des interlocuteurs ou à l'évaluation affective du travail par l'employé concerné, elles se manifestent par divers états affectifs/émotionnels du genre fierté, satisfaction, découragement, ennui.

LE FEEDBACK PAR SUPERVISION

La troisième boucle de rétroaction ayant effet sur la pertinence du comportement adopté par l'employé réfère au concept de supervision qui...

1) est une action du supérieur vers l'atteinte d'un but par l'intermédiaire d'autrui (Sergiovanni et Starratt, 39);

2) consiste en une relation d'aide, de support, d'assistance, de correction (Wiles, 43; Franseth, 13; Williamson, 44);

3) a pour objet les personnes, les relations entre les personnes et le processus de fonctionnement de ces personnes en tant que groupe (Wiles, 43);

4) vise à changer les comportements, les interactions avec autrui et même le concept de soi (Burton et Brueckner, 7).

Sur un plan opératoire, la supervision prend l'allure suivante: suite à l'exercice d'un contrôle des résultats et/ou des conséquences organisationnelles par le supérieur immédiat, la supervision exécutée par ce supérieur ou un délégué, vise à corriger, faciliter ou renforcer les comportements de l'employé selon que les résultats obtenus et/ou les conséquences organisationnelles qui en découlent sont pauvres, satisfaisants ou supérieurs. Quel que soit le but de cette rétroaction, elle s'effectue généralement selon une des trois modalités suivantes:

a) Il peut s'agir d'une simple **communication informative** concernant les comportements de l'employé et / ou les résultats obtenus et / ou les conséquences en découlant. Par la communication informative, le supérieur se limite à exprimer un constat sans prendre position à l'égard de ce qu'il a constaté. En tant que communication informative, on a tendance à confondre feedback par supervision et perception des résultats parce que les deux boucles de rétroaction peuvent contenir exactement les mêmes données. Cependant, l'impact des deux processus de feedback est différent. Dans le cas de la perception des résultats, l'employé ne met pas en doute l'objectivité de sa perception. Dans le cas du feedback par supervision, étant donné que l'information parvient à l'employé par l'intermédiaire d'une tierce personne, à savoir le supérieur immédiat, l'information est interprétée de façon personnelle par l'employé (Greller, 16). Cette interprétation subit l'influence de la qualité des relations supérieur-subordonné, de l'objectivité des observations antérieures du supérieur, du niveau d'aspiration de l'employé, des traits de personnalité de l'employé (Steers et Porter, 41).

Pour que le feedback informatif ait quelque efficacité renforçante ou punitive, il faut qu'il acquiert une certaine valeur aux yeux du subordonné (Bandura, 3). Selon la précision et l'exactitude des informations descriptives du supérieur, l'employé est en mesure de juger de la pertinence de son comportement et de décider s'il doit maintenir, augmenter ou diminuer ses efforts (Locke, 25). À cet effet, Steers et Porter (41) mettent en garde contre les feedback informatifs incomplets ou erronés qui risquent de frustrer le subordonné et d'affecter en négatif sa performance.

b) Il peut s'agir d'une **communication à caractère évaluatif** par l'expression d'une appréciation, d'un jugement, d'une évaluation.

Dans cette forme de feedback par supervision, la règle d'or est la suivante: éviter de faire porter l'appréciation sur la personne même du subordonné; de préférence, commenter les résultats obtenus, les méthodes employées, le temps de réalisation, les conséquences qui en découlent, etc. De cette façon, on esquive la très délicate sphère du concept de soi, de l'estime de soi.

Qu'il soit de nature informative ou évaluative, le débat est actuellement ouvert quant aux mérites respectifs du feedback par supervision en privé **vs** en public; sous une forme verbale **vs** une forme écrite; selon le type d'information transmis; selon ses caractéristiques temporelles en termes de durée, de fréquence et de contiguïté avec la performance (Prue et Fairbank, 37).

c) Il peut s'agir d'une **intervention effective** du supérieur immédiat en vue de **corriger** une performance insatisfaisante. Cette intervention peut revêtir un caractère d'apprentissage par laquelle le supérieur prend action en investissant dans la performance de l'employé (démonstration, perfectionnement). Il peut s'agir aussi d'une intervention à caractère punitif (mesures disciplinaires, suspension, etc...) par laquelle le supérieur fait appel à ses droits de gérance et aux règlements en vigueur pour mettre fin à une performance inappropriée.

D'autre part, l'intervention effective peut être de nature **renforçante** par l'attribution de bonus, de promotion, d'avantages divers en vue de récompenser une performance déjà plus que satisfaisante.

LE FEEDBACK DU GROUPE

La quatrième et dernière boucle de rétroaction consiste en feedback en provenance du groupe de travail de l'employé. Le groupe de travail a une forte influence sur l'employé de par le contrôle qu'il exerce sur la plupart des stimuli auxquels celui-ci est exposé au cours de ses activités organisationnelles (Hackman, 17). En effet, les groupes, à l'instar des autorités organisationnelles, définissent des normes de comportement et de rendement auxquelles les membres ont intérêt à se plier. Ces normes de groupe sont présentes dans toutes les organisations, avec des intensités variables cependant, elles peuvent être conformes ou non aux normes formelles de conduite ou de rendement de l'organisation. Les normes du groupe sont donc un mécanisme qui contrôle...

... le type de comportement qui doit être exhibé par les membres d'un groupe.

... le degré de déviance comportementale toléré. (Gibson *et al.*, 14).

Lorsqu'un individu transgresse les normes de son groupe, il en est aussitôt averti. Ainsi, lorsqu'un employé fournit une performance dont les conséquences organisationnelles se répercutent sur la vie de son groupe de travail, il reçoit un feedback de ce groupe. En d'autres mots, un employé qui effectue mal son travail pourra être aussi bien blâmé par ses supérieurs que par ses pairs, d'où l'importance du feedback donné par le groupe.

7.1.3 Postulats du modèle de la performance au travail

Les fondements théoriques du modèle de même que la nature de ses composantes amènent à la formation des postulats suivants:

1- Relativement à l'équation de Lewin C = f(PXE), le modèle de la performance au travail focalise sur le facteur environnement (E). Il met l'accent sur des mécanismes de contrôle pouvant faciliter la tâche de l'employé tout en étant à la portée de l'entourage humain de l'employé, particulièrement de son supérieur immédiat.

2- La majorité des performances insatisfaisantes chez un employé proviennent d'une rupture dans le système de performance.

3- La majorité des ruptures dans le système de performance sont susceptibles d'être corrigées par le gestionnaire.

4- Toute rupture dans le système de performance n'entraîne pas nécessairement une baisse de la performance chez l'employé parce que le facteur personnalité (P) peut compenser cette défaillance.

7.2 Les points de rupture dans le système de la performance au travail

Même si, dans une situation de travail, les comportements des gestionnaires et des employés s'influencent réciproquement, les points de rupture seront abordés dans la perspective de l'influence qu'exerce le supérieur à l'endroit du subordonné. Ce choix découle d'une double considération: premièrement, les travaux de Likert et de son équipe ont mis en évidence le rôle prépondérant du supérieur sur le rendement et la satisfaction des subordonnés. Selon ces recherches, le supérieur serait la variable individuelle la plus lourde pour expliquer le comportement du subalterne. Deuxièmement, cette approche a été élaborée dans une perspective pragmatique, à savoir identifier, du point de vue du gestionnaire, les variables sur lesquelles ce dernier peut exercer effectivement une action.

Le processus d'identification des points de rupture permet d'utiliser le Modèle du Système de la Performance au Travail à des fins d'analyse et d'intervention en **cas de rendement inapproprié**. Ces derniers mots sont fort importants car le processus est construit dans la perspective d'une intervention corrective, même si le modèle de performance, lui, est un modèle global du processus de performance individuelle au travail.

La résolution du problème de performance s'effectue selon une séquence constituée de trois phases, récursives au besoin:

1- Identification d'un problème de performance

2- Localisation de la (des) cause(s) opérante(s)

Identification du problème de performance

A) PERCEPTION D'UN ÉCART DE RENDEMENT

Il y a rendement inapproprié lorsque les résultats obtenus et/ou les conséquences découlant de ces résultats ne sont pas conformes aux résultats ou aux conséquences attendus. C'est donc la présence d'un écart entre les objectifs devant être atteints ou les normes devant être satisfaites et les résultats/conséquences effectivement obtenus qui détermine l'existence d'un problème de performance. Cette première étape s'appelle perception d'un écart de rendement.

B) DESCRIPTION DE L'ÉCART DE RENDEMENT

Cette première étape est suivie d'une description différenciée des manifestations de cet écart de rendement en termes de fréquences, de magnitude, de degré, de qualité, de pourcentage, de lieu, de temps, de délais, de coûts, de pertes, etc. Il est de première importance que le gestionnaire appréhende le plus concrètement possible les facettes majeures et manifestes de cet écart de rendement. Cette seconde étape s'appelle description de l'écart de rendement.

Ces deux premières étapes appartiennent conceptuellement au processus de résolution de problème: il y a identification effective d'un problème de performance si, en effectuant ces deux étapes, le gestionnaire acquiert une certitude suffisante que les caractéristiques de l'écart de rendement distinguent réellement la performance de l'employé-cible de celle des autres employés.

Localisation de la(des) cause(s) opérante(s)

Selon le modèle de la performance au travail, il y a sept points de rupture pouvant expliquer une performance inappropriée chez l'employé: il s'agit de lacunes se situant aux points suivants:

1- Informations
2- Perceptions des résultats et des conséquences
3- Feedback par supervision
4- Ressources
5- Feedback situationniste
6- Feedback du groupe
7- Employé (ses capacités)

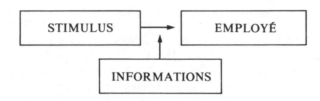

Enjeu: L'employé sait-il ce qu'il a à faire?

De toute apparence, ce sont des lacunes situées à ce niveau qui seraient responsables du plus grand nombre de performances inappropriées. Les supérieurs ont tendance à **prendre pour acquis que l'employé connaît** les implications, en termes d'agir, d'un stimulus donné sans s'assurer qu'ils ont fourni les informations nécessaires.

Locke (27) insiste sur l'importance des intentions ou des désirs dans la performance humaine. Selon ces auteurs, plus les objectifs fixés sont difficiles et précis, plus le rendement augmente en autant que l'employé s'accorde une probabilité subjective de réussite. En corrolaire, il s'ensuit donc qu'un objectif flou et/ou trop facile et/ou incompris soit suivi d'un rendement médiocre. C'est là qu'intervient le lien STIMULUS $\longrightarrow$ EMPLOYÉ, modéré par l'INFORMATION. En effet, dans une situation donnée, il n'y a de performance appropriée ou inappropriée qu'en regard d'une attente ou d'un objectif précis.

En rapport aux catégories d'informations susceptibles d'affecter la performance d'un employé, la problématique de ce premier point de rupture peut se formuler ainsi:

1- L'employé a-t-il été informé que ce stimulus commande l'émission de tel comportement donné?

234

2- L'employé a-t-il été informé des objectifs spécifiques qu'il doit atteindre?

3- Plus généralement, l'employé a-t-il été informé des rôles (fonctions et façons de les remplir) que l'on attend de lui?

4- Globalement, l'employé a-t-il été informé de la mission, des valeurs et politiques, des objectifs de l'organisation?

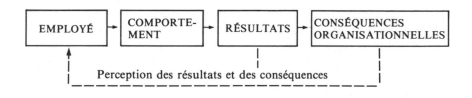

Enjeu: L'employé voit-il les résultats et les conséquences de son action?

Selon l'approche behaviorale, la connaissance des résultats obtenus est la forme la plus fondamentale de feedback, tout comme elle est un sine qua non à l'auto-correction éclairée du processus conduisant au résultat. Ce deuxième point de rupture inclut également les conséquences organisationnelles dans le mécanisme de rétroaction parce que la perception des conséquences organisationnelles découlant des résultats peut, elle aussi, contribuer à l'auto-correction des comportements.

Ainsi, à ce second point de rupture, les aires de vérification peuvent s'énoncer ainsi:

1- Les résultats obtenus sont-ils directement perceptibles et/ou rapidement accessibles à l'employé concerné?

2- Les conséquences organisationnelles découlant de ses résultats sont-elles perceptibles par l'employé concerné?

3- Plus généralement, la situation de travail de l'employé offre-t-elle un mécanisme de rétroaction qui puisse informer l'employé de l'efficacité du comportement en question a) au niveau des résultats b) au niveau des conséquences organisationnelles?

235

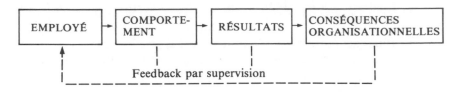

Enjeu: L'employé reçoit-il du feedback de son supérieur?
En termes d'information, d'évaluation, d'intervention?

Le troisième point du système de performance susceptible d'être rompu concerne la rétroaction en provenance du supérieur immédiat. On sait que la supervision vise soit à corriger un rendement pauvre, soit à faciliter un rendement déjà satisfaisant, soit à renforcer un rendement supérieur. Quel que soit le but de cette rétroaction, elle s'effectue généralement selon une des trois modalités suivantes: information, évaluation, intervention.

Ainsi, à ce troisième point de rupture, la problématique de la performance est investiguée des manières suivantes:

1) L'employé a-t-il été **informé** par son supérieur des résultats et, le cas échéant, des conséquences organisationnelles de son comportement?

2) Les résultats et les conséquences organisationnelles, le cas échéant, ont-ils été l'objet d'une communication **évaluative** par le supérieur immédiat?

L'employé sait-il comment s'y prendre pour obtenir les résultats attendus et satisfaire ainsi aux objectifs qui lui sont impartis? Deux aires sont analysées:

3a) L'employé **sait-il comment** exécuter le comportement requis dans cette situation?

3b) **A-t-on enseigné** à l'employé **comment** se comporter dans cette situation?

4a) L'employé **sait-il exercer** les comportements qui sont impliqués dans cette situation?

4b) **A-t-on montré** à l'employé à **exercer** les comportements requis?

236

Il se peut que l'employé sache effectuer le travail mais, pour de multiples raisons ne consente pas à l'effectuer correctement. Dans ce cas, il est opportun de vérifier jusqu'à quel point le gestionnaire a fait usage de ses droits de gérance pour faire en sorte que l'employé émette les comportements appropriés.

5) L'employé a-t-il été informé des intentions de son supérieur d'appliquer des mesures correctives si son comportement au travail ne s'améliore pas?

6) Le supérieur a-t-il effectivement appliqué les mesures correctives relevant de ses droits de gérance?

RESSOURCES

Enjeu: L'employé dispose-t-il des ressources nécessaires?

Le bris dans le système de performance peut provenir d'insuffisance, en termes de quantité, de qualité, de disponibilité, au niveau des ressources. À ce quatrième point de rupture, l'investigation porte selon les trois termes précédents (quantité, qualité, disponibilité), relativement aux ressources matérielles, technologiques, financières et humaines requises pour émettre le comportement approprié.

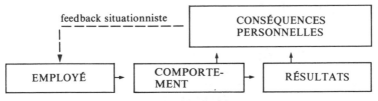

Enjeu: Les conséquences personnelles assumées par l'employé à son travail le pénalisent-il?

Il peut arriver que les conséquences physiques/physiologiques résultant de son travail affectent la santé et/ou le bien-être de l'employé. De la même manière, ce peut être son état affectif/émotif qui est troublé par sa propre évaluation de son travail ou par les réactions/commentaires de ses interlocuteurs. On remarquera qu'en ce qui concerne l'identification du feedback situationniste, la participation de l'employé s'avère pour le moins souhaitable.

L'investigation de ce cinquième point de rupture prend l'allure suivante:

1- Quelles sont les conséquences personnelles d'ordre physique/ physiologique et/ou affective assumées par l'employé?

2- Quel est l'impact de ces conséquences personnelles sur la santé et/ou l'état affectif de l'employé?

3- Cet impact a-t-il un effet sur la performance de l'employé?

4- Quelles sont les conséquences personnelles qui sont modifiables directement ou indirectement par une intervention du supérieur immédiat?

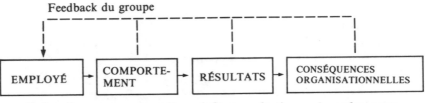

Feedback du groupe

| EMPLOYÉ | COMPORTE-MENT | RÉSULTATS | CONSÉQUENCES ORGANISATIONNELLES |

Enjeu: Le groupe exerce-t-il une influence négative sur la performance de l'employé?

On sait que les normes du groupe, très puissantes dans le cas d'un groupe cohésif, peuvent aller à l'encontre ou dans le même sens que les normes de la direction. Si la performance de l'employé est effectivement soumise à l'influence du groupe, il est inutile d'exercer des pressions sur l'employé. L'effort du gestionnaire devra porter auprès du groupe dans son ensemble, plus particulièrement auprès du/des leader(s). Dans le cas d'une opposition des normes du groupe aux normes de la direction, il y a lieu de vérifier s'il s'agit d'une mesure de protection des employés contre des exigences (présentes ou anticipées) de la direction ou s'il s'agit d'une lutte de pouvoir.

EMPLOYÉ

Quand les aires d'investigation précédentes n'ont pas apporté de résultats probants, il est opportun de sonder les aptitudes de l'employé:

1- L'employé a-t-il les aptitudes physiques requises pour exécuter le comportement approprié?

2- L'employé a-t-il les aptitudes intellectuelles requises pour exécuter le comportement approprié?

Advenant que là aussi, les résultats de l'enquête ne soient pas probants, il est justifié de formuler l'hypothèse de la motivation intrinsèque comme cause possible de la mauvaise performance.

238

7.3 La grille d'analyse et d'intervention

La grille d'analyse et d'intervention (GAIN) vise à fournir au gestionnaire un guide d'action, un procédurier pour résoudre un problème de performance en localisant la/les cause(s) opérante(s) et en appariant le(s) champ(s) de solution. Comme chacun des points de rupture peut influer sur la qualité, la pertinence et même tout simplement sur l'émission ou non du comportement adéquat, il est approprié d'en effectuer une vérification systématique. Advenant que le gestionnaire, seul ou de concert avec l'employé concerné, en arrive à une réponse positive sur une aire donnée, il est justifié de passer à l'aire suivante de vérification. Si, au contraire, il obtient une réponse négative à l'une de ces catégories d'information, il y a lieu d'en prendre bonne note (en vue d'une intervention prochaine) avant de passer à l'inventaire des aires qui suivent.

ÉTAPES   CHAMP DE SOLUTION

I- **Identification du problème de performance**

A) PERCEPTION D'UN ÉCART DE RENDEMENT

1- Avez-vous identifié clairement les résultats   NON   Identification
et, le cas échéant, les conséquences organi-   →   des résultats et,
sationnelles obtenues par l'employé?   le cas échéant,
                                              des conséquen-
OUI ↓   ces organisa-
                                              tionnelles

2- Y a-t-il un écart important entre les résul-   NON   Il n'y a vrai-
tats/conséquences obtenus et les résultats/   →   semblablement
conséquences attendus?   pas de pro-
                                              blème
OUI ↓

B) DESCRIPTION DE L'ÉCART DE RENDEMENT

3- Pouvez-vous décrire précisément cet écart   NON   Description de
de rendement en termes de fréquence, de   →   l'écart de ren-
magnitude, de degré, de qualité, de pourcen-   dement
tage, de lieu, de durée, de coût, de délais, etc.?
OUI ↓

II- A) INFORMATION

4- L'employé a-t-il été informé du/des stimu-   NON   Information à
lus(li) qui commande(nt) l'émission du/des   →   l'employé
comportement(s) en question?

OUI ↓

5- L'employé a-t-il été informé des objectifs   NON   Information à
spécifiques qu'il doit atteindre?   →   l'employé

OUI ↓

6- Plus généralement, l'employé a-t-il été   NON   Information à
informé de ses fonctions et des rôles qu'on   →   l'employé
attend de lui?

OUI ↓

7- Globalement, l'employé a-t-il été informé   NON   Information à
des buts et des politiques de l'organisation,   →   l'employé
de même que du climat organisationnel y exis-
tant (si cet aspect est pertinent)?

OUI ↓

B) PERCEPTION DES RÉSULTATS ET DES CONSÉQUENCES

8- L'employé peut-il voir les résultats de son   NON   Structuration
comportement?   →   de la tâche:
                                    comportement
OUI ↓   → résultats

240

9- Les résultats obtenus sont-ils suivis de conséquences organisationnelles perceptibles par l'employé et utiles à son travail? OUI ↓	NON → Structuration opérationnelle: faire en sorte que l'employé voit comment son rendement affecte les résultats de son unité de travail ou de l'organisation

C) FEEDBACK PAR SUPERVISION

10- L'employé a-t-il reçu du feedback descriptif quant aux résultats et, le cas échéant, aux conséquences organisationnelles de son comportement? OUI ↓	NON → Supervision informative à l'employé
11- L'employé a-t-il reçu de son supérieur immédiat un feedback **évaluatif** quant aux résultats et, le cas échéant, aux conséquences organisationnelles de son comportement? OUI ↓	NON → Supervision évaluative à l'employé
12- L'employé **sait-il comment éxécuter** le comportement approprié? OUI ↓	NON → Explication sur la façon d'exécuter le comportement approprié
13- L'employé **sait-il exercer** les comportements requis dans cette situation? OUI ↓	NON → Démonstration/perfectionnement

14- L'employé a-t-il reçu un feedback correctif NON Utilisation des
suite aux résultats et, le cas échéant, aux → droits de gé-
conséquences organisationnelles de son com- rance pour fins
portement? de correction.

OUI ↓ S'assurer ce-
pendant de la
légitimité de la
correction. Il
faut aussi tenir
compte de sa
position de
pouvoir.

D) RESSOURCES

15- L'employé a-t-il les ressources matérielles NON Affectation des
et/ou technologiques et/ou financières et/ou → ressources re-
temporelles et/ou humaines requises pour quises. L'em-
émettre le comportement approprié? ployé a peut-
être de bonnes
OUI ↓ idées dont on
pourrait profi-
ter.

E) FEEDBACK SITUATIONNISTE

16- Connaissez-vous les conséquences per- NON Identification
sonnelles (physiques/physiologiques et/ou → des consé-
émotionnelles) assumées par l'employé et di- quences per-
rectement associées à l'exécution de la tâche sonnelles
concernée?

OUI ↓

17- Connaissez-vous les répercussions, tant NON Identification
positives que négatives, de ces conséquences → des répercus-
personnelles sur la performance de l'employé? sions de ces
conséquences
OUI ↓

242

18- Avez-vous identifié les conséquences per- NON Identification
sonnelles dont vous pouvez atténuer ou même → des conséquen-
éliminer les répercussions négatives? Êtes-vous ces personnel-
intervenu en ce sens? les et interven-

OUI ↓ tion

F) FEEDBACK DU GROUPE

19- Connaissez-vous l'influence, tant positive NON Identification
que négative, du groupe sur la performance → de l'influence
de l'employé? du groupe

OUI ↓

20- Si l'influence du groupe est négative et NON Intervention
suffisamment forte, êtes-vous intervenu auprès → auprès du
du groupe dans son ensemble et/ou auprès groupe et/ou
du/des leader(s)? du/des lea-

OUI ↓ der(s)

G) L'EMPLOYÉ

21- L'employé a-t-il les aptitudes physiques NON Verser cette
pour accomplir le comportement requis? → donnée au dos-

OUI ↓ sier de l'em-
ployé en vue
d'une action
administrative
prochaine

22- L'employé a-t-il les aptitudes intellec- NON Verser cette
tuelles pour accomplir le comportement → donnée au dos-

OUI ↓ sier de l'em-
ployé en vue
d'une action
administrative
prochaine

23- Alors, il s'agit probablement d'un problème appartenant à la personnalité de l'employé, problème qui devra être résolu par une approche différente, probablement de nature motivationnelle.

7.4 Conclusion

Ce modèle de la performance au travail résulte d'un effort d'intégration d'éléments théoriques, empiriques ou expérimentaux, maintenus jusqu'à présent en relative isolation. Il résulte aussi d'un souci de rendre accessibles et utilisables un certain nombre de concepts, méthodes et techniques en usage dans divers domaines des sciences de l'homme. Ainsi, nous avons puisé dans les théories motivationnelles les données relatives à la difficulté et à la précision de l'objectif, dans les théories de l'apprentissage les différentes formules de feedback sur la performance, dans les théories de leadership le concept de supervision, en psychologie sociale les notions de rôle et de normes, en management le système d'orientation et la notion de ressources. L'intégration de ces éléments s'est effectuée selon un modèle systémique behavioral.

Avant d'attribuer les raisons d'une performance inefficace à la motivation individuelle, il apparaît primordial de considérer l'influence des facteurs de l'environnement de travail. Il y a tellement d'éléments présents dans cet environnement qui interagissent avec le comportement d'un travailleur que l'origine de l'inefficacité du travail d'un employé ne peut être limitée au seul facteur individuel. Le gestionnaire a intérêt à connaître de quelle façon les facteurs environnementaux, incluant aussi sa politique de gestion, influencent le rendement de l'employé.

L'acquisition d'un savoir et surtout d'un savoir-faire spécifiques en cas de situation problématique constitue, sans l'ombre d'un doute, un des meilleurs antidotes contre le stress originant d'une telle situation: jusqu'à un certain point, la tension occupationnelle évolue à l'inverse du sentiment de maîtrise que l'on éprouve face à une situation-problème. C'est pourquoi tout ce septième chapitre a cherché à rendre compréhensible et modifiable la dynamique de la performance au travail.

À cet effet, le modèle de la performance au travail représente les variables, surtout environnementales, susceptibles d'influencer le rendement. Les points de rupture identifient les lieux d'analyse et d'intervention à considérer par le supérieur immédiat en cas de rendement inapproprié. La grille Gain systématise, sous forme de procédurier, l'ensemble des points à vérifier dans l'analyse de la performance défaillante et suggère des champs de solution appropriés.

Bibliographie et références

(1) Annett, J. (1969). *Feedback and human behavior.* Baltimore, Md.: Penguin Books.

(2) Bandura, A. (1969). *Principles of behavior modification.* New York: Holt, Rinehart et Winston.

(3) Bandura, A. (Ed.) (1971). *Psychological modeling: Conflicting theories.* Englewood Cliffs, N.J.: Prentice-Hall.

(4) Bandura, A. (1977). *Social learning theories.* Englewood Cliffs, N.J.: Prentice-Hall.

(5) Bouchard, M.A., Ladouceur, R., Granger, L. (1977). Analyse behaviorale in Ladouceur, R., Bouchard, M.A., Granger, L. *Principes et applications des thérapies behaviorales.* St-Hyacinthe, Qué.: Edisem.

(6) Brown, P.L., Presbie, R.S. (1979). *Behavior modification in business, industry and government.* Illinois: Research Press.

(7) Burton, W.H., Brueckner, L.J. (1955). *Supervision: A social process* (3rd ed.) New York: Appleton-Century Crofts.

(8) Campbell, D.J., Ilgen, D.R. (1976). Additive effects of task difficulty and goal-setting on subsequent task performance. *Journal of Applied Psychology, 61,* 319-324.

(9) Cartledge, N., Koeppel, J. (1968). The motivational effects of knowledge of results: a goal setting phenomenon? *Psychological Bulletin, 70,* 474-485.

(10) Côté, R., Plante, J. (1977). Conditionnement opérant in Ladouceur, R., Bouchard, M.A., Granger, L. *Principes et applications des thérapies behaviorales.* St-Hyacinthe, Qué.: Edisem.

(11) Drake, J.B. (1979). A model and guide for the assessment of curriculum development personnel in Alabama's vocational-technical education system. Rapport présenté à Alabama State Department of Education, Montgomery.

(12) Erez, M. (1977). Feedback: A necessary condition for the goal-setting performance relationship. *Journal of Applied Psychology, 62,* 624-627.

(13) Franseth, J. (1961). *Supervision as leadership.* Evaston: Row, Peterson and Company.

(14) Gibson, J.L., Ivancevich, J.M., Donnely, J.H. (1979). *Organizations.* Dallas, Texas: Business Publications, Inc.

(15) Goldstein, I.L. (1974). Training: Program development and evaluation in Vroom, V.H. (Ed.). *Behavioral science in industry.* Monterey, CA: Brooks/Cole.

(16) Greller, M.M. (1980). Evaluation of feedback sources as a fonction of role and organizational level. *Journal of Applied Psychology, 65,* 24-27.

(17) Hackman, J.R. (1976). Group influence on individuals in organizations in Dunnette, M.D. (Ed.). *Handbook of Industrial and Organizational Psychology.* Chicago: Rand McNally.

(18) Haynes, M. (1979). Developing an appraisal program, part 1. *Personnel Journal, 57,* 14-19.

(19) Herzberg, F. (1968). One more time: How do you motivate employees? *Harvard Business Review,* January-February.

(20) Kahn, R.L., Quinn, J.D. (1970). Role stress: A framework for analysis in McLean, A. (Ed.). Mental health and work organization. Rand McNally.

(21) Komaki, J., Waddell, W., Pearce, G. (1977). The applied behavior analysis approach on individual employees improving in two small business. *Organizational Behavior and Human Performance, 19*, 337-352.

(22) Laflamme, M. (1977). *Diagnostic organisationnel et stratégies de développement: une approche globale.* Chicoutimi, Qué., Gaétan Morin.

(23) Likert, R. (1961). *New patterns of management.* Toronto: McGraw-Hill.

(24) Likert, R. (1967). *The human organization.* Toronto: McGraw-Hill.

(25) Locke, E.A. (1968). Toward a theory of task motivation and incentives. *Organizational Behavior and Human Performance, 3*, 157-189.

(26) Locke, E.A. (1977). The myths of behavior modification in organizations. *Academy of Management Review, 2, 4*, 543-553.

(27) Locke, E.A. (1980). Latham vs Komaki: A tale of two paradigms. *Journal of Applied Psychology, 60*, 16-23.

(28) Luthans, F., Kreitner, R. (1975). *Organizational behavior modification.* Glenview, ILL.: Scott, Foresman.

(29) Luthans, F., Davis., T.R.V. (1981). Beyond modeling: Managing social learning processes in human resource training and development. *Human Resource Management,* Summer, 19-27.

(30) Lewin, K. (1951). *Field theory in social science.* New York: Harper.

(31) Maillet, L. (1980). Modèle d'analyse et de prévision de la satisfaction et du rendement chez des agents du service correctionnel. Université de Montréal: Thèse de doctorat inédite.

(32) Malcuit, G., Pomerleau, A. (1977). *Terminologie en conditionnement et apprentissage.* Montréal, Qué.: Presses de l'Université du Québec.

(33) McGehee, W. (1977). Training and development theory, policies, and practices in Yoder, D., Heneman, H.G., Jr. (Ed.). *Training and development.* Washington: The Bureau of National Affairs, Inc.

(34) Meager, R.F., Pipe, R. (1973). *Analysing performance problems.* Belmont, Ca.: Fearon Publishers, Inc.

(35) Mintzberg, H. (1973). *The nature of managerial work.* New York: Harper and Row.

(36) Prue, D.M., Frederiksen, L.W., Bacon, A. (1978). Organizational behavior management: An annotated bibliography. *Journal of Organizational Management, 1*, 216-257.

(37) Prue, D.M., Fairbank, J.A. (1981). Performance feedback in organizational behavior management: A review. *Journal of Organizational Behavior Management,* Vol. 3 (1), Spring.

(38) Schneier, C.E., Pernick, R., Bryant, D.E. (1979). Improving performance in the public sector through behavior modification and positive reinforcement. *Public personnel Management, 8*, 101-110.

(39) Sergiovanni, T.J., Starratt, R.J. (1971). *Emerging patterns of supervision: Human perspectives.* Toronto: McGraw-Hill.

247

(40) Skinner, B.F. (1953). *Science and human behavior.* New York: McMillan.

(41) Steers, R.M., Porter, L.W. (1974). The role of task-goal attributes on employee performance. *Psychological Bulletin, 81,* 434-452.

(42) Wehrenberg, S., Kuhnle, R. (1980). How training through behavior modeling works. *Personnel Journal,* July, 576-593.

(43) Wiles, K. (1968). *Supervision for better schools.* Englewood Cliffs, N.J.: Prentice-Hall.

(44) Williamson, M. (1950). Supervision-principles and methods. New York: Women's Press.

La prévention du stress
du gestionnaire

CHAPITRE VIII

La gestion des conflits au travail

La vie organisationnelle est ponctuée de conflits de toutes natures et de toutes intensités. De leurs issues peuvent dépendre des enjeux d'importance: fermeture d'usine, perte d'emplois, suprématie d'un groupe sur un autre, suppression de toute communication, gain du pouvoir, atteinte à la santé physique et/ou mentale, etc.

8.1 Introduction au conflit

Les conflits sont susceptibles de se dérouler sur différentes scènes: intrapersonnelle, interpersonnelle et intergroupe. Sur la scène intrapersonnelle, nous l'avons vu, le conflit peut prendre la forme d'une incompatibilité entre, d'une part, les rôles préférés et, d'autre part, les rôles transmis, perçus ou exercés. Il y a aussi toute la gamme des conflits intrapsychiques, ceux-là qui s'agitent dans les méandres de l'inconscient et qui sont abondamment traités dans les ouvrages de psychologie dynamique. Malgré l'intérêt qu'ils suscitent et l'importance qu'ils semblent revêtir, on ne saurait les détailler dans le présent ouvrage puisqu'ils en dépassent la portée.

Au plan interpersonnel, les exemples de conflit ne manquent pas: lutte entre collègues, entre supérieur et subordonné, entre client et fournisseur, etc. De fait, la vie des organisations nous apparaît très riche en exemples de ce genre où deux membres peuvent aller jusqu'à se livrer une lutte à finir susceptible d'entraîner des pertes considérables pour les deux belligérants, leur équipe et l'organisation. Et parce qu'il arrive que les coups se donnent par personne interposée, il n'est pas rare de voir des personnes innocentes écoper des conséquences.

Les conflits intergroupes sont aussi légion dans la vie organisationnelle. Il y a, au premier chef, les luttes épiques entre les syndicats et les directions d'entreprise. Point n'est besoin d'insister sur les retombées indésirables du climat d'affrontement qui marque trop souvent les relations syndicales-patronales. Toujours au chapitre des conflits intergroupes, il y a toute la gamme des frictions interservices au sein d'une même organisation. Il arrive souvent que les factions correspondent aux fonctions de l'entreprise (marketing, production, vente, personnel etc.). Ou encore, les groupes antagonistes se distinguent sur la base de leurs préoccupations occupationnelles (conception vs opération) ou de leur appartenance professionnelle.

Les conflits se distribuent le long d'un continuum allant du léger différend jusqu'à la guerre sans merci. En outre, les conflits ont la propriété de se déplacer rapidement sur l'axe de l'intensité. Dans la foulée de l'escalade, la simple inimitié ou la divergence d'opinion peut dégénérer en lutte acharnée. La désescalade, quant à elle, est un peu plus lente à opérer.

Les conflits d'importance prennent souvent une place démesurée sur l'échéquier organisationnel. Ils risquent fort de devenir englobants en ce sens qu'ils impliquent toute la personne ou tout le groupe concerné. Les protagonistes du conflit risquent alors d'en devenir les victimes puisque, bouleversés par d'intenses émotions et animés de sentiments de vengeance, ils s'ingénient à remettre les coups, à prévoir l'entourloupette, à neutraliser l'adversaire. Tout cela mobilise beaucoup d'énergie, accapare beaucoup de temps et peut entraîner des dysfonctions aussi variées que pernicieuses.

Somme toute, les conflits sont omniprésents au point de faire partie du quotidien, au point de se fondre dans les comportements organisationnels. Du reste, ils sont si près de nous que leur évidence et leur importance semblent nous avoir échappées. En effet, bien peu de chercheurs se sont penchés sur les liens susceptibles d'unir les conflits au stress au travail. Dans cette perspective, il semble impérieux de se tourner vers l'innovation et la créativité dans la recherche de solutions à apporter à la problématique des conflits.

Loin de prétendre tirer au clair la délicate et importante problématique des conflits en milieu de travail, le présent chapitre pose en quelque sorte le premier jalon en identifiant les conflits comme source probable de stress et en explicitant leur processus de développement.

On a tendance, à juste titre semble-t-il, à associer conflit à destruction, hostilité, problèmes, tensions. Pourtant le conflit en soi n'est ni bon, ni mauvais quoique ses effets, eux, peuvent être constructifs ou destructifs selon la façon dont on contrôle et même dont on exploite le conflit.

Dans ce chapitre, le concept de conflit exclura le sens intrapsychique du terme, à savoir la présence de tendances ou besoins incompatibles chez un même individu. On s'attachera strictement au conflit impliquant deux entités distinctes, soit **deux individus, deux groupes, deux départements, deux organisations.** On ne cherchera pas à définir le conflit quoique toutes les phases du processus conflictuel seront décrites en détail. L'ensemble du chapitre s'articule selon trois grands objectifs:

dédramatiser le conflit

comprendre le conflit

proposer des techniques de résolution ou de gestion du conflit

8.2 Le conflit: nécessaire ou inévitable

L'existence d'un conflit entre deux parties ne signifie pas nécessairement que l'une et/ou l'autre des parties aura/auront à encourir des pertes. Par exemple, Deutsch (11) mentionne que le conflit stimule l'intérêt et la curiosité et constitue souvent l'occasion de mettre à l'épreuve, de tester ses propres capacités. Au-delà des acquisitions personnelles, le conflit peut être l'occasion d'accéder à des solutions ou à des perspectives de qualité nettement supérieures suite à la confrontation de points de vue divergents. Ainsi Hoffman et Maier (21) rapportent que les groupes hétérogènes quant à leurs intérêts produisent des solutions de meilleure qualité que les groupes homogènes lorsque confrontés à une variété de problèmes. Hall (20) va même jusqu'à conclure, suite à de nombreuses études sur le processus décisionnel que "le conflit, lorsqu'il est géré efficacement, s'avère une précondition nécessaire à la créativité". De fait, c'est souvent lors de désaccords, de divergences, de différends que l'on découvre des aspects qui avaient échappé à l'attention et dont l'intégration contribue à accroître la compréhension de la réalité, incluant le point de vue du partenaire. Il est aussi malheureusement vrai que cette compréhension intégrée se produit quelquefois trop tard pour remédier à la situation actuelle. Mais elle aide à prévenir l'occurrence future de différends semblables.

Les situations de conflit s'accompagnent fréquemment de comportements agressifs. L'agressivité interpersonnelle est mal tolérée dans notre société. Pourtant de telles manifestations n'entraînent pas nécessairement des conséquences destructives. Bien sûr, le groupe ou l'individu qui exprime ouvertement son agressivité risque d'être perçu comme moins mature par l'entourage. Par contre, l'explosion agressive peut attirer l'attention sur l'importance et la gravité du conflit (du moins tel que vécu par la partie agressive) et amener les parties à chercher des moyens de réduction du conflit (si ce n'était que pour éviter des dommages plus considérables).

Un des points importants à considérer lors d'un conflit, c'est que l'enjeu ne se traduit pas nécessairement par "ce que l'un gagne, l'autre le perd". Il arrive fréquemment que des conflits menés de manière agressive par les parties se résolvent par la découverte d'aménagements qui profitent aux deux parties. La composante agressivité dans un conflit a souvent intérêt à être aussi perçue comme une manifestation de la frustration plutôt que strictement comme une attaque.

Finalement, au niveau organisationnel, les conflits peuvent être des indicateurs précieux de problèmes plus larges. Par exemple, des conflits de travail **répétitifs** peuvent être symptômes de malaises organisationnels sérieux entretenus, délibérément ou non, par l'une et/ou l'autre des parties. C'est en ce sens que Litterer (26) mentionne que des conflits à l'intérieur de l'organisation peuvent signaler la présence de problèmes systémiques requérant des changements. Dans cette perspective, il est maintenant davantage reconnu que des luttes de pouvoir à l'intérieur d'une organisation peuvent constituer l'occasion d'une nouvelle équilibration des forces en présence et, de ce fait, établir une balance de pouvoir plus représentative de la réalité (Coser, 7).

Les propos précédents n'ont finalement qu'un seul but: démontrer que les conflits ne sont pas intrinsèquement mauvais, que les conséquences d'un conflit ne sont pas nécessairement maléfiques, que l'agressivité dans un conflit n'est pas obligatoirement destructrice. Par contre, on ne peut nier que l'expérience même du conflit est très souvent source de stress.

Les conflits existent et existeront vraisemblablement toujours. C'est à nous de faire en sorte que les conflits s'avèrent au moins autant porteurs d'enrichissement que d'appauvrissement, de gains que de pertes, de croissance que d'étiolement, de bénéfices que de coûts. Cet accent mis autant sur les dimensions positives que négatives a fait porter la recherche et l'intervention, de l'élimination des conflits à sa gestion. La gestion des conflits se définit comme le contrôle du conflit sous son aspect productif ou du moins non destructif (Deutsch, 11) ou le contrôle du conflit sous sa forme créative et utilitaire (Kahn et Boulding, 23).

Ce virage idéologique de l'élimination des conflits à leur gestion requiert et est rendu possible par une compréhension meilleure et plus articulée des phénomènes conflictuels. Ce virage s'est effectué et continue de se réaliser sur deux plans complémentaires: en premier lieu, un essai de mise en rapport des conséquences (constructives, neutres, destructives) avec les comportements qui en sont à l'origine; deuxièmement, une recherche des conditions qui favorisent/empêchent l'occurrence de ces comportements de manière à mettre au point des stratégies et techniques d'intervention.

La prochaine section traite des connaissances acquises en ce qui concerne les rapports entre comportements en situation de conflit et conséquences conflictuelles.

8.3 Le modèle du processus conflictuel

Thomas (39) conçoit, comme Pondy (30) et Walton (40) que le conflit, dans une relation entre deux parties, tend à se produire en cycles appelés épisodes: "À l'intérieur de cette relation dyadique, chaque épisode est partiellement façonné par les résultats des épisodes précédents et, à son tour, prépare le terrain des prochains épisodes".

Le modèle de Thomas (39) à la figure 8-1 présente, du point de vue de la partie impliquée, les cinq principaux événements à l'intérieur de l'épisode, à savoir: la **frustration**, la **conceptualisation**, le **comportement**, la **réaction d'autrui**, les **conséquences**.

FIGURE 8-1

Modèle du processus conflictuel en dyade

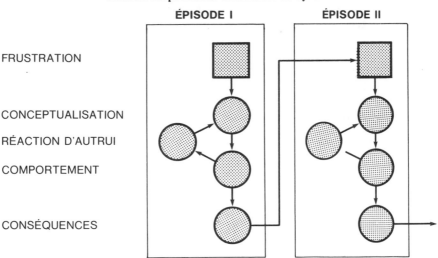

Source: Thomas, K. (1976). Conflict and conflict management in Dunnette, M.D. (Ed.). *Handbook of Industrial and Organizational Psychology.* Chicago: Rand McNally, p. 895.

L'épisode conflictuel se déclenche par la frustration, éprouvée ou anticipée, d'une des parties ("A") quant à l'atteinte d'un but. Si la frustration de "A" atteint un niveau de conscience suffisant, "A" développe une conceptualisation de la situation qui s'avère déterminante lors du passage à l'action. Il est à noter que le comportement adopté par "A" peut autant relever de l'attaque, de l'évitement que de la fuite. Suite au comportement de "A", "B" réagit selon la conceptualisation qu'il en a faite, laquelle réaction est à son tour conceptualisée par "A" pour adopter un nouveau comportement et ainsi de suite jusqu'à ce que ce circuit d'interaction concernant toujours le même problème ralentisse et s'arrête. À ce moment, une certaine forme de conséquence est survenue, que ce soit parce que les deux parties en sont venues à un accord, que l'une des parties a dominé l'autre, que les deux parties délaissent le champ de bataille, etc. Cet arrêt et cette évaluation mettent fin à l'épisode conflictuel et en même temps dressent le terrain pour d'éventuels épisodes conflictuels.

L'exemple suivant illustre, de manière condensée, l'épisode conflictuel tel que le conçoit Thomas (39).

Événement déclencheur:

Le gérant de la production apprend, lors de la réunion hebdomadaire que le gérant des ventes s'est engagé face à un client à livrer une machinerie donnée pour une date rapprochée.

Frustration:

Il est frustré de cette entente sans consultation parce que cette date hâtive de livraison bouscule son horaire de production qui avait été soigneusement planifié afin de tirer le meilleur parti de ses ressources.

Conceptualisation:

Devant l'impossibilité de satisfaire à la date de livraison sans contrevenir à la productivité de son propre département.

Comportement:

Le gérant de la production fait des pressions auprès du gérant des ventes pour reporter la date de livraison.

Réaction d'autrui:

Ne voulant pas perdre de crédibilité vis-à-vis son client et ennuyé par l'attitude du gérant de la production, le gérant des ventes argumente et tâche de l'acculer au pied du mur pour qu'il s'ajuste à cette date de livraison.

Conséquences:

Le ton s'élève et les deux gérants s'affrontent dans des propos de plus en plus hostiles. La réunion est ajournée laissant les interlocuteurs en position de combat.

Voyons maintenant plus en détails chacune des composantes de l'épisode conflictuel:

8.3.1 **La frustration**

Le concept de frustration joue le rôle majeur dans l'identification, la compréhension et la résolution du conflit. Thomas (38) conceptualise "le conflit comme un processus qui commence quand une partie perçoit que l'autre partie l'a frustrée ou est sur le point de la frustrer de ses droits ou prérogatives". Ce sentiment de frustration origine d'une gamme étendue de phénomènes allant du désaccord intellectuel au mépris émotionnel, de la violence physique à la privation de biens tangibles, de la négation de droits légitimes à la suppression d'aspirations. Il y a frustration chaque fois qu'une partie se sent spoliée ou se voit menacée de perdre "quelque chose" qui lui appartient ou à laquelle elle aspire.

Dans l'esprit de Thomas, il ne peut y avoir épisode conflictuel qu'en présence d'un sentiment de frustration. Une partie peut effectivement être démise de choses ou avantages lui appartenant sans que cela entraîne conflit si la partie en question n'en éprouve pas de frustration. Le sentiment de frustration est le concept-clé pour comprendre l'apparition du conflit. Plus loin, nous verrons que l'approche de résolution de problème, contrairement à l'approche de négociation, considère que l'élucidation et la clarification des frustrations est une étape presque indispensable à la résolution harmonieuse du conflit.

8.3.2 **La conceptualisation**

"C'est la façon dont un individu définit sa situation qui constitue pour lui sa réalité" (Allport, 1).

La conceptualisation repose essentiellement sur cette "réalité subjective" qui, comme le souligne Deutsch (10), peut être fort diffé-

259

rente des caractéristiques "objectives" (dans le sens d'observation par un observateur neutre) de la situation. Néanmoins, c'est cette réalité perçue qui est déterminante de la compréhension que se forge la partie frustrée et des comportements qu'elle adoptera ultérieurement. Ici, il faut faire attention à ne pas attribuer à la conceptualisation une saveur exclusivement cognitive, intellectuelle, "pensée réfléchie". À la suite de March et Simon (28), Thomas (39) adhère à l'idée que la conceptualisation réfère tout autant à une réflexion approfondie qu'à une perception intuitive ou même à une réaction quasi automatique découlant d'expériences passées avec des situations similaires. Quel que soit le degré d'articulation de ce processus réflexif, il y a conceptualisation même dans le cas où elle se limite à reconnaître les similitudes de la situation actuelle avec des situations passées et qu'elle fasse appel au répertoire de solutions utilisées dans ce genre de situation. Dans cette conceptualisation, deux produits apparaissent généralement. Il s'agit de la **définition du conflit** et de **l'aboutissement favori.**

A) LA DÉFINITION DU CONFLIT

On sait que la conceptualisation s'effectue à partir de la "réalité subjective", celle qui est perçue, vécue, ressentie par la partie frustrée. Et la conceptualisation porte, au premier chef, sur la définition de l'enjeu. D'après Thomas (39), la conceptualisation de la partie frustrée varie selon le **degré d'égocentrisme de la définition**, selon le **degré de sensibilité aux problèmes sous-jacents** et selon l'**ampleur attribuée à la problématique**.

a) *Degré d'égocentrisme de la définition*

Par degré d'égocentrisme de la définition, on entend jusqu'à quel point la partie frustrée conceptualise le problème strictement en fonction de ses propres préoccupations. Une définition égocentrique du conflit élimine le point de vue d'autrui dans le conflit et rend une coopération ultérieure moins probable. Par exemple, d'affirmer "qu'on a besoin de personnel supplémentaire et que la direction du personnel ne veut pas nous en accorder" est une définition plus égocentrique que d'exprimer "on a besoin de personnel supplémentaire et notre demande ne satisfait pas aux normes qui régissent la répartition du personnel disponible". Dans le premier cas, le conflit se formule en regard de la direction du personnel perçu comme un opposant tandis que dans le second cas le conflit porte sur les politiques et les priorités du service du personnel qui, elles, peuvent être contestées.

b) *Degré de conscience des mobiles sous-jacents*

Au-delà du degré d'égocentrisme de la définition conflictuelle, apparaît le degré de conscience quant aux mobiles et enjeux sous-jacents. Certains théoriciens (Deutsch, 10 ; Walton, 40) prétendent que la saisie évaluative des enjeux sous-jacents facilite l'atteinte d'une solution qui satisfasse les deux parties. Un exemple pour illustrer ce propos : "mon patron souhaite que je présente mes rapports sous une nouvelle forme mais je préfère le formulaire actuel" met en évidence une partie des mobiles sous-jacents aux deux parties, à savoir les préférences. Une formulation plus explicite des mobiles des deux parties pourrait prendre la tournure suivante : "je crains de ne pas avoir le temps de remplir ce nouveau formulaire même s'il contient de nouvelles informations plus complètes qui seraient réellement utiles". Cette seconde formulation du conflit ouvre la voie à une solution opérationnelle alliant les informations les plus importantes dans un formulaire le moins long possible. L'élucidation des mobiles sous-jacents peut constituer une tâche fort difficile sinon impossible si on en croit Walton (40) qui soutient que des enjeux personnels ou émotionnels dans les organisations sont moins acceptables (lorsque formulés ouvertement) que des enjeux d'apparence plus rationnelle ou objective. Par leur notion de l'agenda secret, Stagner et Rosen (36) réfèrent directement à l'idée des mobiles sous-jacents. Puisque les mobiles sous-jacents, lorsque présents, constituent ou reflètent précisément les véritables enjeux, la capacité de les élucider et d'en discuter ouvertement est directement associée à la résolution franche et saine du conflit.

c) *L'ampleur attribuée au conflit*

D'autre part, on ne peut aborder le conflit sans tenir compte de son ampleur. Selon Fischer (15), les guerres se déclarent en raison d'enjeux vastes et englobants. Comme des enjeux d'envergure sont peu solubles à l'orée d'un affrontement, il a proposé la stratégie du fractionnement des enjeux vastes en enjeux plus restreints. En milieu organisationnel, Fischer a identifié cinq aspects du conflit dont l'ampleur peut être soumise au fractionnement (tout comme au gonflement, son inverse):
- les parties impliquées
- le problème en litige
- la question de principe
- le précédent provenant de la solution retenue
- le précédent provenant de la procédure utilisée

1- Selon les parties impliquées

Concernant les parties impliquées, on peut considérer, par exemple, qu'un grief met aux prises un employé et un patron ou bien le syndicat local et la gestion de l'entreprise ou bien le monde syndical ou le monde patronal. C'est une tactique couramment employée pour "mousser" un conflit que de faire valoir le genre plutôt que la singularité.

2- Selon le problème en litige

Quant au problème en litige, il peut être conceptualisé lui aussi selon une diversité d'ampleur. Par exemple, une lacune de performance peut être traitée comme une très pauvre performance à une tâche spécifique, comme une performance médiocre à une fonction donnée (une fonction étant composée d'un certain nombre de tâches) ou comme un rendement global plus ou moins satisfaisant. La spécificité du problème en litige varie à l'inverse de l'ampleur qu'on lui accorde.

3- Selon la question de principe

La question de principe sert souvent de prétexte au gonflement de la problématique. Le conflit mettant aux prises le gérant de la production et le gérant des ventes dans l'exemple précédent peut être conceptualisé comme le choix entre la perturbation provisoire de l'efficacité en production ou le mécontentement exceptionnel d'un client, comme l'occasion d'établir une politique entre le service des ventes et celui de la production, ou comme l'adoption permanente d'une valeur (service à la clientèle ou efficacité de la production) concrétisant la mission de l'organisation.

4- Selon le précédent instauré par la solution retenue

Quand les parties sont déterminées à régler le conflit une fois pour toutes, la solution qui sera retenue constituera un précédent dont les effets risquent d'être plus durables et influents (donc les enjeux en sont énormes) que si l'intention des parties est de régler le conflit de manière ad hoc.

5- Selon le précédent provenant de la procédure

Et finalement le précédent en termes de procédure vient en jeu quand les parties s'interrogent si leur façon de régler le conflit ne constitue pas une forme de soumission, d'abandon, de reddition face à l'adversaire.

Les analyses de Fisher peuvent se réduire à la proposition suivante: "les conflits se résolvent plus facilement quand seules les parties directement impliquées dans le conflit font partie de la définition, quand le conflit est circonscrit autour du problème concret en litige, quand on n'en fait pas une question de principe, quand on les considère comme des problèmes isolés à être jugés selon leur mérite" (Thomas, 39, p. 897).

B) L'ABOUTISSEMENT FAVORI

Simon (34) présume que toute partie, étant loin de l'omniscience, n'est probablement consciente que d'un nombre limité de solutions à un moment précis de la situation conflictuelle. Il présume aussi que chacune des parties a une certaine notion des conséquences de ces solutions pour les deux parties, du moins en termes du degré de satisfaction des attentes de chacune des parties. À cet effet, la grille de l'interdépendance des conséquences (Galtung, 17; Thibault et Kelley, 37; Walton et McKersie, 41) permet de représenter clairement, selon le point de vue d'une partie, l'interaction existant entre les conséquences pour les deux parties des solutions qu'elle envisage (Figure 8-2).

FIGURE 8-2

Grille de l'interdépendance des conséquences

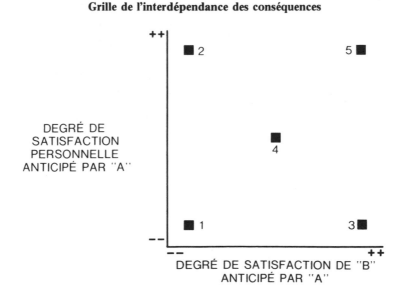

La grille "se lit" selon la perspective de la partie A. Ainsi, le point 5 représente une solution dont les suites, dans l'esprit de A, peuvent satisfaire les intérêts des deux parties alors qu'au contraire, le point 1 réfère à une solution qui n'apportera aucune satisfaction à l'une ou l'autre des parties. C'est au point 2 que se localise la solution dont les conséquences combleront au mieux les attentes de la partie A mais en frustrant très fortement celles de la partie B alors que le point 3 consiste en une solution favorisant massivement la partie B au détriment quasi complet de la partie A. La position de compromis, celle satisfaisant mais de manière incomplète les deux parties, occupe le point 4 dans la grille.

Ce qui fait que la partie A va favoriser une solution dont les conséquences pour les deux parties vont occuper le point 1, 2, 3, 4 ou 5 de la grille dépend au moins autant des présomptions qu'elle entretient face au processus de résolution de conflit que de la nature même du conflit (Blake *et al.*, 4; Walton et McKersie, 41).

a) *Le postulat gagnant-perdant*

Par exemple, si la partie A conceptualise le processus de résolution sous la forme gagnant-perdant, elle limite les solutions possibles au point 2 ou 3 où la satisfaction d'une partie implique nécessairement la frustration de l'autre partie. Ce type de conceptualisation se rencontre plus fréquemment dans des situations de stress intense et de forte implication émotionnelle (strong ego involvement). Sous un stress intense, la conceptualisation du conflit tend à simplifier (Walton, 40) au point de devenir simpliste (nous les bons, eux les méchants) de sorte qu'il est peu probable que des solutions d'intégration — bénéfiques aux deux parties — soient retenues et même perçues (Osgood, 29). Plus l'implication émotionnelle est forte, plus la partie a tendance à considérer des solutions de compromis comme des solutions bénéficiant exclusivement à la partie adverse (Sherif et Hovland, 33) et à accuser ses membres qui sont tenants de telles solutions de compromis de "coucher avec la partie adverse". Si la partie "A" conceptualise le conflit sous la forme gagnant-perdant, il y a tout lieu de présumer qu'elle perçoit le conflit d'intérêt comme total.

b) *Le postulat du compromis*

Une conceptualisation un peu moins extrémiste du conflit survient quand la partie "A" définit le conflit en termes de degré de pertes et de gains, ce que les auteurs identifient comme un conflit de "somme zéro" (Gragg, 19). Dans ce type de conceptualisation, "A" a reconnu la possibilité de solutions intermédiaires se situant entre les points 2 et 3 que l'on peut visualiser dans la grille de l'interdépendance des conséquences (Figure 8-2) par une droite imaginaire reliant les points 2 et 3. Dans une telle situation, l'enjeu ne se définit pas en termes, par exemple, d'autoriser ou non la construction de centrales nucléaires par opposition aux centrales hydro-électriques mais plutôt en termes de priorité et de fonds qui seront accordés à l'un et l'autre type de centrales. Si cette forme de conceptualisation offre des possibilités de satisfaction aux tenants de chacune des solutions, il est évident cependant que plus une partie est satisfaite, moins l'autre risque de l'être puisque ce sont des ressources limitées qui font l'objet du partage.

c) *Le postulat de l'insoluble*

Une autre façon de conceptualiser le conflit consiste à le définir comme insoluble. Cette forme de conceptualisation originerait, selon Fisher (15), du fait que la partie frustrée n'arrive pas à vraiment comprendre la problématique de sorte qu'elle ne sait pas comment l'aborder, ou du fait qu'elle lui attribue des dimensions tellement importantes que le conflit apparaît vraiment sans solution. Il se peut aussi qu'elle considère que les deux parties sont irréductiblement attachées à leur position. Si une partie conceptualise le conflit comme étant sans issue, il est peu probable qu'elle intente quelque action que ce soit, si ce n'est de s'accommoder à la situation ou d'entreprendre une longue lutte subversive visant à affaiblir et éventuellement éliminer l'adversaire.

d) *Le postulat gagnant-gagnant*

Une des formes les plus prometteuses de conceptualisation consiste à formuler le conflit sous forme de problème à résoudre sans privilégier, de prime abord, quelque solution que ce soit. Une telle conceptualisation est susceptible de mettre à jour les attentes inavouées des parties et, par là même, de formuler réellement le problème d'où origine le conflit. Une autre façon d'utiliser cette conceptualisation consiste à formuler les deux pôles du conflit "objectif" dans une perspective de non-perdant. Dans l'exemple de l'affrontement opposant le gérant des ventes au gérant de la production, on pourrait le formuler de la manière suivante: "Comment accélérer la livraison du produit sans perturber l'efficacité de la production?" L'idée maîtresse de la conceptualisation excluant toute solution prédéterminée est de faire travailler les parties sur les enjeux sous-jacents ou bien sur le problème "objectif".

La conceptualisation est susceptible d'avoir une influence substantielle sur les comportements concrets qui seront adoptés parce que, d'une part, elle détermine jusqu'à quel point la partie frustrée tient compte des attentes de l'autre dans sa définition du conflit (degré d'égocentrisme), elle traduit son degré de conscience quant aux mobiles et objectifs sous-jacents, elle fixe les dimensions (ampleur) accordées au conflit, et parce que, d'autre part, elle formule à l'avance les degrés de satisfaction auxquels les parties devraient aboutir.

8.3.3 Le comportement

Le concept de comportement prend une acceptation plus large qu'à l'ordinaire parce qu'il inclut trois composantes : l'**orientation générale** de la partie frustrée envers le conflit et l'interlocuteur : sa **stratégie** qui découle de son orientation générale et de son évaluation des forces et faiblesses en présence; les **tactiques** qui manifesteront, de manière concrète, sa stratégie à l'endroit de l'interlocuteur.

Un exemple pour illustrer à cette triple disposition comportementale. Dû à des contraintes budgétaires draconiennes, les relations entre la direction des finances et celles de la recherche dans une entreprise donnée sont actuellement tendues. La recherche propose un programme coûteux en vue de mettre au point une technologie de pointe en production qui abaisserait considérablement le prix de revient des produits fabriqués à l'usine et conséquemment qui pourrait assurer une bien meilleure compétitivité. De son côté, la direction des finances se doit de réduire les coûts d'opération actuelle de tous les services et de toutes les directions en vue de maintenir l'entreprise à flot. C'est le **conflit.**

Au cours des années précédentes, la direction des finances et celle de la recherche ont développé des attitudes positives l'une envers l'autre qui se traduit par un respect mutuel et une sorte de préjugé favorable. Jusqu'à présent, les conflits bien que relativement fréquents entre administrateurs et chercheurs se sont résolus sans trop de heurts. C'est l'**orientation générale.**

En vue de maintenir la qualité des relations entre elles tout en faisant valoir leur point de vue respectif, les deux directions ont sépa-

266

rément mis au point une approche globale pour résoudre ce conflit. La direction des finances se doit de traiter "aux petits oignons" la recherche qui est en bonne partie responsable des succès récents de l'entreprise tout comme elle se doit de jouer efficacement son rôle de cerbère en ce qui concerne les dépenses, sans quoi les risques d'être à court de liquidité sont trop grands. D'autre part, la direction de la recherche, consciente de son statut-vedette, se doit quand même de gagner les finances à sa cause sans quoi leur rôle de créateur et d'innovateur est menacé. Bref, c'est en tenant compte de l'orientation générale l'une envers l'autre et de la position de force de l'une et l'autre que chacune des parties met au point une **stratégie de négociation.**

Les **tactiques** réfèrent aux comportements et aux décisions concrètes qui seront adoptés durant toute la période de négociation. Elles viseront la satisfaction des deux parties en cherchant à intégrer leurs intérêts respectifs ou bien, visant la satisfaction de l'une au détriment de l'autre partie, elles favorisent la dissociation des parties.

FIGURE 8-3

Les deux dimensions de l'orientation générale

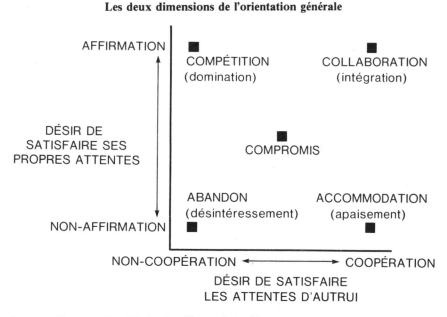

Source: Thomas, K. (1976). Conflict and conflict management **in** Dunnette, M.D. (Ed.). *Handbook of industrial and organizational psychology.* Chicago, Rand McNally, p. 900.

A) L'ORIENTATION GÉNÉRALE

L'orientation générale envers le conflit et l'interlocuteur résulte de la mesure à laquelle chaque partie désire satisfaire ses propres attentes et de la mesure à laquelle chaque partie désire satisfaire les attentes de l'autre partie. Le désir de satisfaire ses propres attentes s'exprime par le degré d'affirmation que la partie est disposée à manifester pour promouvoir ses intérêts propres. Quant au désir de satisfaire les attentes d'autrui, il se manifeste par le degré de coopération que la partie est disposée à démontrer.

a) *Les deux dimensions de l'orientation générale*

Il est important de noter que coopération et affirmation sont deux dimensions indépendantes de sorte qu'une attitude de coopération n'implique pas nécessairement un abandon de ses aspirations tout comme la défense de ses intérêts n'exclut pas pour autant toute possibilité de coopération. La figure 8-3 illustre cette dynamique.

1- La dimension "coopération"

La dimension "coopération" s'inscrit de plein pied dans la classification de Karen Horney (22) pour qui les comportements interpersonnels se caractérisent par des conduites **vers, contre** ou **s'éloignant** d'autrui. Les orientations de collaboration et d'accommodation traduisent bien le mouvement vers autrui alors que l'orientation vers le compromis inclut à la fois des mouvements vers autrui et contre autrui. Quant aux orientations de compétition et d'abandon, elles ont respectivement des allures de conduite contre autrui et s'éloignant d'autrui. Ces distinctions sont supportées par la recherche de Thomas (38). La dimension coopération est en corrélation négative avec les orientations de compétition et d'abandon et en corrélation positive avec les orientations de collaboration et d'accommodation.

D'autre part, il semblerait que la dimension coopération soit fonction du degré d'identification avec l'autre partie selon un continuum s'étendant de l'identification positive à l'hostilité en passant par l'indifférence. Selon cette hypothèse, l'accommodation et la collaboration constitueraient une manifestation d'identification positive selon la dynamique-type suivante: si deux parties se sont entendues sur des enjeux importants dans le passé ou s'entendent sur des objectifs communs actuellement, les probabilités sont élevées que la "bonne volonté" de l'une et l'autre partie soit suffisamment établie pour aborder la mésentente selon une orientation de coopération. À l'inverse, une orientation vers la non-coopération proviendrait d'une indifférence envers autrui, du moins quant aux conséquences devant être assumées par autrui, ou proviendrait d'une hostilité envers autrui. Dans le premier cas, la frustration des intérêts d'autrui a toutes les chances de constituer un sous-produit accidentel qui n'est pas délibérément recherché alors que, dans le second cas, la frustration des intérêts d'autrui constitue une fin en soi qui peut être poursuivie autant par l'agression que par l'évitement (c'est-à-dire éviter de régler le conflit).

2- La dimension "affirmation"

Quant à la seconde dimension, l'affirmation, qui constitue l'expression concrète du désir de satisfaire ses propres attentes, elle s'étend sur un continuum passif-actif (Blake *et al.*, 4). En effet, l'orientation vers la compétition qui vise à imposer à autrui ses propres attentes et l'orientation vers la collaboration qui promeut tans ses propres intérêts que ceux de la partie adverse implique une grande dépense d'énergie et un investissement souvent considérable de temps et même d'argent. C'est le pôle actif de la dimension affirmation. Le pôle passif, soit les orientations, vers l'abandon et l'accommodation n'implique pas de tels coûts immédiats puisqu'il incite la partie à ne rien faire ou à s'ajuster à autrui. Quant à l'orientation vers le compromis, elle est composée partiellement d'investissement à la défense de ses intérêts et de relâchement vis-à-vis les intérêts poursuivis par autrui.

b) *Les orientations spécifiques*

1- L'orientation vers la compétition

L'orientation vers la compétition représente la promotion exclusive de ses propres intérêts au détriment de ceux de l'autre partie, ce qui se traduit par une attitude de domination. Ce type d'orientation génère facilement un affrontement (Donnelly, 13) puisse le conflit est défini dans la perspective gagnant-perdant (Blake *et al.*, 4).

2- L'orientation vers l'accommodation

À l'opposé, l'orientation vers l'accommodation favorise la satisfaction des intérêts d'autrui aux dépens des siens propres, souvent dans un souci d'apaisement de la partie adverse. Dans ce type d'orientation, une partie croit (à tort ou à raison) qu'il est avantageux de laisser tomber ses prérogatives et de satisfaire celles d'autrui en vue, la plupart du temps, de sauvegarder la qualité de la relation entre les deux parties.

3- L'orientation vers l'abandon

Dans le cas de l'orientation vers l'abandon, une partie se désintéresse tant de la satisfaction de ses propres intérêts que de celle des intérêts d'autrui. Les conséquences tout comme la résolution ou la non-résolution du conflit l'indiffèrent.

4- L'orientation vers la collaboration

Tout à fait à l'opposé, la collaboration incarne une orientation fortement dédiée à la défense et à la promotion des intérêts des deux parties impliquées dans le conflit. Donnelly (13) décrit cette attitude de la manière suivante: "ni l'une ni l'autre des parties n'est intéressée à tirer avantage de la situation". Il ajoute de plus que "les deux parties cherchent sérieusement à établir une entente qui leur soit mutuellement bénéfique".

5- L'orientation vers le compromis

Finalement, l'orientation vers le compromis représente un souci d'entente où les intérêts de chacune des parties ne seront que partiellement satisfaits selon, la plupart du temps, une formule de "give and take" permettant une forme d'équilibration entre les gains et les pertes respectifs.

B) LES STRATÉGIES ET LES TACTIQUES

Quelle que soit l'orientation générale de chacune des parties dans le conflit, orientation découlant respectivement de l'énergie qu'elle est disposée à investir dans la promotion de ses intérêts (affirmation) et du degré d'attirance et d'identification à l'endroit de l'autre partie (coopération), cette orientation générale risque d'être modifiée par la stratégie qu'elle adoptera.

Si l'orientation générale correspond à une composante affective envers les intérêts en litige et l'autre partie, la stratégie, de son côté, relève d'une composante cognitive, double, à savoir l'évaluation des forces et faiblesses en présence et l'évaluation de la fiabilité de l'adversaire.

a) *Les stratégies de pouvoir et les tactiques de négociation*

1- Le concept de pouvoir

Weber (42) décrit le pouvoir du point de vue du potentat (celui qui détient le pouvoir) comme étant "la probabilité qu'une personne fasse comme elle l'entend, compte tenu de la résistance". De son côté, Dahl (8) approche le pouvoir sous l'angle de la capacité du potentat à soumettre autrui: "A" a du pouvoir sur "B" dans la mesure où il peut amener "B" à faire quelque chose qu'autrement il n'aurait pas fait.

La limite de cette approche est d'avoir omis de considérer la perception de celui qui est soumis à cette influence (Bacharach et Lawler, 2). En effet, le pouvoir ne serait pas fonction strictement de celui qui le détient, mais dépendrait aussi de la relation entre les individus impliqués (Etzioni, 14; Gamson, 18). Blau (5) aussi accentue ce dernier aspect en inférant que le pouvoir d'une personne est fonction de la dépendance d'une autre. On va même jusqu'à dire que la possession du pouvoir n'est pas basée seulement sur les conditions objectives de dépendance mais aussi sur les jugements ou perceptions qui sont faits à propos de ces conditions (Zaleznik, 43). Ce qui nous amène à énoncer le principe pouvant expliquer sur quoi repose le pouvoir: le pouvoir d'un individu est opérant (actif) en autant qu'il est reconnu par autrui. C'est davantage l'attribution par autrui d'un certain pouvoir à un individu plutôt que la possession d'un pouvoir réel par l'individu qui fait que cet individu détient du pouvoir sur autrui. C'est pourquoi le pouvoir que détient un individu (ou un groupe) sur autrui peut être autant dénué de tout fondement réel que profondément ancré dans la réalité. Cependant, ce pouvoir réel ou imaginaire n'est opérant qu'en autant qu'il demeure attribué par autrui à cet individu (ou ce groupe).

Quant à son fondement psychologique, on affirme sans trop de risque de se tromper que la relation de pouvoir repose sur la crainte suscitée chez autrui. Une partie établit une relation de pouvoir reconnue par autrui quand autrui éprouve de la crainte (dans le sens biblique du terme, c'est-à-dire vivre dans la crainte de Dieu) envers cette partie. La crainte existe quand autrui est assuré (que ce soit vrai ou non) qu'il assumera des conséquences, dont il ne peut cependant préciser exactement la nature, s'il transgresse certaines limites imposées par la partie (Machiavel (27) a fort bien saisi cette dynamique de la crainte:

"Il est plus sûr d'être craint que d'être aimé, mais l'idéal est d'être les deux. Les hommes en général sont plus portés à ménager celui qui est craint que celui qui est aimé. Toutefois, il faut faire en sorte de ne point être haï en se faisant craindre" (p. 88).

2- Les bases du pouvoir

L'essentiel des travaux sur les bases du pouvoir, thème repris subséquemment par nombre d'auteurs provient des formulations de French et Raven (16). Ceux-ci ont élaboré une taxonomie des assises du pouvoir.

Le pouvoir de punition et/ou de récompenses

Quel que soit le statut des parties en conflit, chacune est susceptible d'être perçue comme possédant un certain pouvoir de punition et/ou de récompense qui, selon la façon dont il sera utilisé ou de la façon dont l'autre partie croira qu'il va être utilisé, peut jouer un rôle important dans le déroulement et l'évolution du conflit.

Ainsi, toute partie qui est perçue par autrui comme pouvant accorder des gratifications (de quelque nature qu'elles soient) désirent par autrui ou comme pouvant soustraire d'une situation aversive détient un pouvoir de récompense sur autrui. Dans le langage behavioral, il s'agirait de renforcements positifs ou négatifs.

De même, toute partie qui est perçue par autrui comme pouvant infliger des pertes ou désagréments non désirés ou bien comme pouvant lui retirer des avantages auxquels il tient possède sur autrui un pouvoir de punition.

Ces pouvoirs attribués de punition ou de récompense ne demeureront efficaces en tant qu'instruments de contrôle du comportement d'autrui que s'ils sont mis en application advenant, dans le cas de la punition, qu'autrui transgresse les limites fixées par la partie dominante et, dans le cas de la récompense, qu'autrui se conforme aux attentes de cette même partie.

Le pouvoir de référence

Toute partie qui exerce une attirance sur autrui par sa façon d'être ou ses caractéristiques personnelles détient sur autrui un pouvoir de référence, tout au moins en ce qui concerne les attributs désirés. Par exemple, advenant que vous soyez en conflit avec une personne qui éprouve beaucoup de respect pour votre jugement, elle aura tendance à bien recevoir votre argumentation même si elle est en antagonisme avec vous. D'autre part, le pouvoir de référence peut aussi avoir une connotation négative de type répulsion. Par exemple, si vous êtes en conflit avec une personne ou un groupe dont vous réprouvez la malhonnêteté, vous aurez tendance à être très vigilant en vue de confondre ou de contrecarrer l'autre partie.

Le pouvoir légitime

Le pouvoir légitime de "A" sur "B" origine des valeurs internalisées de "B" qui lui dictent que "A", en vertu de son poste ou de son rôle, a le droit de prescrire des comportements dans les domaines relevant de sa juridiction et que "B" est tenu d'y souscrire (French et Raven, 16). Le pouvoir légitime qui, par définition, s'appuie sur des règles et des principes acceptés est particulièrement pertinent au milieu organisationnel ou aux institutions socialement reconnues telle la famille ou juridiquement reconnues tels les gouvernements, les syndicats. Ainsi, dans un conflit opposant un supérieur à un subordonné, ce dernier est susceptible d'être confronté et éventuellement assujetti au pouvoir légitime du supérieur. De même, dans les conflits de travail, tant la partie patronale que syndicale fait preuve de sa légitimité en s'appuyant sur les clauses de la convention de travail.

Le pouvoir de l'expertise

Le pouvoir de l'expertise provient d'une forme de supériorité attribuée à l'expert par autrui. C'est pourquoi toute partie qui est perçue comme experte dans un domaine quelconque détient sur autrui un pouvoir, tout au moins dans ce domaine précis d'expertise. Même en situation de conflit, ses arguments seront davantage pris en considération et/ou auront plus d'impact que si autrui ne lui attribuait pas cette compétence.

Le pouvoir de l'information (ou la persuasion)

L'information a cette particularité de devenir rapidement indépendante de la partie qui informe tout comme elle a la possibilité de continuer à être agissante sur le récepteur au-delà de la période d'échange entre les deux parties. L'information se fait plus persuasive quand elle prend en considération la structure cognitive et le système de valeurs du récepteur.

Walton et McKersie (41) regroupent sous le concept de négociation certains usages agressifs et compétitifs des différentes bases de pouvoir. Selon leur analyse, les tactiques de négociation se résumeraient pour l'essentiel à l'une et/ou l'autre des quatre démarches suivantes :

- rendre son propre objectif acceptable par autrui
- convaincre autrui que son objectif (celui d'autrui) ne vaut pas la peine d'être défendu
- présenter l'objectif d'autrui comme inacceptable
- persuader autrui de son intention de soutenir fermement son propre objectif

En dépit d'importantes variations dans l'intensité des affrontements lors des négociations, ces auteurs ont noté la présence des comportements suivants, surtout lorsque l'intensité des négociations est modérée : premièrement, la partie qui adopte une stratégie de pouvoir retient ou maquille l'information particulièrement en regard de l'importance que représente le problème pour elle, de ses préférences des diverses solutions pour elle et pour l'autre partie etc. En un mot, elle cherche à s'exposer le moins possible aux regards de l'autre partie de façon à réduire sa vulnérabilité. Deuxièmement elle s'attache à sa solution préférée, sans la formuler au grand jour, réduisant d'autant la flexibilité et orientant substantiellement la rencontre vers un affrontement de type gagnant-perdant. Comme les véritables enjeux demeurent inavoués et que les parties s'y cramponnent, le débat tourne court. D'où, troisièmement l'apparition des menaces, chantages et divers moyens de pression qui contribuent à discréditer la partie aux yeux de l'adversaire tout en haussant le niveau d'hostilité.

b) *Les stratégies de confiance et les tactiques de collaboration*

En ce qui concerne le degré de fiabilité de l'adversaire, la procédure est un peu plus complexe. En substance, il s'agit de déterminer jusqu'à quel point, la partie qui adopte une stratégie de confiance peut prendre des risques en transigeant avec son opposant. C'est là l'idée même de la confiance en action.

1- Le concept de confiance

Le concept de confiance se compose de trois volets bien distincts quoique en interrelation :

- une situation d'interdépendance entre deux parties
- une possibilité de risque encourue par l'une des parties
- la croyance, par la partie qui prend le risque, dans l'avènement d'un résultat positif

Il y a nécessairement **une situation d'interdépendance entre deux parties** dans le cas d'une situation conflictuelle sinon il n'y aurait pas de conflit entre ces deux parties. Ainsi, selon Deutsch (9), la situation d'interdépendance se définit par le fait que la probabilité d'avènement d'un résultat positif ou négatif est contingente au comportement d'autrui. Bennis *et al.* (3) précisent que c'est le degré d'interdépendance des deux parties qui détermine le degré possible de confiance: on ne peut véritablement faire confiance (c'est-à-dire prendre des risques) qu'à l'endroit d'une partie vis-à-vis de laquelle on est en état d'interdépendance.

La possibilité de risque est définie en fonction de la valence des résultats et/ou des partenaires. Pour Deutsch (9), le risque réside dans le fait que les conséquences des résultats négatifs sont plus grandes que les conséquences des résultats positifs. Pour Kee et Knox (24), c'est l'absence de contrôle sur le comportement d'autrui qui constitue le risque chaque fois qu'autrui a une possibilité de trahison. Selon Snyder (35), le risque consiste à s'exposer à des échecs possibles alors que l'issue est encore incertaine.

La croyance, par la partie qui prend le risque, dans l'avènement d'un résultat positif constitue le troisième volet de la confiance. Si la partie croit qu'un résultat positif plutôt que négatif surviendra, elle acceptera de se rendre vulnérable face à autrui et fera, par le fait même, un choix basé sur la confiance. Si elle croit que les probabilités d'apparition d'un résultat négatif sont plus élevées que celles d'un résultat positif, elle refusera de se rendre vulnérable et fera un choix basé sur la méfiance — choix visant à prévenir ou réduire les conséquences pouvant découler du comportement d'autrui —. Lieberman (25), qui a étudié le rôle de la confiance dans les relations internationales, attribue une importance primordiale à la croyance en des résultats positifs jusqu'au point où "les parties impliquées seront fidèles à leur entente même si elles ont à sacrifier un gain dans l'immédiat". Bennis *et al.* (3) exprimant cette croyance en des résultats positifs sous la forme d'un postulat supposant qu'une partie ne blessera pas délibérément l'autre pour satisfaire ses propres besoins ou sous la forme d'une attente mutuelle à l'effet que chacune des parties choisira une voie médiane pour ne pas porter détriment à l'autre.

Ainsi les recherches expérimentales ont permis l'identification de trois variables définissant de façon opérationnelle le concept de confiance. Un choix de confiance a lieu quand, dans une situation d'interdépendance, la partie qui risque croit en l'avènement de résultats positifs malgré les risques qu'elle encourt. Un choix de non-confiance a lieu quand, dans une situation d'interdépendance, la partie croit en la venue de résultats négatifs (si elle prend le risque) et conséquemment elle refuse de prendre ces risques. La croyance dans l'apparition de résultats positifs, en situation de vulnérabilité délibérément consentie constitue la variable-clé pour différencier la confiance de la méfiance.

2- Les tactiques de collaboration

Les tactiques de collaboration suivent un pattern tout à fait différent de celles de négociation puisqu'elles visent l'atteinte de gains réciproques par la découverte de solutions qui satisfassent les attentes des deux parties contrairement aux tactiques de négociation qui visent prioritairement la satisfaction de ses propres attentes.

La procédure la plus représentative des tactiques de collaboration prend la forme du processus de résolution de problème (P.R.P.) en commun. Ce processus est constitué, pour l'essentiel, de trois phases successives:

- l'identification du problème réel
- la recherche de solutions
- le choix de la (des) solution(s) générant les conséquences les plus favorables pour les deux parties

L'identification du problème réel

L'identification du problème réel s'effectue via trois étapes indispensables. En premier lieu, les parties en litige ont à brosser un tableau de la réalité concrète qui décrit bien la situation actuelle (ce qui est). Cette première étape ne pose pas de difficulté quand les parties se limitent à décrire les faits, les événements, les comportements sans poser de jugement de valeur et sans chercher à excuser ou expliquer pourquoi il en est ainsi. Dans la terminologie de Poupart (31), c'est le modèle descriptif.

276

La seconde étape, plus compromettante celle-là, vise à la formation des attentes des deux parties. C'est l'étape cruciale dans l'identification du problème. Un peu de théorie pour en expliquer le fonctionnement. Ce qui fait qu'un problème existe, ce n'est pas l'état actuel de la réalité (par exemple, un taux d'intérêt de 25%), c'est l'écart entre la réalité et les attentes. Pour une partie (que nous supposons prêteuse), un taux d'intérêt de 25% peut répondre on ne peut mieux à ses attentes alors que pour l'autre partie (que nous supposons emprunteuse), un tel taux d'intérêt constitue une véritable catastrophe si ses attentes se situent aux environs de 13%. On ne peut véritablement identifier un problème sans au préalable connaître en quoi consistent les attentes, le modèle idéal selon Poupart (31).

La troisième étape, appelée formulation du problème (Poupart, 31) consiste expressément à établir l'écart, le non-recouvrement entre la réalité et les attentes. Étant donné que les attentes sont probablement différentes pour chacune des deux parties en conflit même si leur description de la réalité risque d'être similaire, nous aboutissons vraisemblablement à deux problèmes à résoudre. Ce sont sur ces deux problèmes que vont porter les efforts de résolution des deux parties.

La recherche de solutions

La deuxième phase du processus s'appelle la recherche de solutions et elle est composée de deux étapes. La première étape, facultative dans le cas d'une résolution commune de conflit, consiste en la recherche des causes opérantes du problème, i.e. celles qui peuvent réellement expliquer son existence. Elle est facultative en ce sens que si la recherche des causes s'avère une opération trop menaçante pour l'une ou l'autre des parties, elle risque de saboter l'ensemble du processus de résolution en commun du problème. Il ne faut pas oublier que ce processus non seulement vise à résoudre harmonieusement et équitablement le présent conflit, mais vise tout autant à paver la voie pour la résolution des conflits ou différends futurs. La recherche et l'identification des causes opérantes offrent l'insigne avantage de mettre à jour la cause ou le réseau de causes qui a amené l'apparition du problème et, par là même, d'indiquer les cibles sur lesquelles devront porter les solutions pour être efficaces. Il est à noter que les causes peuvent relever autant de maldonnes antérieures (réalité) que d'attentes illusoires (idéal).

La seconde étape, indispensable celle-là, est orientée vers la recherche de moyens pouvant résoudre la problématique de chaque partie. Pour qu'il y ait choix d'une solution, il faut qu'il y ait au préalable génération d'au moins deux solutions potentielles. La règle d'or de cette seconde étape est l'absence de critique lors de la formulation des solutions potentielles de façon à ne pas handicaper la créativité des parties. Cette étape créative offre la possibilité d'échapper au cercle vicieux consistant à opter pour la même vieille solution devant une gamme étendue de problèmes. L'analyse critique des diverses solutions potentielles s'effectue dans la troisième phase.

Le choix de la (des) solution(s)

Le choix de la (des) solution(s) générant les conséquences les plus favorables pour les deux parties et la (les) plus apte(s) à résoudre leur problème respectif s'effectue lors de cette troisième et dernière phase. L'essentiel de la démarche consiste à identifier, pour chacune des solutions, celles qui entraînent, pour les deux parties, les conséquences négatives les moins lourdes et les conséquences positives les plus importantes de façon à avantager au mieux les deux parties.

Il existe des conditions qui rendent plus facilement réalisable l'approche de collaboration dans la résolution de conflits. Ces conditions consistent en des comportements et des attitudes précises. En première instance, le dialogue a avantage à être franc et ouvert particulièrement en ce qui concerne les mobiles sous-jacents aux positions respectives des parties, l'évaluation honnête des conséquences probables des solutions potentielles de même que le degré réel de satisfaction à l'endroit de ces conséquences. Deuxièmement, le processus de résolution en commun du conflit présuppose une attitude flexible de la part des deux parties. Cette flexibilité porte à la fois sur la définition même du problème, sur la recherche de solutions et sur le choix de la solution. Par flexibilité, on entend autant de la souplesse qu'une attitude d'exploration et de saisie graduelle et progressive des éléments majeurs en cause pour les deux parties. Il ne faut pas oublier que ce processus est à la fois une analyse et une construction en commun. Finalement et plus fondamentalement, le P.R.P. en commun repose sur un degré minimum et opérationnel de confiance. L'enjeu ici se formule davantage sous la forme de "faire confiance" à autrui que "d'avoir confiance" à autrui. Même si l'attitude "avoir confiance" sous-tend normalement le comportement "faire confiance", il est possible dans le cadre d'un tel processus d'inverser les rapports de sorte que les comportements de confiance génèrent éventuellement une attitude de confiance réutilisable lors d'opposition future si le processus présent s'avère un succès. Pratiquement, le comportement de confiance porte sur les éléments suivants: faire confiance qu'autrui nous dise la vérité, faire confiance qu'autrui ne tirera pas avantage de notre flexibilité, faire confiance qu'autrui n'exploitera pas notre propre ouverture et franchise à son bénéfice personnel.

Selon Walton et McKersie (41), les tactiques de négociation et les tactiques de résolution du problème cohabitent difficilement ensemble. L'approche de négociation tend à réduire la franchise, la souplesse et l'exploration qui caractérise l'approche de résolution de problème alors que l'ouverture et la quête authentique dans cette dernière approche rendent moins acceptables des comportements de négociation.

8.3.4 L'interaction des opposants

Suite aux phases de frustration, de conceptualisation, d'action, la quatrième phase du modèle de Thomas (39) s'appelle INTERACTION car les comportements de la partie "A" entraînent des comportements de la part de "B" qui, à leur tour, génèrent des comportements chez "A" et ainsi de suite. Selon une recherche rapportée par Thomas, les gestionnaires déclarent utiliser des tactiques similaires à celles qu'ils voient utiliser par l'adversaire: coups de force déclarés sont en corrélation positive aux coups de force d'autrui et en corrélation négative aux gestes de bonne foi d'autrui; par contre; les gestes déclarés de bonne foi sont positivement corrélés aux gestes de bonne foi d'autrui et négativement corrélés aux coups de force ou aux gestes d'évitement d'autrui.

A) LES RÉACTIONS PSYCHOLOGIQUES DES OPPOSANTS

Pour les fins de la présente discussion, l'influence réciproque des comportements des deux parties sera analysée sour l'angle des réactions psychologiques que chaque partie est susceptible de vivre au cours de la phase interaction.

a) La réévaluation

Suite aux échanges avec l'autre partie, arrive la phase de réévaluation des positions dans le conflit. Cette réévaluation peut porter sur les enjeux du conflit, sur la qualité des relations entre les deux parties, sur le rapport des forces en présence, sur l'intensité du conflit, sur la crédibilité de l'autre partie, sur la viabilité et/ou l'impact de la stratégie ou des tactiques employées, etc. Selon la conclusion obtenue, cette réévaluation peut suggérer une escalade ou une désescalade du conflit.

Par exemple, une organisation patronale a consenti des augmentations salariales substantielles à la partie syndicale en échange de la neutralité de cette dernière après que les deux parties aient implicitement reconnu la nécessité (pour des raisons d'opinion publique) de rationaliser la répartition des ressources humaines après que la partie patronale, dans sa réévaluation, ait conclu que son véritable but était de rendre l'organisation productive et dynamique. Dans un autre cas, en dépit des demandes syndicales jugées acceptables par la partie patronale, cette dernière a quand même opté pour un refus et a même proposé des réductions importantes de la masse salariale suite à sa réévaluation de la performance économique de l'ensemble de l'industrie à laquelle appartenait l'entreprise en question.

Il semblerait que le processus de réévaluation se met en branle suite à la perception de disparités entre les conséquences à court terme et à long terme. Selon Donnelly (13), les rapports de type agressif entre des parties patronale et syndicale en vue "d'avoir la main haute sur l'autre" à long terme vont être adoucis, advenant le cas où la sécurité de l'autre partie est menacée, parce qu'il y a un écart énorme entre chercher à dominer et détruire. De même, au niveau individuel, après évaluation d'une situation qui lui est hautement favorable, cette partie peut juger préférable de laisser une porte de sortie à l'adversaire plutôt que de l'écraser. Dans ce cas, la satisfaction personnelle immédiate a cédé le pas à des considérations à plus longue portée étant donné que ces deux parties risquent de transiger encore longtemps ensemble.

b) Les biais perceptuels

Les biais perceptuels se traduisent généralement par une perception et une appréciation plus favorable de ses propres actions que de celles d'autrui en période de conflit. Ainsi, devant des comportements similaires de la part de deux parties, chacune aurait tendance à trouver une justification acceptable aux siens mais non pas à ceux d'autrui: Thomas (39) donne l'exemple des communiqués en provenance des autorités militaires qui vont qualifier les actes guerriers de l'adversaire "d'agressions" et leurs propres actes guerriers de "mesures de prévention".

Quant à la perception sélective en période de conflit, elle consiste, selon Deutsch (10), à porter l'attention sur des indices fort différents selon le degré de confiance ou de méfiance envers l'adversaire. Par exemple, en position de méfiance, la partie est à l'affût des indices de menace, d'hostilité, de conflit d'intérêt, de sorte que les ouvertures de l'autre partie indiquant son désir de coopérer, d'adoucir les hostilités peuvent lui échapper. Avec un tel biais, la partie sous-estime à coup sûr la communauté d'intérêts qui peut exister entre les deux parties (Blake *et al.,* 4).

c) La simplification cognitive

On sait qu'une première forme de simplification consiste à définir le conflit dans la perspective gagnant-perdant. La simplification cognitive dont il est présentement question réfère à la perception de soi et d'autrui. Surtout sous un stress intense et probablement en vue d'éviter la dissonance cognitive, chaque partie a tendance à s'attribuer plus de qualités que de défauts et à attribuer à l'autre plus de défauts que de qualités.

d) La distorsion des communications

Les communications ont tendance à subir des distorsions substantielles en cas de conflit d'intérêt ou de comportements très compétitifs (Raven et Kruglanski, 32). Dans ce contexte, étant donné que chaque partie tâche d'imposer son point de vue à l'autre ou est perçue par l'autre comme voulant imposer son point de vue, le niveau de confiance diminue sérieusement. Il s'ensuit que l'on ne croit pas ou même que l'on n'écoute plus le message d'autrui et, conséquemment, que l'on s'efforce presque uniquement à faire passer son propre message. Il faut peu de temps pour que l'on en arrive à un dialogue de sourds qui précède souvent l'abandon pur et simple des communications (Deutsch et Krauss, 12). À compter de ce moment, les deux parties ne communiquent que par leurs gestes et actions.

e) La substitution des buts

Quand le conflit se perpétue, il risque de se produire un phénomène appelé "la substitution des buts". La lutte, de la défense de ses propres intérêts, se transforme en volonté d'abattre autrui même au détriment de ses intérêts initiaux. À ce stage, on assiste souvent à une prolifération de points de combat comme si les parties saisissaient la moindre occasion pour multiplier les accrochages afin "d'avoir le meilleur" sur l'adversaire.

8.3.5 Les résultantes du conflit

Lorsque les épisodes de conflits cessent de s'enchaîner les uns aux autres, une certaine forme de résultante vient de s'instaurer que ce soit par la victoire d'une partie sur l'autre, par un match nul, par une entente tacite de laisser "dormir" le conflit ou par une véritable résolution du problème. Cependant, cette résultante officielle n'est pas le seul produit d'un conflit. Il y a les émotions résiduelles au conflit comme, par exemple, le degré de frustration-satisfaction découlant du résultat obtenu, le degré de méfiance-confiance et le degré d'animosité-cordialité qui se sont développés durant le conflit. Ces résultantes émotionnelles constitueront le champ de bataille/coopération pour les rapports à venir entre ces deux mêmes parties.

En plus des émotions, les parties auront développé des perceptions sur la façon dont autrui se comporte en période de conflit. Ainsi, Burke (6) et Thomas (38) ont confirmé que le comportement d'autrui est jugé constructif lorsque ce dernier adopte des tactiques de collaboration ou d'accommodation: il est perçu moins constructif lorsqu'il s'adonne à des tactiques de compétition ou d'évitement.

D'autre part, s'il est vrai que des comportements de compétition ou d'évitement réduisent l'attirance entre les parties et que des comportements de collaboration accroissent cette attirance, le comportement d'accommodation entraîne des effets moins nets. Ainsi, l'accommodation est perçue favorablement si la partie s'y adonne délibéremment. Dans le cas d'une accommodation par contrainte, la partie sera jugée "non dérangeante", mais ne montera pas dans l'estime de l'adversaire.

On sait que les comportements de collaboration sont souvent associés à des succès du genre promotion plus rapide. Par contre, les comportements de compétition, en dépit de leur réussite à court terme, entraînent souvent, à plus long terme, des résistances, des blocages et même de l'opposition systématique de la part d'autrui.

8.4 Les modes de résolution de conflit

Les modes de gestion de conflit peuvent se classifier en deux catégories selon que les modalités de résolution du conflit n'impliquent essentiellement que les deux parties en cause (modalités dyadiques) ou selon qu'elles fassent intervenir un tiers dans le processus de résolution (modalités triadiques).

8.4.1 Modalités dyadiques de résolution de conflit

Il est plutôt difficile de se faire une idée précise des ressemblances et différences existant entre les diverses modalités dyadiques de résolution de conflit puisque, dans la documentation, on se contente d'en faire des descriptions discrètes sans rapport entre elles.

A) ÉVITEMENT

Le recours à l'évitement, c'est-à-dire maintenir le conflit à son niveau le plus bas en évitant toutes formes de stimulation ou d'évocation réelles ou potentielles du conflit, constitue une mesure probablement efficace à court terme bien qu'elle ne résolve, ni n'élimine le conflit. Cette tactique aurait tendance à être utilisée par une partie quand les rapports de force ne lui sont pas favorables et quand la présentation du problème risquerait d'endommager sa crédibilité. Par l'évitement, on compte sur "le temps pour arranger des choses". Les attitudes qui visent à reporter toujours plus tard les décisions "critiques relèvent vraisemblablement de cette tactique d'évitement.

B) APAISEMENT

Par l'apaisement, les parties mettent l'accent sur la communauté d'intérêts et mettent en veilleuse les différends. Cette tactique repose sur la croyance que l'insistance sur les points d'accord peut faciliter la démarche vers un but commun. Comme l'évitement, elle peut être utile et même efficace à court terme. Mais elle ne suffit pas.

C) BUT SUPÉRIEUR

La tactique du but supérieur vise essentiellement le même objectif que la tactique d'apaisement mais en mettant l'accent sur la nécessité commune d'adhérer à un même but qui transcende les différends. C'est un peu le phénomène de l'ennemi commun qui provoque la réunion et la collaboration des adversaires d'hier. Par un but supérieur, souvent incarné dans un projet visant à vaincre un danger commun, les parties en arrivent, au moins à court terme, à mettre de côté leurs différends et à travailler en collaboration parce que le but est inaccessible sans les efforts combinés des deux parties. Tant que le but demeure présent et justifié, la collaboration a de bonnes chances de se réaliser en autant qu'aucune des parties n'en profite trop pour promouvoir ses propres intérêts. Et une telle expérience positive va favoriser l'approche de coopération advenant un conflit ultérieur.

D) RÉSOLUTION DE PROBLÈME

Cette tactique a été exposée précédemment comme étant le prototype des tactiques de collaboration. Qu'il suffise d'ajouter que la résolution de problèmes peut inclure sans danger autant de comportements de confrontation que de clarification en autant que la relation de confiance subsiste.

E) RÈGLEMENT D'AUTORITÉ

Quand une des parties impliquées dans le conflit détient une autorité supérieure à l'autre, il est fort vraisemblable qu'elle fasse usage de cette autorité, non pas pour solutionner le conflit mais pour y mettre fin. De par son statut d'autorité hiérarchique supérieure, elle peut forcer la partie adverse à se soumettre à sa décision. Cette tactique vise à contrôler le résultat du conflit tout en passant outre les causes du conflit. À court terme, c'est une tactique qui peut avoir du succès.

F) NÉGOCIATION

Cette tactique a aussi été exposée précédemment comme une tactique représentative de la relation de pouvoir. Même si elle vise à maximiser les gains d'une partie au détriment de l'autre, elle demeure quand même plus acceptable car elle s'effectue selon un processus qui accorde beaucoup de liberté d'action et de pression aux deux parties.

8.4.2 Modalités triadiques de résolution de conflit

Trois tactiques sont couramment utilisées pour résoudre un conflit selon la modalité triadique ; il s'agit de la médiation, de l'arbitrage, de l'enquête.

A) MÉDIATION

En médiation, on nomme un tiers, le médiateur, dont la mission est d'aider les parties en opposition à trouver une solution à leur conflit. Par définition, le médiateur est neutre et ne s'attache qu'à aider les parties à trouver un terrain d'entente pour leur(s) litige(s).

B) ARBITRAGE

En arbitrage, les parties acceptent à l'avance de se soumettre au jugement d'un tiers, l'arbitre, pour régler leur différend. L'arbitre exerce son office dans deux contextes différents. Dans un cas, son mandat peut l'autoriser à formuler lui-même les conditions de règlement. Dans l'autre cas, il peut être tenu strictement à interpréter ou appliquer les règlements qui ont déjà fait l'objet d'une entente entre les deux parties.

C) ENQUÊTE

Il s'agit de procédure quasi-judiciaire où le tiers, l'enquêteur, après avoir pris connaissance des représentations des deux parties, présente les résultats de son enquête et les recommandations en résultant. Tant le rapport que les recommandations ont la valeur d'un avis et n'entraînent aucune obligation ou contrainte de la part des deux parties.

8.5 Conclusion

À l'heure actuelle et compte tenu des connaissances acquises sur les conflits en milieu organisationnel, il est difficile de dépasser le stade descriptif de la dynamique conflictuelle, si ce n'est que pour esquisser quelques bribes de solution.

Par contre, indépendamment des études sur le conflit, plusieurs des solutions auxquelles il est brièvement référé dans les paragraphes précédents, bénéficient d'un support théorique et expérimental parfois impressionnant. Il suffit de penser, par exemple, à l'énorme documentation qui s'est érigée en regard de la négociation. Traiter en détails de ces voies de solution aurait nécessité, à tout le moins, un chapitre pour chacune d'elle; ce qui outrepasse les objectifs du présent volume.

Il nous a semblé plus opportun de situer, au mieux des connaissances présentes, en quoi consiste le conflit et comment il évolue. Cette connaissance de la dynamique conflictuelle nous apparaît un prérequis à toute intervention subséquente.

Et, dans une perspective de réduction ou de contrôle du stress au travail, il faudra songer à intervenir dans la dynamique conflictuelle. Le coût phénoménologique des conflits est souvent trop élevé pour justifier les résultantes qui en découlent, même si ces dernières peuvent être positives. À preuve, il n'y a qu'à référer à l'espace qu'occupe le conflit dans l'esprit des belligérants. Les pensées, les actions, les émotions en viennent à être toutes marquées au coin du conflit. Même le sommeil, les rapports interpersonnels avec des personnes non con-

285

flictuelles, et des activités aussi simplistes que de regarder la télévision se font au travers de l'écran du conflit. Le conflit, avec sa cohorte de préoccupations, de tensions, d'anxiété, peut jusqu'à envahir la vie toute entière des personnes en cause.

Pour en revenir à la dynamique même du conflit, il apparaît essentiel de retenir qu'on ne peut éprouver de conflit sans, au préalable, avoir vécu une frustration initiale. Cette frustration réfère toujours à une forme de spoliation, que cette dernière soit réelle, anticipée ou imaginaire.

Cette frustration entraîne la mise en branle d'un processus de conceptualisation où la partie frustrée formule, plus ou moins consciemment, les enjeux impliqués. Cette conceptualisation est colorée par le degré d'égocentrisme caractérisant sa perception du problème, par son degré de conscience des mobiles ou objectifs sous-jacents, par l'empleur qu'elle attribue aux paramètres du conflit et de sa résolution éventuelle. Cette première forme de conceptualisation définit en quelque sorte la position émotionnelle de la partie frustrée. Le pendant intentionnel de cette position émotive se traduit par "l'état" dans lequel elle souhaite que les deux parties sortant du conflit ou, en d'autres mots, le degré de satisfaction qu'elle projette accorder aux deux parties en litige. Les divers postulats gagnant-gagnant, gagnant-perdant etc., illustrent bien cette intentionnalité en termes d'aboutissement favori.

La conceptualisation faite, vient le temps de l'action. Si la conceptualisation est surtout marquée par l'impact émotif tout récent de la frustration, le passage à l'action tend à prendre davantage en considération la partie adverse. Ainsi, l'orientation générale que la partie frustrée est susceptible de se donner, à savoir les proportions respectives de coopération et d'affirmation à mettre de l'avant, n'est pas étrangère à la qualité des rapports antérieurs avec la partie adverse et/ou aux résultats obtenus par une orientation générale donnée lors de conflits antérieurs. C'est un peu le principe de la réalité qui intervient. Cette prise en compte de la réalité se traduit par l'adoption d'une stratégie et de tactiques relevant grosso modo de deux approches différentes: les stratégies de pouvoir illustrées en milieu organisationnel par les tactiques de négociation; les stratégies de confiance caractérisées par les tactiques de collaboration. C'est dans ce cadre général que la partie frustrée compte effectuer l'affrontement ou la résolution du conflit.

Advenant que l'affrontement ait lieu, les deux parties seront en interaction conflictuelle plus ou moins fréquemment. Divers phénomènes psychologiques se produisent durant cette période. Certains peuvent contribuer à résoudre le conflit, telle la réévaluation qui amène les parties à s'interroger si les coûts du conflit valent encore la peine d'être assumés. D'autres, par contre, galvanisent davantage les attitudes belligérantes, telle la substitution des buts ou la simplification cognitive, etc.

Mais comme rien d'humain n'est éternel, il en est de même des conflits. Il vient un moment où le litige s'estompe ou s'épuise. Les résultantes du conflit, par contre, ont tendance à subsister plus longtemps sous la forme d'émotions résiduelles comme le degré de frustration-satisfaction découlant du résultat obtenu ou de degré de confiance-méfiance et d'animosité-cordialité qui se sont cristallisés durant le conflit.

Les modes de résolution de conflit brièvement identifiés dans cet ouvrage réfèrent à des techniques ou des outils dont l'utilité et l'efficacité dépendent, pour une grande part, des paramètres définissant le conflit. C'est dans cette perspective diagnostique des paramètres qu'ont été décrites en détails les cinq phases du processus conflictuel, à savoir: la frustration, la conceptualisation, le comportement, l'interaction des opposants et les conséquences. Il nous apparaît illusoire de mettre en place des mécanismes de résolution ou de gestion de conflit qui ne soient guidés et orientés par une saisie articulée des paramètres caractérisant le conflit en question. Le diagnostic se doit de précéder l'intervention et l'intervention sera d'autant plus efficace que le diagnostic sera exact et précis.

Bibliographie et références

(1) Allport, G.W. (1955). *Becoming,* New Haven: Yale University Press.

(2) Bacharach, S.B., Lawler, E.J. (1981). *Power and politics in organizations.* San Francisco: Jossey Bass.

(3) Bennis, W., Schein, E., Berlew, D., Steele, F. (1964). *Interpersonal dynamics: Essays and readings on human interaction.* Homewood, ILL.: Dorsey.

(4) Blake, R.R., Shepard, H.A., Mouton, J.S. (1964). *Maganing intergroup conflict in industry.* Houston: Gulf Publishing.

(5) Blau, P.M. (1964). *Exchange and power in social life.* New York: Wiley.

(6) Burke, R.J. (1970). Methods of managing superior-subordinate conflict: Their effectiveness and consequences. *Canadian Journal of Behavioral Science,* April, 2, 124-135.

(7) Coser, L. (1956). *The functions of social conflict.* New York: The Free Press.

(8) Dahl, R.A. (1957). The concept of power. *Behavioral Science,* 2, 201-218.

(9) Deutsch, M. (1962). Cooperation and trust in Jones, M.R. (Ed.). *Nebraska Symposium on Motivation.* Lincoln, Nebr.: University of Nebraska Press.

(10) Deutsch, M. (1969). Conflicts: Productive and destructive. *Journal of Social Issues,* January, 25, 7-41.

(11) Deutsch, M. (1971). Toward an understanding of conflict. *International Journal of Group Tensions,* January-March, 2, 42-54.

(12) Deutsch, M., Krauss, R.M. (1962). Studies in interpersonal bargaining. *Journal of Conflict Resolution,* 6, 52-76.

(13) Donnelly, L.I. (1971). Toward an alliance between research and practice in collective bargaining. *Personnel Journal,* May, 50, 372-379.

(14) Etzioni, A. (1975). *A comparative analysis of complex organizations.* (Rev. Ed.). New York: Free Press.

(15) Fisher, R. (1964). Fractionating conflict. In Fisher, R. (Ed.). *International conflict and behavioral science: The Craigville Papers.* New York: Basic Books.

(16) French, J.R.P., Raven, B.H. (1959). The bases of social power, in Cartwright, J. (Ed.). *Studies in social power,* Ann Arbor, Mich.: Institute for Social Research.

(17) Galtung, J. (1965). Institutionalized conflict resolution. *Journal of Peace Research,* 4, 348-397.

(18) Gamson, W.A. (1968). *Power and discontent.* Homewood Ill.: Dorsey Press.

(19) Gragg, C.I. (1964). Whose fault was it? *Harvard Business Review,* January-February, 42, 107-111.

(20) Hall, J. (1971). Decisions, decisions, decisions. *Psychology Today,* November, 5. 51-54, 86-87.

(21) Hoffman, L.R., Maier, N.R.F. (1961). Quality and acceptance of problem solutions by members of homogeneous and heterogeneous groups. *Journal of Abnormal and Social Psychology,* March, 62, 401-407.

(22) Horney, K. (1945). *Our inner conflicts: A constructive theory of neurosis.*

(23) Kahn, R.L., Boulding, E., (Eds.) (1964). *Power and conflict in organizations.*

New York: Basic Books.

(24) Kee, H.W., Knox, R.E. (1970). Conceptual and methodological considerations in the study of trust and suscipion. *Journal of Conflict Resolution,* Vol. 14, *3,* 357-366.

(25) Lieberman, B. (1964). 1-Trust: A notion of trust in three-person games and international affairs. *Journal of Conflict Resolution,* 8, 271-280.

(26) Litterer, J.A. (1966). Conflict in organizations: A reexamination. *Academy of Management Journal,* September, 9, 178-186.

(27) Machiavel, N. (1972). *Le Prince.* Paris: Le livre de poche.

(28) March, J.G., Simon, H.A. (1958). *Organizations.* New York: Wiley.

(29) Osgood, C.E. (1961). An analysis of the cold war mentality. *Journal of Social Issues,* 17, 12-19.

(30) Pondy, L.R. (1967). Organizational conflict: Concepts and models. *Administrative Science Quarterly,* September, *12,* 296-320.

(31) Poupart, R. (1973). La participation et le changement planifié in Tessier, R., Tellier, Y. (Ed.). *Changement planifié et développement des organisations.* Montréal: IFG/EPI.

(32) Raven, B.H., Kruglanski, A.W. (1970). Conflict and power. in Swingle, P. (Ed.). *The structure of conflict.* New York: Academic Press.

(33) Sherif, M., Hovland, C.I. (1961). *Social judgment: Assimilation and contrast effects in communication and attitude change.* New Haven: Yale University Press.

(34) Simon, H.A. (1957). *Administrative behavior: A study of decision-making processes in administrative organization. (2nd ed.) New York: MacMillan.*

(35) Synder, P. (1973). Small group facilitators: Analyses of attitudes, interests, and values among three types of successfull group leaders. Unpublished doctoral dissertation. University of Southern California.

(36) Stagner, R., Rosen, H. (1965). *Psychology of union-management relations.* Belmont, CA.: Brooks.

(37) Thibault, J.W., Kelley, H.H. (1959). *The social psychology of groups.* New York: Wiley.

(38) Thomas, K. (1971). Conflict-handling modes in interdepartmental relations. Unpublished doctoral thesis, Purdue University, Lafayette, Ind.

(39) Thomas, K. (1976). Conflict and conflict management in Dunnette, M.D. (Ed.). *Handbook of Industrial and Organisational Psychology.* Chicago: Rand McNally.

(40) Walton, R.E. (1969). *Interpersonal peacemaking: Confrontations and third party consultation.* Reading, Mass.: Addison-Wesley.

(41) Walton, R.E., McKersie, R.B. (1963). *A behavioral theory of labor negociations: An analysis of a social interaction system.* New York: McGraw-Hill.

(42) Weber, M. (1947). *The theory of social and economic organization.* (Henderson, A.M. and Parson, T., Eds. and trans) New York: Oxford University Press.

(43) Zaleznik, A. (1970). Power and politics in organizational life. *Harvard Business Review,* May-June, 47-60.

Index des auteurs

Waters, L.K., 201
Webb, W.B., 88
Weber, M., 271
Wehrenberg, S., 221
Whetten, D.A., 162
Wiles, K., 229
Williamson, M., 229

Z

Zaleznick, A., 33, 271
Zuckerman, M., 41, 43, 52
Zung, W.W.K., 48, 49, 50, 57, 58, 59

Index des sujets

295

I

Instruments de mesure (voir aussi mesure)
- accidents   71-72
- accidents de travail   71
- ambiguïté de rôle   142-143
- A.S.T.A.   53-54
- à trois items de Hackman & Lawler 100
- à trois items de Lyons   107-108
- attitudes envers les transmetteurs de rôle   68
- behaviorally anchored rating scales (B.A.R.S.)   87
- cohésion du groupe de travail   71
- échelle d'échappement de Quinn & Shepard   66-67
- échelle de fatigue   62-63
- échelle de Lodahl & Kejner   101-102, 103 à 105
- échelle de Quinn & Shepard   61
- échelles de problèmes de sommeil 63-64
- échelle d'humeur dépressive   58-59
- échelle d'évaluation par jury (Andrews & Farris)   84 à 86
- évaluation par la clientèle,   91
- facteur adaptation-abattement 97-98
- Health Opinion Survey (H.O.S.) 35 à 40
- index aux 22 items de Langner, 33 à 35
- index de fréquence-quantité-qualité   66-67
- item d'auto-évaluation de l'efficacité occupationnelle   80 à 82
- Job Diagnosis Survey (J.D.S.) 178
- Job Related Tension (J.R.T.)   54 à 56
- marques de reconnaissance & prix de distinction   92 à 94
- mesure de Brief & Aldag, 84, 105
- mesure de critères,   32
- mesure de French & Caplan 145-146
- mesure de Fried, Weitman & Davis 106
- mesure de Hackman & Lawler 102-103, 107
- mesure de Hall & Mansfield 103 à 105
- mesure de Johansson, Aronsson & Lindström   106-107
- mesure de Lyons   105-106
- mesure de Patchen   100-101
- mesure de productivité   83
- mesure d'humeur & d'éveil   62
- Monthly Health Review (M.H.R.) 30 à 32
- Motivation Potential Score (M.P.S.)   179
- Multiple Affect Adjective Check List (M.A.A.C.L.)   41 à 43
- nomination pour la compétence technique   98-99
- objects de l'exercice d'autorité 69-70
- Psychiatric Status Schedule (P.S.S.)   43 à 48
- qualité des services offerts à la clientèle   82
- questionnaire d'anxiété situationnelle et de trait d'anxiété (A.S.T.A.) 53-54
- rentabilité financière   93-94
- SCL-90   40-41
- Self-Rating Anxiety Scale (S.A.S.) 48 à 58
- Self-Rating Depression Scale (S.D.S.)   58 à 60
- State-Trait Anxiety Inventory (S.T.A.I.)   50 à 53
- style de gestion du personnel   68-69

Interaction
- des opposants en conflit   279-281
- employé-environnement   8, 10
- rôle occupationnel,   123 à 125

M

Mesures (voir aussi instruments de mesure)
- ambiguïté de rôle,   142-143
- autorité   69-70
- charge de travail,   145-146
- climat organisationnel,   200-201

Stress

DANS LA MÊME COLLECTION

Comprendre l'organisation — approches de recherche

Yvan Bordeleau, Luc Brunet, Robert R. Haccoun,
André-Jean Rigny, André Savoie
Université de Montréal, 1982, 200 p.

Diagnostic organisationnel — cas vécus

André-Jean Rigny
Université de Montréal, 1982, 365 p.

Le changement planifié

Une approche pour intervenir dans les systèmes organisationnels
Pierre Collerette, Gilles Delisle
Université de Montréal, 1982, 213 p.

Le climat de travail dans les organisations

définition, diagnostic et conséquences
Luc Brunet
Université de Montréal, 1983, 141 p.

*Lithographié au Canada
sur les presses de
Métropole Litho Inc.*